Aire de Dylan

Seix Barral Biblioteca Breve

Enrique Vila-Matas
Aire de Dylan

Diseño original de la colección:
Josep Bagà Associats

Primera edición: marzo 2012

© Enrique Vila-Matas, 2012

Derechos exclusivos de edición en español
reservados para todo el mundo:
© Editorial Seix Barral, S. A., 2012
Avda. Diagonal, 662-664 - 08034 Barcelona
www.seix-barral.es
www.planetadelibros.com

ISBN: 978-84-322-0964-2
Depósito legal: B. 5.490 - 2012
Impreso en España
Rodesa, Rotativas de Estella, S. L., Navarra
Preimpresión: gama, sl, Barcelona

El papel utilizado para la impresión de este libro
es cien por cien libre de cloro
y está calificado como **papel ecológico**.

A Paula de Parma

Necesito tanto tiempo para no hacer nada
que no me queda tiempo para trabajar.

PIERRE REVERDY

I

Algunos entran muy tarde en el teatro de la vida, pero cuando lo hacen parece que entren sin brida y directos ya hasta el final de la obra. Ése fue mi caso. Y hoy puedo afirmarlo con toda seguridad. La representación empezó la mañana en la que mi mujer me entregó una carta que acababa de llegar de Suiza, una invitación a participar en un congreso literario sobre el fracaso.

Me encontraba en la terraza del apartamento al noreste de Barcelona, la vieja casa en la que llevábamos ya muchos años y que hemos cerrado hará tan sólo unos meses. Mi mujer entró en la terraza con pompa nada habitual y ensayó una reverencia teatral antes de anunciarme que, a tenor de lo que decía la carta, alguien me consideraba un completo fracasado. Me sorprendió su teatro porque no solía sobreactuar jamás. ¿Quería con su histrionismo rebajar la gravedad de lo que decía? Fuera por lo que fuese, no se me olvidará el momento, porque inauguró una historia dentro de mi vida, una historia que paulatinamente iría reclamando cada vez más mi atención en las siguientes semanas.

Leí la carta y vi que la *gentil* propuesta me llegaba desde la Universidad suiza de San Gallen. No era desde luego la clase de invitación que los escritores reciben con frecuencia y, sin embargo, pocas cosas parecen tan íntimamente vinculadas como fracaso y literatura. Tal vez por eso, porque en realidad lo raro era que la invitación no me hubiera llegado antes, leí la carta suiza con la más absoluta flema, como si hubiera sabido desde siempre que un día la recibiría. No moví ni un solo músculo de la cara. Encajé la invitación con elegancia y sentido de la fatalidad, como si estuviera en un rincón de un gran escenario. Y me quedé sólo con una duda para las horas siguientes: ponerme la máscara de fracasado o continuar llevando mi vida normal de fracasado.

La invitación me la enviaba un profesor de matemáticas apellidado Echèk. Escrito de aquella forma, con *k* y con aquel acento, Echèk significaba «fracaso» en criollo haitiano. Salvo el matiz isleño de su apellido, las referencias que encontré en Internet del matemático suizo fueron todas insulsas, académicas, y en las imágenes de Google no hubo modo alguno de averiguar qué rostro tenía aquel hombre. Pregunté a mi amiga Petra Overbeck, profesora en San Gallen, si conocía a Echèk y me dijo que era un buen hombre, aunque estaba obsesionado con el tema general del fracaso. Petra me recomendaba aceptar la invitación, pues me ofrecía la oportunidad de conocer «la insuperable región de Appenzell».

Unos meses después, me desplacé a San Gallen para asistir al congreso. Como Echèk no se dejaba ver, empezó a crearse entre los conferenciantes la leyenda de que era un personaje imaginario. Petra Overbeck insistía en confirmarme lo que decían los demás profesores: que Echèk simplemente había caído enfermo. A pesar de lo que nos decían, algunos empezamos a desconfiar incluso de la existencia del señor Fracaso, y sólo aceptamos que no era un ser ficticio cuando le vimos en la orla que reunía las fotografías de los estudiantes de la promoción en San Gallen del curso superior del 92-93. Allí estaba Echèk, recién licenciado, con una sonrisa triste. Era de raza negra y tenía un aire cercano al del presidente Obama y parecía el de más edad de todos los estudiantes de su promoción.

Se pasó Echèk enfermo todo el congreso, así que sólo le vimos en aquella orla que me molesté en fotografiar y posteriormente incluí en mi web, logrando así que mi anfitrión tuviera por fin presencia física en Internet, lo que, según me dijo el otro día Petra, él no ha podido perdonarme, pues ama el anonimato.

Nadie discute que la ciudad medieval de San Gallen, entre el lago Constanza y la región de Appenzell, tiene buenos miradores sobre el casco antiguo y un lugar de visita ineludible, su Biblioteca de la Diócesis, «la farmacia del alma» la llaman algunos, un sitio magnífico. Pero nada también tan cierto como que no ofrece excesivas posibilidades de diversión. Quizás por eso y porque lo más entretenido allí pareció ser desde el primer momento el propio tema central del congreso, apenas me moví de los bucólicos alrededores de la universidad y acabé asistiendo a casi todas las conferencias sobre el fracaso.

Algunas me interesaron especialmente, como la de Sergio Chejfec, que dijo concebir el fracaso, no como eventualidad literaria, sino como sinónimo de la literatura en general: «El fracaso es la prefiguración natural del destino del escritor.» O como la del cineasta Werner Herzog, que, si no entendí mal, centró todo su discurso en su fracaso rotundo como loco: un trágico y apasionante lamento, en definitiva, por no haber sabido perder la razón con la suficiente fuerza.

Pero el congreso, a pesar de su interesante idea de reunir a artistas de muchas partes del mundo para hablar sobre el fracaso, habría podido ser una vulgar reunión literaria, una reunión como tantas otras, de no haber sido por la intervención del joven Vilnius Lancastre, que leyó una narración sobre algunos hechos de su vida en los días posteriores a la muerte de su padre: un relato que había escrito en cuatro noches, basado en hechos reales muy recientes de su propia existencia. No estaba acostumbrado a escribir porque él se dedicaba al cine y además era muy perezoso y aspiraba algún día a ser como Oblomov, personaje radicalmente gandul de una novela rusa, paradigma del no hacer nada. No tenía la costumbre de escribir, pero por su inexperiencia en la vida literaria creyó que en San Gallen no cobraría sus honorarios si no llevaba escrita su intervención y se presentó en el congreso con ese relato que a priori llamaba la atención por su título enigmático, *Teatro de realidad*.

En medio de problemas con la traducción simultánea y con el público de la sala dudando todo el rato entre quedarse a escucharle o irse, el joven Vilnius fue leyendo su relato casi como si fuera una obra de teatro radiofónico, lo cual en el fondo no dejaba de tener su sentido, pues a fin de cuentas las intervenciones de aquel Congreso del fracaso eran grabadas íntegramente por Radio Zurich y, además, el relato que Vilnius leyó invocaba al teatro en su título.

Fue el único ponente que leyó un cuento (un cuento, eso sí, basado en hechos reales, en acontecimientos recientes de su propia vida). Los demás acudimos allí con ensayos sobre el tema general del fracaso. Pero él fue

16

con su relato autobiográfico. No nos lo comentó allí en San Gallen, pero hoy sabemos que, aparte de su temor a no cobrar si no presentaba escrito el texto, desechó cualquier ensayo o teoría sobre el fracaso y eligió esa opción narrativa porque no tenía ni idea de escribir ensayos y necesitaba además con urgencia la terapia de contar en público su reciente drama personal, de contar lo que le había acontecido en los días siguientes a la muerte de su padre y que curiosamente tenía estructura de cuento. (Que la tuviera, por cierto, era una experiencia para él nueva, no le había ocurrido nunca y, además, le había dejado perplejo observar que un fragmento de su vida pudiera tener un aire tan parecido al de una historia de ficción, un aire sobre todo a pieza teatral con desenlace inesperado y telón abrupto.)

Necesitaba llevar a cabo su idea de convertir su narración en un grito, lanzado entre desconocidos en una ciudad extranjera, un intento de soltar lastre y arrojar su drama personal por la primera borda que encontrara; un intento de liberación o como mínimo de amortiguar su tragedia privada.

Pero, por encima de todo, lo que más le estimulaba de aquella opción narrativa era la posibilidad de probar un invento, lo que él llamaba *Teatro de realidad* (una variante del Cine de realidad, también conocido como *Cinéma Vérité*) e ir confirmando en directo sus sospechas de que al público *no le interesaba en absoluto* su drama de los últimos seis días.

Teniendo en cuenta, además, que intuía que iba a rebasar con creces los cuarenta y cinco minutos de tiempo asignados para su intervención —necesitaba más minutos para leer íntegro su relato—, esperaba ir viendo con entusiasmo cómo poco a poco la gente, sin entender nada de por qué les contaba su historia, se iba yendo de la sala y su actuación terminaba por ser el fracaso más penoso y bochornoso de la historia de los narradores orales de todos los tiempos. Con su desastrosa intervención interminable pensaba Vilnius convertirse en el único ponente del congreso que se ajustaría a la perfección con la verdadera esencia y espíritu de ruina de aquel encuentro internacional sobre el fracaso. Es decir, pensaba hacer una exhibición completa y ejemplar en público de cómo se fracasa plenamente y *de verdad*.

Pero ninguna de todas estas intenciones de búsqueda absoluta del desastre las dejó ver de entrada. Y, bien mirado, era lógico, pues necesitaba fracasar sin haber advertido previamente que buscaba quedarse sin público, sin un solo oyente.

Pero, de hecho, su propia presencia allí contenía un fracaso implícito, pues a quien verdaderamente habían invitado a San Gallen era a su padre, que no había podido asistir por causas inalterables: había caído muerto, fulminado por un infarto en su casa de Barcelona, semanas antes.

No hay duda de que es la muerte el fracaso humano por excelencia. Así las cosas y, dado que el joven hijo del tan admirado Juan Lancastre se dedicaba al cine y se sabía que trabajaba en un Archivo General del Fracaso, Echèk había tenido la idea de pedirle que acudiera a San Gallen y dijera unas palabras sobre el tratamiento de la derrota en la obra de su padre. En lugar de esto, Vilnius se había presentado allí con su *Teatro de realidad*.

La verdad es que no esperábamos gran cosa de la intervención del joven Vilnius, quizás porque algunos habíamos oído decir de él que era un mediocre publicista, despedido de todas las agencias en las que había trabajado, y un cineasta que a sus treinta años sólo había firmado un irregular cortometraje vanguardista, *Radio Babaouo*. Un cierto sentido del arte y facilidad de palabra, por vía paterna, se le suponían, pero nadie confiaba en que poseyera las cualidades más reconocidas de su padre. En realidad, no esperábamos nada de él, a lo sumo una breve semblanza y recuerdo emocionado de la figura de Juan Lancastre, y poca cosa más.

A su padre lo había visto yo en Barcelona en las barras del Zeleste y del Bikini y del bar Perturbado, del que fue socio fundador. Lo había visto en mis años de juventud y también de posjuventud. Y de forma muy confusa recordaba haberme reído en cierta ocasión en su compañía, no me acordaba de qué, sólo sabía que habíamos terminado riéndonos brutalmente y que los dos llevábamos una borrachera de mucho cuidado. De sus libros me había interesado bastante *La interrupción*, novela un tanto emblemática, buena obra, demasiado famosa para lo que era, pero una obra muy digna a fin de cuentas. También su extraño manifiesto a favor de las vanguardias —escrito en francés— y su imaginativo tratado —escrito en catalán— sobre Siria. Y, por supuesto, su facilidad para cambiar de piel y de personalidad y a veces hasta de lengua en cada libro.

A su hijo Vilnius no lo había visto jamás en persona, pero sabía que solía ir vestido de negro y que su notable cabellera y la nariz y hasta su estatura eran idénticas a las de Bob Dylan. A veces la gente, por la calle, se reía al confundirlo con el cantante. Su aire a lo Dylan le había creado algunos problemas —sobre todo con su padre, que odiaba ese peinado y la búsqueda del parecido con el músico—, pero a Vilnius le gustaba presentar aquel aspecto, porque creía que le daba un toque de artista sin concesiones.

No se asemejaba físicamente en nada a su famoso padre y un poco, en todo caso, a Laura Verás, su terrible madre: madrileña de muy buen ver, que fue de joven a vivir a Barcelona y pronto alcanzó en esa ciudad, tanto en los círculos universitarios como luego en los noctámbulos, fama de pérfida, de mujer fatal; fama que amplió cuando trabajó en una agencia literaria, donde causó estragos en todos los sentidos.

«Laura Verás, irás y no volverás», decía una leyenda de entonces, que advertía a los hombres de la condición de serpiente infinitamente peligrosa de aquella mujer. Para algunos, entre los que me incluyo, había sido la más diabólica y guapa de nuestra generación, aunque también era cierto lo muy dada que era a sobreactuar y que a veces había conseguido ser una malvada realmente mala, malísima, aunque siempre de manual. En cualquier caso, algo tenían muchos muy claro en Barcelona: por muy estereotipada que resultara su imagen de víbora y por mucha risa que pudieran provocar algunas de sus actitudes perversas exageradas, había que ir con cuidado con ella, porque en el fondo era terrorífica.

El caso es que entré en la conferencia que el joven Vilnius titulaba *Teatro de realidad* pensando que estaría allí sólo unos minutos y por eso me coloqué en la última fila, muy cerca de la puerta. No había para nada previsto que el cuento montado sobre su propia vida, aquella especie de teatro sin teatro de aquel joven orador, pudiera atraparme, sorprenderme como lo hizo. Era teatro sin teatro porque en todo lo que él nos fue leyendo se notaba perfectamente que eran hechos verdaderos y muy sentidos.

Vilnius inició su intervención avisando de que no iba a conferenciar para nada, sino a leernos un cuento que narraba la historia de su vida durante seis días que le cambiaron su mundo. Como sabía que disponía sólo de cuarenta y cinco minutos, quería avisar al distinguido público de que, en el caso más que probable de que la organización le interrumpiera su lectura, continuaría leyendo el relato de su estupor existencial en la cervecería Stille, a cuatro pasos de donde estábamos.

Dio, pues, la falsa impresión inicial de que deseaba interesarnos de tal forma con su relato que en un momento dado, subyugados todos, no tendríamos más remedio que trasladarnos a la cervecería de al lado para conocer el desenlace de la historia que se nos habría contado. Sin embargo, se proponía algo completamente distinto, algo que nadie era capaz de imaginar. ¿Cómo íbamos a saber que aquel joven podía estar buscando, como objetivo máximo, ser el Ed Wood de las lecturas, de las intervenciones en los congresos? Ya se sabe, Ed Wood fue el autor de la peor película de todos los tiempos. El joven Vilnius, en el momento de comenzar a abordar su *Teatro de realidad*, soñaba con ir asistiendo al inconmensurable espectáculo de ver cómo su tragedia no importaba nada a los otros y su lectura acababa provocando la huida de todos los espectadores, de todos sin excepción.

II

TEATRO DE REALIDAD

1

Mi padre ha muerto y he venido yo en su lugar. Quisiera contarles lo que me ha ocurrido en estos últimos días y advertirles que es posible que, más que de fracaso, termine hablándoles de orfandad, desolación, perplejidad, muerto adosado.

Lo del «muerto adosado» lo dejo para un poco más adelante. Quisiera primero hablarles de una tarde de hace ya tiempo en la que, a la salida de la escuela, vi a un tipejo inolvidable, un tipejo horroroso con bigote nazi que, debido al extraño impulso que le dio una piel de plátano, salió disparado del autobús en posición totalmente horizontal. Aunque las risas de aquel momento perduran en mi memoria, me llegan hoy, en esta mañana suiza, como un eco verdaderamente lejano, como el sonido de una campana traído por el viento.

Es curioso, pero también andaba pensando hace seis días en ese tipejo del que les he hablado cuando, en mi cuarto de hotel en Barcelona, concentrado en la recreación de aquel resbalón de autobús, patiné yo también. Quizás ocurrió todo porque me concentré demasiado en el horrible señor nazi del deslizamiento horizontal. Pero el hecho es que caí lentamente, caí tan despacio que parecía que lo hiciera a cámara muy lenta. Mi cabeza terminó chocando contra el frío y duro suelo del rincón más destartalado de mi cuarto. Me levanté enseguida, queriendo simular ante mí mismo que no había pasado nada. Y entonces, quizás por los efectos del golpe, me adentré mentalmente en la piel de un adolescente tan idéntico a mi padre que no podía ser más que mi padre, es decir, no podía ser más que el jovencito Juan Lancastre a los veinte años, viajando en taxi por el Londres de finales de los sesenta, provisto de una dentadura postiza que se había insertado entre las nalgas para arrancar los botones de los asientos de atrás de los coches.

¿Era un recuerdo inventado? No, todo indicaba que se trataba de una escena que había vivido mi padre cuando era un joven idiota y gamberro. ¿Cómo podía haber llegado hasta mí un recuerdo tan exclusivo de mi padre, un recuerdo de los días en los que el mundo de Carnaby Street y de Julie Christie y de Terence Stamp eran el centro de su frenesí juvenil?

No había mejor explicación que ésta: los recuerdos de mi padre —o al menos alguno de esos recuerdos— se estaban infiltrando en mi mente. Con un gesto enérgico, me quité el polvo imaginario de las mangas viejas de mi chaqueta y comencé a preguntarme si no sería que el golpe contra el suelo me había hecho heredar de golpe (y nunca mejor dicho) la memoria personal de mi padre, muerto hacía seis días en su casa de la calle Provenza, de un ataque al corazón.

Mira qué fácil podría de repente ser todo, pensé. Soy joven, no rebaso los treinta años. Olvidándome de sus volubles ideas y de su modo de ser, no me iría mal contar con la ayuda suplementaria de la memoria y experiencia personal de mi padre. De entrada, me ahorraría un montón de errores juveniles.

2

Se detuvo Vilnius aquí un momento en su *Teatro de realidad*, como si ya se hubiera cansado de hablar. La traducción simultánea funcionaba mal y se estaba marchando de allí más de la mitad de la sala, mientras la otra parecía luchar con los auriculares y se notaba que, si aquello seguía funcionando mal, tampoco tardarían nada en renunciar a continuar escuchando aquella lectura del joven catalán.

Observé que, al estar situado en la última fila y haber quedado tan vacía la zona de butacas que tenía delante de mí, empezaba a notarse que me había colocado allí a propósito para estar lo más cerca posible de la salida. Vilnius precisamente me dirigió en ese momento una mirada que yo interpreté equivocadamente, pues creí que era la mirada terrible de quien acababa de descubrir que yo también me quería ir. No le conocía a él de nada, pero suponía que Vilnius sí me conocía y que sentía pavor sólo de pensar que podía quedarse también sin mi presencia. Sobra decir que sucedía exactamente lo contrario: me estaba mirando para ver si ya de una vez por todas me decidía también a marcharme.

Me senté unas filas más adelante, como mostrando interés, pero vi que Vilnius apenas podía disimular su indignación. Bien poco podía yo imaginar que era porque el fracaso no lo estaba generando él mismo, sino los errores técnicos de la organización, la incompetencia en la cuestión de la traducción simultánea.

Por un momento (siguió leyendo Vilnius), hasta me tentó darme otro golpe en la cabeza. Pero ya tenía uno. ¿Por qué habría de querer más? ¿Qué deseaba? ¿Doblar la herencia de la experiencia y memoria personal de mi padre? ¿No era algo que podía enturbiar mucho mi vida? Mejor sería, me dije, que recordara que los golpes contra el frío y el duro suelo no solían dejar esta clase de transformaciones mentales. Quizás en siglos venideros se pudiera heredar la memoria paterna, pero por el momento eso era imposible. Haría bien en tenerlo en cuenta. Aun así, la impresión de que la memoria y experiencia de mi padre se habían infiltrado en mi cabeza permanecía inamovible.

Hasta me acordé de algo que se decía en una canción que cantaba Sinatra: ¿No es el amor una patada en la cabeza?

Quizás bastara sustituir «amor» por «duelo» para comprender algo de lo que me estaba pasando. No me había afectado la muerte de mi padre, pero había entrado de cabeza en su duelo.

Comencé a sentirme inquieto, raro en el atardecer. Había días en los que, por ejemplo, percibir la inminencia de la oscuridad nocturna me alteraba mucho. Pero he de aclarar que no era la llegada de la oscuridad completa la que me desazonaba, sino la idea de la inminencia, la inminencia por sí misma. Y el duelo, por supuesto. Había odiado a mi padre toda mi vida, pero el duelo parecía haberme cambiado. Como si hubiera en el luto un mecanismo interior que me estuviera humanizando.

De pronto, oí que decían mi nombre.

—¿Vilnius?

Fue alarmante porque no era una voz la que me llamaba, sino «algo» que más bien percibí que se había también infiltrado en mi mente.

¿Era «algo» o era más bien mi padre, Juan Lancastre, que andaba llamándome desde un mundo desconocido? Mi padre estaba muerto, pero no podía olvidarme de que muchos difuntos, según una creencia popular, permanecen en la Tierra durante un tiempo antes de marcharse definitivamente.

—¿Hamlet?

¡Hamlet! ¿Había dicho Hamlet? ¡Eso sí que era ya una extravagancia! ¿Por qué ese cambio de Vilnius a Hamlet? ¿Qué pretendía ese «algo»?

Desde que mi padre muriera, no había dejado de pensar un solo día en las difíciles relaciones que siempre había tenido con él. Cuando falleció —hacía sólo seis días y, por cierto, de forma extraña: quedó muerto con los ojos muy abiertos, como si hubiera tenido una visión aterradora en los últimos segundos—, hasta respiré de alivio, porque la verdad era que él, entre otras cosas, me había atosigado siempre mucho. Ahora bien, al mismo tiempo no pude evitar cierta sensación de desconcierto. Estaba tan acostumbrado a ver en mi padre al rival principal, por no decir a mi rival natural, que no se me había ni pasado por la cabeza que todas aquellas pugnas podían tener un día su fin. Me había habituado a que lo normal y también lo creativo —porque nuestras peleas eran generalmente creativas— fuera aquel fecundo estado permanente de discusión e inestabilidad. Descubrí que en el fondo había vivido muy bien teniendo un rival como mi padre, pues aquella extrema ojeriza que le tenía era una gran productora de ideas; la ojeriza era incluso, en sus momentos más álgidos, una brillante máquina de poesía. Por esto y por todo lo demás, si deseaba ser honesto conmigo mismo, tenía que reconocer que la muerte y el consiguiente duelo por mi padre estaban causándome un quebranto más hondo del esperado.

—¿Vilnius?

Al oír que «algo» volvía a pronunciar mi nombre, pensé con desasosiego que era como si Juan Lancastre quisiera decirme que, a pesar de lo mal hijo que yo había sido, estaba él allí, como de costumbre, amparándome. Pero la verdad es que pensé todo esto para no volverme loco y sobre todo para poder darme una explicación mínimamente racional a lo que ocurría.

Quizás en realidad no he oído nada, pensé tratando de engañarme, quizás no he escuchado ni palabra y esa voz o ese «algo» sólo responda a mi deseo de que mi padre ande todavía por la Tierra, ande bien cerca de mí y sin decidirse a emprender, de una vez por todas, el viaje definitivo.

Recuerdo que en ese preciso momento me di cuenta de que si, como era de esperar, la estela paterna se iba desvaneciendo del todo en las siguientes horas o días, lo que más terminaría añorando de mi gran enemigo sería su carácter tan extremadamente protector.

Después, me acordé de un amigo de la universidad que me habló de un tipo de su aldea, un tipo de apariencia normal, más bien gris, que sin embargo tenía una característica poco frecuente. Pese a carecer de una experiencia personal que la justificase, había nacido a los veinticinco años de edad, dotado de memoria. Nunca me pareció creíble esta historia, pero el amigo de la universidad solía contármela siempre con tal convicción que era evidente que podía tener un fondo de verdad.

De hecho, hacía unos minutos, cuando me había dado el golpe y había creído heredar de súbito la memoria y la experiencia personal de mi padre, ¿no me había parecido mucho a ese aldeano que naciera con una memoria tan poco frecuente?

—¿Hamlet?

Cuando comprobé que ese «algo» insistía con lo de Hamlet, decidí que ya no podía tomarme todo aquello a la ligera. Después de todo, era probable que hubiera algo bien cierto en la idea de que durante días o semanas, más allá de la muerte, el pensamiento humano de un muerto mantiene su ímpetu.

¿Y si el golpe me había cambiado verdaderamente la cabeza? ¿O era más bien que la estaba perdiendo porque había muerto mi padre? ¿O era simple y llanamente el fantasma de mi padre que, como en *Hamlet*, me visitaba para clamar venganza? ¿De qué deseaba él vengarse?

Todo ese nuevo orden de cosas podía ser en realidad tan sólo añoranza de mi mayor enemigo, al que, una vez muerto, le necesitaba: todo lo contrario que en vida, que era un estorbo y alguien dedicado sistemáticamente a rebajar mi autoestima.

Decidí, en la medida de lo posible, no dar más vueltas a mis dudas y centrarme en el Archivo General del Fracaso que en los últimos meses tantas fuerzas me había dado para ir adelante en la vida.

Si en las fachadas del templo de la Sagrada Familia, el arquitecto Gaudí pretendía, como en las catedrales medievales, explicar en imágenes la Historia Sagrada, yo, por mi parte, había ido reuniendo en mi ordenador toda aquella documentación que pudiera servirme un día para llevar a cabo mi grandioso proyecto de transformar en cine todo lo que venía archivando minuciosamente sobre el tema de la derrota.

Tenía y tengo pues el proyecto —acepto que desmedido, irrealizable, lo que seguramente lo hace más seductor— de filmar la historia del fracaso general del mundo.

Si Cervantes opuso a las ficciones caballerescas la pobre realidad provinciana de su país, yo me relajaba viéndome a mí mismo como un ser que quería un día filmar completo el gran espectáculo mundial del fracaso, visto en este caso como brutal y gigantesca extensión de la realidad provinciana que apenas había cambiado en mi país desde los tiempos del Quijote.

4

A veces —improvisó Vilnius de pronto, apartándose por unos minutos de sus papeles— me gusta imaginar que mi padre fue invitado a este congreso porque una fuerza oscura le susurró al señor Echèk que el hijo del gran Lancastre había elegido el fracaso como materia prima de su trabajo.

Es un placer poder decirles que en mi Archivo digital, en mi Archivo General del Fracaso, hay carpetas todavía no muy trabajadas, pero que van creciendo día a día. *Registro del Inconsciente, Ensueños vencidos, Vías muertas, Museo de las sinlógicas, Cartografías sonámbulas*... A veces he pensado en rodar mi futura película con una estructura narrativa que evoque la forma intrincada de todo archivo, pero sobre todo la forma intrincada del mío. También he de decirles que encontrar para esa película un productor es tarea heroica y más en tiempos de crisis, pero es que además creo que no tengo ganas de hacer nada en la vida, ni siquiera esa película.

Me gusta Oblomov. Y sobre todo la pulsión Oblomov. ¿Oyeron hablar de esa pulsión? Toma su nombre de las costumbres apáticas del personaje de una novela que un tal Goncharov escribió en Rusia hace siglo y medio. Oblomov es un joven y desvalido aristócrata, incapaz de hacer nada con su vida. Duerme muchas horas, lee de vez en cuando, bosteza sin parar. Encogerse de hombros es su gesto favorito. Es de esa clase de personas que tienen la costumbre de reposar antes de fatigarse. Estar tumbado cuanto más tiempo mejor parece su única aspiración, su modesta rebeldía. Oblomov es el indiferente al mundo por excelencia.

Yo, señoras y señores, distinguido público, intuyo que no tardaré nada en convertirme en un indiferente sin fisuras y un ideólogo de la desgana. De hecho, he escrito unos folios para este congreso, pero serán los últimos que escriba en mi vida. Prefiero el cine, aunque ya digo que no tengo claro que vaya a seguir interesado por mucho tiempo en él. A mi padre, eso sí, le hacía creer que pensaba trabajar siempre. Pobre gran Lancastre. Recuerdo que me decía: tienes treinta años y no has dado golpe y así no vas a ninguna parte. Oh, papá, le contestaba, he dirigido un cortometraje y he trabajado en publicidad, todo eso es algo. Te han despedido de todos los trabajos y del cortometraje mejor no hablar, y ahora llevas un archivo que te sirve de tapadera para imaginarte que eres un genio, me machacaba mi padre con ánimo castrador. Y luego, intentando dejarme aún más hundido, me decía que la lucha contra la dispersión era el motivo más oculto del coleccionista y que yo, con mi archivo, trataba de corregir esa dispersión, pero lamentablemente seguía marchando disperso, directo al desastre.

Mi película es ambiciosa y podrías al menos dejarme prepararla, le decía. Tu película es la idea de un loco, me respondía, me recuerdas a un señor que conocí en Nueva York que quería escribirlo todo, todo lo que oyera en la calle, no importaba que fuera aburrido, necio o vulgar lo que registrara allí, quería escribirlo todo, era un gran loco. No sé, le decía yo, no sé quién era ese señor, pero sí sé que quiero filmar todos los fracasos del mundo, todos. Pero si en realidad, me decía él, esto sólo demuestra que no sabes lo que quieres, te embarcas en algo interminable para no tener así que concluir nada, nunca vi a nadie más inconsistente, más caprichoso. Me hace gracia que seas tú quien me dice esto, osaba replicarle, tú que te hiciste famoso escribiendo sobre interrupciones, un tema infinito porque todo en la vida son interrupciones y un tema, por encima de todo, necesariamente inconcluso.

Aunque es del todo innecesario porque a nadie le importa aquí mi vida, creo necesario decirles que dejé Madrid hace unos meses y regresé a Barcelona. A pesar de la crisis económica, que tanto sirve de excusa para los impagos, me abonaron todo lo que me correspondía, me indemnizaron bien, y ahora sé que, tarde o temprano, tendré que volver a buscar trabajo, pero que por el momento, durante un cierto periodo de tiempo, hasta donde me alcance la tranquilidad de no tener que trabajar, he de intentar, por encima de todo, sentirme libre, saberme disponible para poder dedicarle más tiempo a mi inmersión en la gran trama universal del fracaso. Llevo ya varios meses en Barcelona instalado en el hotel Littré, que inauguraron no hace mucho en el número 3 de la calle Buenos Aires, frente a la librería Bernat. El hotel lo dirige un hindú, Shekhar, antiguo jefe de personal del Littré de París, el lugar donde siempre me hospedé cuando iba a aquella ciudad. Desde luego, me ha venido de perlas esta inesperada reproducción del Littré parisino en un barrio tan encantador de Barcelona. Me permite a veces imaginar que vivo en Francia y, además, me cobran la tarifa más reducida posible.

Mi memoria es plenamente barcelonesa, le comenté no hace mucho a Shekhar, un tipo portentoso. Aun siendo el flamante gerente, parece sentir nostalgia de cuando hace tres décadas entró a trabajar de botones en el Littré de París. Quizá por eso arrastra a veces las maletas de los clientes, se hace cargo de ellas, las sube a las habitaciones. Lo más probable es que, cuando acarrea equipajes, lo haga porque se siente aburrido y porque, además, convertirse en director de hotel nunca debió de ser el gran sueño de su vida. Quizás buscó siempre algo más humilde: arrastrar maletas, por ejemplo. Quizás la suya sea una modalidad extravagante de fracasado que podría yo ir ya pensando en incluir en una de las notas de mi Archivo General. Estoy ahora pensando que en la nota dedicada a Shekhar podría contar la historia de una buena persona que deseó ser siempre una hormiga de hotel y no lo logró: la historia de un hombre que sólo podía existir plenamente si arrastraba maletas, las maletas de su propio ser...

5

Una mañana —retornó Vilnius a la lectura de su texto—, recibí un largo e-mail de una amiga. En la posdata, me preguntaba si era de Francis Scott Fitzgerald la frase «Cuando oscurece, siempre necesitamos a alguien» que yo había incluido al comienzo de mi cortometraje *Radio Babaouo*.

Parece mentira, pero aquella pregunta me animó mucho. Me considero un investigador frustrado, al que le habría encantado que le colocaran a indagar en un gabinete de investigación científica, por ejemplo. Sería feliz con un simple microscopio, siempre a la búsqueda de ser la primera persona del mundo en ver algo nuevo, totalmente inédito. En cualquier movimiento de la vida, hasta en el más trivial, percibo un enigma a clarificar, y quizás por eso aquella pregunta me animó tanto. No tardé en responderle a mi amiga que hacía ya cinco años que había oído de pasada esa frase en *Tres camaradas*, película de Frank Borzage de 1938, que había visto en junio del 2005 en la televisión. En cuanto la escuché, seguí diciéndole a mi amiga, di por sentado que la frase era de Francis Scott Fitzgerald, que firmaba el guión junto a Edward E. Paramore. Pero, pasado un tiempo, empecé a tener dudas, porque comprendí que nunca en la vida podría llegar a saber si la colocó allí Fitzgerald, o el tal Paramore, o quizás los dos al unísono, en el transcurso de un intercambio de opiniones mientras escribían el guión...

Por otra parte, como el guión de *Tres camaradas* se basaba en la novela del mismo título de Erich Maria Remarque, quizás la frase ya estuvo desde el principio allí, en el libro, y en ese caso las especulaciones sobre la autoría de Fitzgerald eran absurdas y una completa pérdida de tiempo.

Impresionaba pensar que en realidad resultaría muy difícil, por no decir imposible, saber con toda seguridad de quién era la frase. Y, por un momento, me sentí tentado a comunicarle a mi amiga que esa dificultad me remitía a una gran metáfora del mundo, pues me recordaba el caso del universo, del que tampoco conocemos al autor... Pero un pensamiento menos trascendental se interpuso en mi camino y fue el que acabé desarrollando y escribiendo.

Aun suponiendo, terminé diciéndole por e-mail a mi amiga, que fuera posible averiguar de quién era la frase, no llegaríamos a mucho, porque lo más probable sería que el autor la hubiera oído o leído a otra persona antes, porque nada sale de la nada, y una frase como ésta aún menos: seguro que siglos antes de la película ya la había dicho alguien en algún lugar y de un modo idéntico y con las mismas palabras...

No sé cómo fue que, después de escribir esto, me quedé abstraído por momentos, imaginando a la madre de Francis Scott Fitzgerald sentada en un balancín con una madeja de lana y unas grandes agujas en la sala de estar de un caserón de Saint Paul, Minnesota, diciéndole a su hermana o a su marido «Cuando oscurece, siento un escalofrío».

Pero ¿qué hacía allí la madre de Fitzgerald? ¿Y la madeja? ¿De qué parte extraña de mi imaginación había surgido el maldito ovillo? ¿No decía mi padre que tenía yo «la cabeza como una madeja»? ¿Y no estaría él queriendo de nuevo infiltrarse en mi memoria? Me entró una melancolía extraña. Como si la visión de esa madre y ese caserón de Minnesota y, sobre todo, el repentino influjo de la Luna en la hora taciturna en la que me encontraba se hubieran querido poner de acuerdo para recordarme que estaba completamente solo en la Tierra y en el universo.

Di por terminado el e-mail que en realidad hacía minutos que había ya dado por finalizado y lo envié. Luego decidí salir a la calle, ir hacia otro hotel de la ciudad, intentar resolver lo que parecía irresoluble, el enigma acerca del autor de la frase de *Tres camaradas*. Y es que de golpe, casi como si hubiera llegado en forma de latigazo el dato a mi memoria —o hubiera llegado a la de mi padre y éste, desde el lugar en el que estuviera, hubiera decidido traspasarme el dato— recordé con perfecta claridad que mi madre me había hablado, unas horas antes, de Claudio Arístides Maxwell, amigo de tercer orden de mi padre y autoridad en cuestiones cinematográficas. Habíamos hablado de él porque, según me había contado mi madre, acababa él de publicar en *La Vanguardia* un artículo nada habitual en sus colaboraciones, un artículo raro en el que hablaba de niños muertos, de niños que fueron asesinados salvajemente en Camboya, o que mataron los nazis, no recordaba ella muy bien, quizás había querido en realidad hablar de niños muertos que caían a todas horas fulminados por todos los rincones del mundo por verdugos innombrables... El caso era que Claudio Arístides Maxwell, que siempre hablaba de cine, se había puesto a hablar de pronto de niños muertos, lo que no dejaba de ser algo bien raro.

Decidí ir a ver a Claudio Arístides Maxwell a la tertulia semanal que tenía todos los martes en el bar del hotel Avenida Palace. A Max —todo el mundo en Barcelona le llama así— no había llegado a verle nunca en persona, pero no ignoraba que era un diccionario andante del mundo del Hollywood de su época dorada, la persona ideal para resolverme —si es que no era del todo imposible, lo que parecía a fin de cuentas lo más probable— el enigma de la autoría de esa frase de *Tres camaradas*.

En todo momento supe que estaba iniciando una investigación por el casi solo placer de investigar y así poder ver adónde me llevaban mis preguntas, pesquisas, investigaciones. No puedo negar que adoro esa figura de Hollywood que es el detective privado y que, sin ir más lejos, hacía tan sólo dos días que me había comprado en unos grandes almacenes una gabardina que parecía salida de una novela de Chandler.

Al entrar en el hotel Avenida Palace, fui directo a la tertulia, que por lo que pude ver hacía ya un rato que había terminado, pues andaban todos ya despidiéndose. Si no me equivoco, usted conoció a mi padre, le dije directamente a Max. Casi se asustó al verme, pero poco después reaccionó, pasó a comportarse con una mayor naturalidad, aunque me pareció que seguía algo alterado, como si yo fuera la última persona que esperara ver aquella tarde. Creo que ya sé quién eres, muchacho, me dijo, ese aire a lo Bob Dylan no lo tiene nadie más en Barcelona. Me dijo esto con voz engolada, voz de película, como si lo que me estaba diciendo formara parte de la escena de un western y él fuera un pistolero ya curtido y yo un ingenuo aprendiz que le pidiera que me instruyera.

Claudio Arístides Maxwell, un tipo inconfundible, figura habitual del paisaje barcelonés: hombre muy corpulento, imponentemente alto, con cara de gánster del Chicago de los años veinte y voz de auténtico celuloide en blanco y negro. El hombre que, junto a Javier Coma y Román Gubern, siempre supo todo sobre el cine norteamericano de la gran época de Hollywood.

Me dio el pésame por la muerte de mi padre y dijo que ya sabía que había yo dirigido un corto que no me había ido nada mal, *Radio Boboa*. Bueno, en realidad se llama *Babaouo* y más bien me fue muy mal la cosa, le aclaré. ¡Ah, no creo!, dijo y luego me preguntó qué estaba haciendo por allí. Le conté que había ido a verle a él expresamente porque quería saber si una frase de *Tres camaradas* («Cuando oscurece, siempre necesitamos a alguien») había podido escribirla Francis Scott Fitzgerald. Le expliqué que sólo quería esa pequeña información y que no se me escapaba que mi investigación podría estar condenada a la nada, aunque de todos modos estaba acostumbrado a desengaños y a decepciones, pues vivía inmerso en historias de este tipo, trabajaba en un Archivo General del Fracaso y, además, tenía la impresión de que la descabellada investigación iba a fracasar y acabaría teniendo que incorporarla a mi Archivo General como un ejemplo más de derrota.

Parece, dijo Max, que prefieras que no sepa decirte si la frase es de Scott o no y así poder archivar el tema, ¿no es así? Pues no, no es eso, le contesté, no es eso ni mucho menos, porque siempre preferiré que usted me aclare de quién es la frase. ¿Y para qué quieres saberlo si se puede saber?, preguntó, y después me explicó que habría preferido que le hubiera hablado de las dos mejores frases de esa película, «*It's the edge of eternity. Let's stay right here forever*» («Es el filo de la eternidad. Quedémonos aquí para siempre»).

Aunque no se lo pedí en ningún momento, Max empezó a aclararme que las palabras sobre el filo de la eternidad las decía Margaret Sullavan a Robert Taylor en la película, poco después de que éste, avanzada la madrugada, comentara que no era de día ni de noche. Era la única de todas las secuencias de *Tres camaradas* que Max recordaba, pues había escrito, una vez, un largo ensayo sobre ella. Quizás la frase «Cuando oscurece...» apareciera en esa misma escena, pues parecía muy de la misma cuerda, aunque no la recordaba en absoluto. En todo caso, le parecía que pensar que esa frase pudiera ser de Fitzgerald era mucho pensar; era ignorar, por ejemplo, que el libreto o primer guión del novelista, después de que éste lo creyese concluido, había pasado posteriormente por muchas y más que dolorosas alteraciones.

Para empezar, me dijo Max, había que tener en cuenta que la necesidad de que la estructura fuese más cinematográfica condujo a Mankiewicz, el productor, a plantear una revisión y añadir un guionista experimentado, Edward E. Paramore. Debió de ser un duro golpe para Fitzgerald, que dio la bienvenida a su inesperado compañero con la incomodidad de la persona que de pronto se encuentra a alguien que creía muerto hacía tiempo. Pues Paramore, a quien Fitzgerald había conocido años antes en Nueva York, había salido medio ridiculizado en uno de sus libros más famosos, *Bellos y malditos*, y luego siempre había oído decir de Paramore que se había muerto y por eso no había protestado de haberse visto convertido en un no muy digno personaje de ficción.

Sí, le dije, sé que le hicieron trabajar con ese tal Paramore y que eso reduce al cincuenta por ciento las posibilidades de que la frase sea de Scott. ¿Al cincuenta?, se rió Max, no me hagas reír, hubo después ocho guionistas más, adosados todos a la pareja Fitzgerald & Paramore, y yo creo que nuestro querido Scott nunca comprendió que individuos que él consideraba muy mediocres en el terreno de la escritura pudiesen corregirle sus textos.

Finalmente me habló de que en su casa creía tener el primer guión de la película, el libreto de *Tres camaradas* que escribió en solitario Scott Fitzgerald. Se lo publicaron, le parecía, en Illinois. Quizás encontremos ahí la frase, dijo, y puedas resolver el caso, pero antes dime, ¿para qué quieres saber todo esto, muchacho? Creo que sobre todo para saber si la frase es mía o de Fitzgerald, le contesté. ¿Tuya? Sí, le dije, la rescaté de *Tres camaradas* y la hice algo famosa. Si no fuera por mí, la frase no estaría ahora en Internet, no existiría. De alguna forma, la siento mía.

Comprendo, dijo Max, a quien acababa de coger del brazo una joven rubia, de poca estatura, muy bien proporcionada de cuerpo, una chica de mi edad, una versión en miniatura de Verónica Lake, pero sin que el mechón de pelo llegara a cubrir su ojo derecho. Según cómo uno la mirara, la muchacha parecía ser sólo una gran cabellera espectacular, como si su rubia melena fuera el centro mismo de su físico, pero, si se la miraba con mayor detenimiento, se veía que ella era mucho más que ese primer efecto de la cabellera rubia. La chica, extraña y nerviosa, con un bello toque anticuado, parecía tener prisa por salir a la calle. Yo le lancé una mirada de pretenciosos aires seductores, pero no logré nada, tan sólo la indiferencia de la chica. Era, sí, de mi edad, pero quedó claro enseguida que a ella no le interesaba nada yo, la muchacha estaba allí para otras cosas, eso era más que obvio. Y, aunque no fuera así, igualmente me rehuiría. Nada me ha ido siempre tan mal como engañarme a mí mismo y creerme seductor. En esto parece que no aprendo. Me convendría de vez en cuando acordarme de que no he tenido nunca especial éxito con las mujeres, carezco del menor encanto, y lo peor es que no voy camino de que vayan a mejorarme las cosas en este aspecto.

Da igual que crea sacar partido de mi parecido con Bob Dylan de joven, con mis gafas negras graduadas para la miopía y mi pelo negro revuelto y mi nariz calcada a la del cantante. Da igual que me mueva mucho al hablar, como ahora mismo están ustedes comprobando esta mañana. Da igual que me dé aires de genio y también da igual que hasta puede que lo sea algún día —ahora no, desde luego—, da igual todo, incluso que sea incisivo, orgulloso y exaltado. Da igual que dé una imagen brillante de moderno a la antigua, una mezcla entre Dylan y Rimbaud. Todo esto da igual. Y ese día, en el hotel Avenida Palace, créanme todos ustedes que también dio igual. Porque la rubia casi ni me vio y dio evidentes muestras de estar sólo pendiente de Max, que me propuso mirar al día siguiente el guión publicado en Illinois y me dijo que pasara por su casa, hacia las doce del mediodía. Vivía en un ático de la calle Bailén.

La rubia, que tenía en sus ojos azules una mirada muy poderosa, me recordó de pronto, salvando todas las diferencias, la mirada terrible (ojos verdes en ese caso) de mi madre.

En la rubia los ojos casi salían de sus órbitas, color azul intenso, color del mar en la cumbre del verano. No hacía más que estirar de la manga a Max, como instándole a marcharse, como si tuviera una prisa muy grande, mientras sonreía a todo el mundo, menos a mí.

Te presento a Débora, dijo Max. La saludé cariñosamente y ella me respondió con una sonrisa forzada que acabó convirtiéndose en una sonrisa helada, terrorífica. Cada vez era más evidente que la muchacha quería marcharse de allí cuanto antes y que a mí ni siquiera me veía. Bueno, intervino Max despidiéndose con voz de celuloide, te espero mañana, muchacho, le daremos una ojeada a ese libreto, pero que conste que tu investigación me parece rara.

Viéndole alejarse a Max con Débora, recordé esa sonrisa tan pavorosamente fría de la muchacha, esa sonrisa tan helada, y pensé en cómo me habría gustado de pronto sentir la mano de mi padre tocándome la frente a modo de bendición y ayudándome a saber todo lo que podía haber pasado por la mente, seguramente rara, de aquella chica de la sonrisa extraña y de los ojos tan espectacularmente maternales.

Pensando en todo eso, me acordé casualmente —o no, quizás fuera cosa de mi padre, que insistía en infiltrarse en mi mente y de vez en cuando parecía lograrlo— de que en el viejo piso, en la poderosa biblioteca de la casa de la calle Provenza, había un libro sobre los días que pasó Francis Scott Fitzgerald en Hollywood, un libro en el que probablemente podría encontrar un capítulo entero dedicado al rodaje de *Tres camaradas*. Y me dije que a la mañana siguiente, antes o después de visitar a Max, iría a ver a mi madre. Y luego me dije que por qué no iba aquella misma noche. Y de pronto, como si no fuera dueño pleno de mis movimientos, me encaminé hacia su casa, sin avisarla, lo que fue sin duda una temeridad, pues mi madre no ha sido nunca un alma bendita, certeza que no tardaba en corroborar cada vez que iba a visitarla. Si encima iba a verla a esas horas, corría todo tipo de riesgos y no podía esperar en modo alguno que la visita me fuera mínimamente bien. Aun así, decidí ir allí, decidí ir a ver al monstruo al que en otras épocas y en cientos de ocasiones diferentes —tan lejanas todas que ya casi no las recordaba— llamé mamá.

6

Como seguían los problemas de traducción, la huida había sido masiva. Ya sólo quedábamos nueve personas escuchando al joven Vilnius, seguramente las pocas que entendíamos su idioma. Nueve exactamente. Pero ninguna de ellas podía imaginar que él había soñado fracasar de otro modo, no por las circunstancias técnicas, sino por méritos propios, por haber sabido desinteresarnos por completo de su tragedia. Y menos aún imaginar que confiaba en ir fatigándonos a los nueve en los siguientes minutos y literalmente barrernos de allí por el sistema de dejarnos agotados y lograr así hacerse al menos con una parte del mérito del colosal y rotundo desastre final, que consistiría en quedarse solo, tan completamente solo como había soñado al comenzar a leer su texto.

7

En última instancia (dijo Vilnius improvisando de nuevo), ¿cómo diría yo?, las cosas tienen que ser tal como son y tal como han sido siempre; quiero decir que las grandes cosas están reservadas para los grandes, los abismos para los profundos; las delicadezas y estremecimientos, para los sutiles; y desde luego, todo lo raro para los raros.

Al igual que Dylan, mi padre fue un raro. Y al igual que éste, consiguió que la gente lo adorara, sobre todo porque no sabían muy bien quién era y podían imaginarlo a su gusto. Mi padre a veces se parecía a Bob Dylan en su papel de Alias, en la película sobre Pat Garret.

—¿Quién eres? —le preguntaba Garret.

—Ésa es una buena pregunta —decía Dylan.

Mi padre —en su faceta de gran enigma y caravana de diferentes personalidades en una sola— se parecía a Dylan y a otros seres escurridizos contemporáneos. En cambio yo, que físicamente me parezco tanto al cantante, sólo tengo de él esa semejanza, y poco más, lo que no evita el equívoco de que todo el mundo me relacione con él.

Pero debo decir que lo último que intento es parecerme más a Dylan, pues precisamente eso equivaldría a parecerme más a mi padre, lo que desde luego es algo que no me ha interesado nunca. Comprendo, en cualquier caso, la fascinación que ejerce Dylan sobre tantas personas. Le oí decir no hace mucho a un buen amigo de mi padre que si alguien tiene la suerte de ver de cerca a Dylan, fuera del escenario, puede confirmar que su rostro tiene la extraña propiedad de exhibir todas las edades y las etapas por la que han pasado todos los Dylan. Y eso que los Dylan son muchos hasta la fecha: el admirador de Woody Guthrie (que en el *biopic I'm Not There* es un niño negro), el cantante de protesta, el mesías electrificado, un músico convertido en creyente, un poeta andrógino que revolucionó el folk, el ermitaño doméstico, el gitano divorciado, el Oblomov que se encogía de hombros y al que nada le importaba durante los años ochenta y, finalmente y por encima de todos, el cowboy crepuscular de hoy en día cabalgando hacia no sabemos dónde.

No ser encasillado, no ser reconocido bajo una fórmula, ése fue siempre el objetivo de mi padre, aunque a decir verdad no lo logró del todo. Aun así, dejó una cierta leyenda de haber sido muchos personajes. A veces se sentía feliz escurriendo el bulto en las entrevistas, diciendo: «*Si Dios no tiene unidad, cómo voy a tenerla yo.*»

¿Fue mi padre prototipo del escritor contemporáneo escindido? Es muy posible. Pero espero no molestar a nadie si digo que a veces ser muchos personajes, como fue su caso, puede significar tan sólo haber sabido refugiarse en lo contemporáneo para reducir así el impacto doloroso del seguro fracaso que podía esperarle si saltaba a pecho descubierto sobre la arena de los clásicos.

8

Muchos equívocos (volvió Vilnius a su texto) se infiltraron en mi visita nocturna a la casa de mi madre y comenzaron a provocar que ella, mujer muy atractiva, me mirara alarmada desde las profundidades de sus bellísimos ojos verdes. Contaré el equívoco más grave, el principal. Me di cuenta de pronto de que debía empezar a afrontar la posibilidad real de que hubiera heredado la memoria de mi padre, quizás tan sólo una memoria parcial, que me llegaba sólo a ráfagas, pero algo de su experiencia y de sus recuerdos había recibido, o estaba recibiendo y seguramente recibiría, como si mi padre se resistiera a morir del todo. Sólo eso podía explicar de forma convincente que, ante la belleza casi pletórica de mi madre, me hubiera puesto tan caliente. Era como si, incluida en el mismo embalaje de la memoria que iba heredando a ráfagas, hubiera viajado hacia mí la pulsión sexual que mi padre no había dejado nunca de sentir ante aquella atractiva señora.

¡Pero si era mi madre!

Por momentos me sentí en la piel de mi padre y fue, por supuesto, incómodo. Jamás había sido yo incestuoso y de pronto aquel ardor sexual me dejaba sin el control de mi propia personalidad. Tendría que empezar a creer de verdad que mi padre trataba de infiltrarse en mí y en ocasiones lo lograba ya plenamente. Reprimí como pude el intento de invasión de mi padre y poco a poco fui logrando que aquel incómodo equívoco se fuera borrando y la tensión sexual disminuyera, aunque quedó un poso, lo suficiente como para que me viera obligado a contenerme todo el rato tratando de no cometer un error irreparable.

No sé qué le dije a mi madre, pero durante unos segundos interminables me miró como si quien acabara de hablar en boca de su hijo fuera su propio marido, como si en realidad, por hijo interpuesto, estuviera recibiendo la visita del muerto.

En cualquier caso, nunca he dudado de que hice bien en no contarle a mi madre que quizás había heredado la memoria y la experiencia paterna y que ésta me llegaba sólo a ráfagas, de forma muy aleatoria, aunque de vez en cuando lo hacía de un modo más inoportuno que otras, lo que estaba llevándome a pensar que tendría que especializarme en reprimirla, pues no me convenía nada —demente será siempre el hombre que tenga dos experiencias y dos memorias— volverme loco.

Como mi madre seguía mirándome desazonada, desconcertada, aterrada y con ansias de arañarme pero sin saber dónde hundir sus uñas—siempre ha sido así, su maldad tiene un lado cómico—, opté por hacer un gran esfuerzo mental y frenar con radicalidad la corriente paterna que se infiltraba en mi cabeza. Me volví una especie de san Antonio rechazando las tentaciones de la experiencia que mi padre parecía de vez en cuando obstinado en hacerme heredar. Y recurrí, por otra parte, a un pequeño truco ante mi madre para desviar la conversación hacia otro lugar y rebajar la tensión general.

Al poco rato ella, con sus bellísimos ojos verdes, me decía que me llevaba fatal con mi padre, pero en realidad era igualito a él, tal para cual, idiotas parecidos. Me pareció penoso lo que acababa de decir, pero estaba acostumbrado a sus zarpazos. Sonreí, me senté en el sofá del salón, esperé a que ella fuera a la cocina a servirse una copa y cuando eso ocurrió me lancé sobre la biblioteca del pasillo hasta hacerme con el libro que buscaba, *Domingos locos*, un ensayo de Aaron Latham sobre la vida de Scott Fitzgerald en Hollywood. Lo hojeé apresuradamente antes de que mi madre regresara y tuve tiempo suficiente para comprobar que estaba ahí, en efecto, el capítulo dedicado al rodaje de *Tres camaradas*.

Te noto raro, dijo ella al regresar. Y yo, por decirle algo, le pregunté si de verdad creía que yo era como mi padre. No recuerdo que haya hecho yo en mi vida una pregunta tan insensata. De pronto me vi a merced de sus palabras, y mi madre, si en algo es peligrosa, es esencialmente en eso: a lo largo de su vida ha logrado ganarse a pulso una impecable fama de víbora; habla pestes de todo el mundo y en cuanto puede maltrata a los representantes más espirituales del género humano; es una bestia en el trato con los demás, le gusta mentir sólo por mentir y hacer daño sólo por hacerlo.

Mi madre me lanzó una potente mirada de rabia y me hizo ver que había elegido un momento demasiado intempestivo para visitarla. Ya me he dado cuenta, le contesté.

Un breve silencio. Empecé a pensar en irme.

—Mentalmente —me dijo de pronto—, tu padre parecía más joven de lo que era y tú al revés, mentalmente, pareces mucho más viejo. No hablas como los jóvenes de tu edad, pareces un abuelo resabido. Tu padre, en cambio, hasta el final siempre conectó con las nuevas generaciones. Y, además, era un trabajador nato, que sabía sacar partido de su esfuerzo. Tú, en cambio, también trabajas, pero con desgana declarada y, además, inútilmente, y la prueba está en cómo pierdes el tiempo con tu superproducción sobre el fracaso, porque mira que ya son ganas de fracasar dedicarte a preparar una película que no harás nunca. Eres tonto, hijo. Pero por encima de todo está lo siguiente: por muy nuevo o moderno que creas ser, eres terriblemente anticuado, mi pequeño Dylan. ¡Muy anticuado! Aún me corro de la risa cuando me acuerdo de que te sientes completamente feliz si suena *Under The Mango Tree*. Creo que habría sido mejor que no me confesaras esa imbecilidad... Y ahora dime, ¿por qué me miras como me miraba tu padre? Al entrar aquí hoy me has parecido igualito a él, incluso en su machismo campanudo. Creo que su muerte ha influido en tu personalidad. Eres tonto, hijo. Me ha dado siempre vergüenza ser tu madre. Ahora que tu padre ya no vive, creo que haré que te liquiden en cualquier esquina. Lo que has oído. Te desprecio.

Sólo le faltaba añadir: soy malísima. Daba risa y miedo, siempre ha sido así. No es una buena madre, quizás sea innecesario subrayarlo. La verdad es que esa noche, en aquella larga perorata inesperada, se atropelló demasiado con las palabras, lo que me hizo descubrir que, para no perder la costumbre, estaba bastante bebida.

—Comprendo —le dije— que estés apenada por la muerte de papá y que hayas bebido esta noche, pero eso, una vez más, no te da bula para maltratarme. Me siento feliz, sí, escuchando *Under The Mango Tree*, sí. ¿Y qué? He intentado mil veces explicártelo para tratar de conmoverte, pero ha sido siempre inútil. Te lo repito sabiendo que seguirás despreciando mis cosas. Escucho ese calipso y pienso que estoy con una mujer guapísima en una playa medio desierta tomando un zumo de papaya y coco. Esa canción es mi idea de la felicidad. ¿Tan espantoso es eso?

—Eres inocente como nadie. Tienes una imaginaria genialidad, que sólo te ayudará a estrellarte. Es, además, una genialidad de otra época. Hace cuarenta años te habrían hecho caso. El mundo era mejor. Y un joven con talento podía hacer aún cosas. Hoy eres una rareza, un sinsentido. Hoy sólo eres un artista. Un autista, mejor dicho. Se ve que no sabes qué hacer con tu vida, y yo no pienso orientarte. Fue tu padre quien quiso que te pariera, ya te lo dije en otra ocasión y no quisiste escucharme. Menuda idea tuvo el gran Lancastre. El-que-no-se-entera te llamamos durante una época. ¿Llegaste a enterarte alguna vez de que te conocíamos por el-que-no-se-entera?

—Has bebido más de lo que creía, mamá… Sabía que no era hora para visitarte… Me entero más de lo que crees.

—El gran Lancastre sí que sabía qué hacer con la vida, aunque al final dio muestras de ser un perrito faldero con su amiguita y un idiota.

—¿Qué amiguita?

—Oh, eres tonto, hijo. Y, aun así, te pareces en muchas cosas a él. Y no te lo voy a negar, no me gustas nada cuando me lo recuerdas. Me pareces una imitación del gran tarugo. Yo no quería tener hijos. Te tuve. Y punto. Le tenía miedo a tu padre y antes me contenía y no te decía cosas así, pero ya es hora de que vayas sabiéndolas. ¿Qué más quieres oír? ¿Te he hecho daño? ¡Ay, pobrecito! ¡Le he hecho daño! ¡Es tan frágil, el pequeño Dylan!

9

Justo en ese momento, le avisó la organización de San Gallen al pequeño Dylan alias Vilnius de que había sobrepasado con creces el tiempo reglamentario y que iban a apagar las luces. Para entonces ya quedábamos sólo ocho personas de público. Él siguió hablando, como si le diera pereza ir a la cervecería. Ninguno de los planes que había previsto le estaba saliendo bien. Por ejemplo, no podía decir de ningún modo que se hubiera convertido en el Ed Wood de las conferencias, pues tenía a ocho espectadores —uno de los nueve ya había huido literalmente— interesados en lo que contaba. Estaba fracasando en su intento de fracasar, ya no sólo de fracasar con estrépito, sino de fracasar mínimamente. Porque quizás ocho personas puedan parecer pocas, pero si éstas, como le estaba ocurriendo a él, seguían con tanto interés lo que les andaba contando, no le quedaba más remedio que mantener el tipo y resignarse a que su intervención no fuera el gran fracaso que había soñado.

10

Mi madre (siguió leyendo Vilnius, aun sabiendo que en cualquier momento le podían cortar la luz de la sala) dio dos pasos adelante y luego uno atrás y terminó preguntándome qué había sido de la vida de la pobre Mariona.

—Sí —me dijo—, te hablo de Mariona. Fea, con gafas, bigotuda, baja, bajísima, tendencia a volverse gorda, de familia pobre, anticuada sin gracia, tu Joan Báez particular. La clase de chica que probablemente te corresponde. No te enfades, pero es lo que pienso. ¿Puedo dar por cierto que te has separado de ella o andas pensando en volver a verla, volver a encontrarte con el mosquito?

«La clase de chica que probablemente te corresponde.» «Volver a encontrarte con el mosquito.» Vi bien claro enseguida que, hablando de aquella forma de mi antigua novia, me resultaría difícil perdonar tantas afrentas. Me habría vuelto a mi hotel enseguida, de no haber sido porque no iba a poder llevarme tan fácilmente el libro sobre Scott Fitzgerald.

Mi madre no ha dejado nunca que se llevaran libros de su biblioteca, pero no por amor a ellos, sino por fastidiar, decía que no le gustaba que se llevaran algo suyo, que no tenía sentido dar lo que era de ella… y así podía estar días enteros con todo tipo de argumentos parecidos con tal de justificar que no quisiera dar nunca nada suyo.

Volví a hojear el libro sobre Fitzgerald, mientras iba pensando en cómo hacer para robarlo. Ella se fue a la cocina a buscar bebida para los dos y aproveché para volver al capítulo del libro dedicado a *Tres camaradas*. Eran catorce páginas. Di un vistazo y leí todo lo que la ausencia provisional de mi madre me permitía. Y me enteré, así a toda velocidad, de que «Joe Mankiewicz, el productor, le corrigió en una sola noche a F. Scott Fitzgerald una buena parte del libreto. Cuando el escritor vio tan cambiado su guión se enfadó tanto que escribió a Joe Mankiewicz una carta llena de odio, pero antes de que pudiera enviarla intervino su novia, la actriz Sheila Graham. "Sólo conseguirás romper con él", argumentó ella, "y eso no te devolverá tu guión". Así que Scott hizo pedacitos la carta y escribió una protesta más moderada…»

Leí hasta aquí, atento a los pasos en el pasillo que significarían que mi madre estaba ya volviendo al salón, y siempre mirando a un lado y a otro, como si temiera ser espiado por alguien. De hecho, desde que había entrado en la casa había tenido la vaga pero a veces aterradora impresión de que se ocultaba en ella alguien. Queriendo pensar que no era visto por nadie, arranqué de golpe las catorce páginas y las guardé a toda velocidad en el bolsillo derecho de mi pantalón. En cuanto mi madre reapareció, devolví el libro a la biblioteca, lo devolví de un modo que ella no pudo ni imaginar que reingresaba mutilado.

¿Ya devuelves el libraco?, preguntó mi madre. Dejó de interesarme, dije. ¿Sabes que a tu padre, en su delirio por las citas, le gustaba mucho una de Scott Fitzgerald?, me preguntó. Me di cuenta de que si realmente hubiera heredado la memoria paterna, no tendría en ese momento problemas para saber cuál era aquella cita. Pero todo indicaba que esa memoria no me acompañaba en todo momento, sino sólo por aleatorias ráfagas, generalmente caprichosas, como si coincidieran con las idas y venidas de mi padre por un espacio fantasmagórico y como si éste se interesara en algunos momentos por escenas de mi vida y en otros —la gran mayoría— dejara de hacerlo por completo para irse a dar pasos de espectro a otros lugares. Quizás era él mismo el que estaba escondido en aquella casa. En su despacho de siempre, allí donde le había visto tantas veces, a cuatro pasos de la terraza donde tuvo el infarto mortal.

Luego, me acordé de cuando yo era niño y me decía mi padre: «De mí solamente tienes el nombre.» Y era completamente verdad. En todo lo demás, por mucho que mi madre dijera lo contrario, siempre fuimos distintos. Él: rubio y alto, agraciado y poderoso físicamente. Yo: más parecido a mi madre, aunque desde luego no heredé su belleza: moreno, nada alto, delgado, frágil. Mi cara es rara, como todos ustedes pueden observar, es rara, sobre todo porque se parece a la de otro. Y aunque no soy repugnante del todo, no puede decirse que sea precisamente atractivo. Me salva a veces mi modesto ingenio y mi facilidad para dar pena y también mi carácter nervioso y sobre todo mi carácter tan incisivo en ocasiones, heredado de mi madre, aunque de ella no heredé el deseo de dañar a los otros.

Iba pensando en esto y en aquello y, cuando volví a escuchar lo que estaba diciendo mi madre, me di cuenta de que había empezado a contarme que, el día en que mi padre murió, ella por supuesto, gimoteó en el cementerio, y después en casa también gimoteó. Gimoteó, le dije, es un verbo bien extraño. Pero ella no me oyó y siguió hablando y contando lo mucho que estuvo llorando a fondo «a su querido marido» durante todas aquellas largas horas que siguieron a su infarto y en las que llovió con fuerza y en las que no se apartó del fuego de la chimenea, que recordaba haber prendido con un milagroso único fósforo que hizo que el hogar flameara en un instante…

Estuvo allí horas junto a la chimenea, siguió contándome, estuvo allí horas junto al entrañable fuego del hogar, llorando mucho, muchísimo, pero también pensando en lo que haría cuando dejara de sollozar. Y cuando eso ocurrió, cuando logró detener completamente su llanto, pensó entonces de verdad en su marido, pensó en él de un modo totalmente alejado ya de las convenciones del luto y de las convenciones que su propia mente albergaba acerca de la figura del luto y en realidad de un modo ya alejado de todas las convenciones que en el mundo existen. Y eso le permitió recordar entonces con precisión los últimos años, cuando él no paraba de decir que la literatura era muy complicada y explicaba que había luchado tanto y tanto por conseguir un estilo propio y que había empezado a sentir un gran miedo de quedarse aprisionado en él.

Y no se le ocurría mejor idea a tu padre, siguió diciendo ella, que comparar su terror con el de los trapecistas cuando dejan un trapecio para coger el otro, ese momento en el vacío. Esa inseguridad y esa angustia, decía tu padre, se parecían a lo que sentía frente al libro que escribía, porque no sabía si lo iba a conseguir, si no se repetiría, si estaría a la altura de lo conseguido anteriormente, si fracasaría después de tantos años de no saber qué era el fracaso. Había tanta gente, decía tu padre, tanta gente esperando ocupar su lugar, tanta gente esperando que cayera en el salto entre un trapecio y otro. Y él no quería complacer a los que andaban deseando que hiciera algo mal. Cada vez le parecía todo más complicado porque decía que cuanto más tiempo llevaba uno trabajando en la escritura, más comprendía que sabía muy poco. Y también decía que haber escrito y publicado tantos libros y haber logrado «una voz de muchas variantes, pero inconfundible, como Kubrick en el cine», acotaba su libertad, pues uno terminaba por tener miedo cada vez que ensayaba cosas nuevas, un miedo cada vez más grande a fracasar. Cada vez tengo más miedo, repetía y repetía, convencido de vivir en el país en el que más se castigaba a los que trataban de hacer una obra fuera de la tradición y del folclore nacional. Estaba preocupado por fracasar cuando en realidad hacía ya años que era un pobre derrotado en la vida.

Hablaba mi madre como una ametralladora, permitiendo que una palabra pisara a la otra, pero creo haber traducido aquí lo más nítidamente posible lo que vino a decirme en sus palabras atropelladas. Cuando hubo terminado su convulsa perorata con tanta información sobre los miedos de mi padre, le pregunté si realmente pensaba que mi padre había sido al final de sus días un derrotado en la vida.

Lo era, dijo, comenzó a ir cuesta abajo como escritor y recuerdo bien que su trágico descenso comenzó el mismo día en que pasó a tener verdadero miedo de fracasar, el mismo en el que comenzó a temer a los jóvenes narradores que hablaban en contra de todo lo que habían escrito las generaciones anteriores. Sabía que los jóvenes cachorros trataban simplemente de abrirse camino en el mundo tal como un día lo había hecho también él y no les consideraba nada porque había observado que ninguno tenía el menor talento ni parecía que fuera a tenerlo nunca, pero le afectaba el solo hecho ya de pensar que en cualquier momento pudieran dedicarle una sola línea despectiva. Había trabajado tanto para llegar al lugar donde estaba que no podía soportar la idea de que le quitaran nada de lo obtenido. Era de esa clase de hombres que siempre quieren estar en la cumbre con el pequeño grupo con el que viven y que sacrificarán cualquier cosa por permanecer allí. Esa clase de personas pueden ser buenos hombres, pero hicieron tal esfuerzo para llegar al sitio al que llegaron que nunca aceptarán dejar de estar allí, no les gusta que les arrebaten lo que tanto les costó conseguir y para defender eso serán capaces de todo.

No me imagino a papá sintiéndose tan acosado, dije. Pero sí podrás imaginarlo, dijo ella, luchando por permanecer en su cumbre frágil y también legando bondadosamente a su mujer un manuscrito. De hecho, lo dejó. Unas memorias abreviadas, así las había titulado. Páginas de un libro que la muerte dejó incompleto. Las leí y estaban mal escritas, como si buscara fracasar plenamente para que tú lo incluyeras en ese ordenador donde archivas derrotas. Anoche estaba como ahora sentada aquí junto al fuego y tenía el manuscrito conmigo, y no sé cómo fue, pero gimoteé un poco y luego el manuscrito resbaló hacia la alfombra y yo había bebido mucho, como hoy, hijo, como hoy, ya sabes que bebo y no sé lo que me hago, y ayer ocurrió otro tanto de lo mismo, venga de vodka y no sabía lo que hacía, y gimoteaba y gimoteaba, y acabé lanzando el manuscrito a las llamas. No queda nada de esas páginas.

¿Nada?, le pregunté. Negarse a trabajar en ordenadores, dijo ella, le ha salido caro al final a tu padre. Es lo que pasa cuando se trabaja con máquina eléctrica y se cuenta con una sola copia del libro. Lo tiré todo. Después, volví a llorar por tu padre, irremediablemente, gimoteé otra vez, ya sin parar hasta el día siguiente. Qué pérdida de tiempo la suya.

Se abandonó sobre el sillón y miró al techo, a la lámpara de lágrimas.

—Pobre estúpido, toda la vida trabajando, hay que ser desgraciado —concluyó.

Bueno, entendí que había concluido. No quise oír más. Salí de aquella casa con falsa calma. En realidad salí aterrado, había visto la peor visión de mi madre en toda su vida. Ojalá fuera todo falso y no hubiera quemado ese manuscrito incompleto y la historia de la destrucción de esos papeles fuera producto sólo del alcohol. La vida es rara. Nada hacía prever que un día yo querría conservar lo que mi padre escribió. Volubilidad del odio. Volubilidad del amor.

En la portería, al salir del ascensor, mientras trataba de vengarme de mi madre a base de recuperar con fuerza el ánimo evocando la melodía de *Under The Mango Tree*, me pareció ver que Claudio Arístides Maxwell era la persona que, medio zafándose de mi mirada, acababa de entrar rápidamente en el ascensor de al lado, en el viejo montacargas. Pero no podía afirmarlo con seguridad, pues sólo había visto fugazmente una silueta de un hombre alto y corpulento y era, además, demasiada casualidad que ese hombre fuera Max.

Quizás sólo se tratara de una alucinación, empezaba a estar muy cansado, cansado de muchas cosas, aunque tal vez sólo cansado de aquel largo día. Cansado también de que llevar luto por mi padre significara llevarle a él de vez en cuando al lado, conspirando, intentando legarme obstinadamente su herencia mental, estorbando, pero al mismo tiempo abriéndome a nuevos panoramas vitales, aunque obligándome también a la agotadora labor de rechazar sus ráfagas agresivas, todas esas repentinas inyecciones suicidas de memoria que no me convenían nada si quería mantener en pie aquello de lo que precisamente más orgulloso me sentía frente a mi padre y que no era otra cosa que, a pesar de todo, haber logrado ser totalmente auténtico y tener una personalidad *única*.

—¿Hamlet?

Había alcanzado ya la calle cuando a mi espalda «algo» pronunció ese nombre, aunque quizás lo pronunció alguien. Muy bien. Fuera como fuese, tuve bien claro que ni loco iba a darme la vuelta. Tal como me habían ido las cosas en las últimas horas, sólo me quedaba esperar que no se me complicara todo más y que la noche se dirigiera a un final sencillo. Así que, en previsión de cualquier sorpresa, no me di la vuelta. Con todo, lo más inquietante era pensar que la voz no era exterior y ese «algo» o alguien estaban en mí, no en la calle. Pasó un taxi y lo paré, y regresé al Littré. El taxista me dio conversación y acabó explicándome que antes de la crisis no era taxista sino marinero. La gente en el mar, me dijo con un tono de voz brutal, fabula ideas raras, piensa en sirenas y monstruos.

11

Estaba admirando cada vez más la capacidad de Vilnius para teatralizar los diálogos y dar perfectos matices a las diferentes voces (la nasal de su madre, la voz de celuloide de Max, el tono bestial del taxista…) cuando el anunciado cierre de la sala dio un vuelco inesperado. Los organizadores habían logrado resolver los problemas de sonido, los problemas en general con la traducción simultánea y, como les parecía que ya funcionaba todo perfecto, deseaban cuanto antes hacer una prueba y dejarlo bien comprobado. Detuvieron por momentos el *Teatro de realidad* de Vilnius y se dedicaron a los efectos de sonido. Pronto se vio que el problema había quedado atrás. Entonces le comunicaron a Vilnius que le daban más tiempo, aunque sólo fuera para compensarle por los daños y perjuicios causados hasta aquel momento. Podía seguir hablando subido allí en aquel mínimo podio y no era necesario, pues, que se desplazara a la cervecería Stille para acabar la lectura de su cuento.

Lo que el joven Vilnius no esperaba y yo tampoco fue que, como consecuencia de aquella mejora técnica, empezaron a entrar en el recinto muchas personas nuevas a escucharle. La cara inicial de contrariedad y de fastidio de Vilnius fue cambiando y a mí me faltaban datos que hoy poseo y me fue imposible leer bien lo que estaba pasando por su cabeza. Hoy sé que fue viajando de la contrariedad a la alegría porque se dio cuenta de que por fin, gracias a que no entenderían nada de por qué, por ejemplo, narraba y en cambio no conferenciaba y encima contaba una historia ya empezada, podría dedicarse a la sana labor de ir decepcionando a su público y terminar completamente solo en el estrado, tan exactamente solo y tan brutalmente sin compañía como se veía él mismo al final de la narración de su drama personal de los seis días que cambiaron su mundo.

A la alegría de esta nueva perspectiva contribuyó en buena medida el hecho de que cinco de los ocho —digamos que mohicanos— que le estábamos escuchando con fidelidad desde el principio de la sesión se largaron de la sala. Con un poco de suerte, debió de pensar Vilnius, acabaré con la paciencia de esos tres últimos muermos que resisten con tozudez y echaré a todos los recién llegados y alcanzaré lo que hace poco parecía imposible, el gran fracaso tan anhelado, la demostración de que todavía en un congreso sobre el fracaso se puede fracasar *de verdad*.

Pero no podía Vilnius saber que, pasara lo que pasara, yo seguro que no me movería de allí hasta el final de su texto, porque sentía que de algún modo esa historia que estaba leyéndonos me afectaba directamente. Es más, le veía ciertos puntos de contacto con mi secreta tragedia personal, basada en la impresión de que, al igual que Lancastre, había trabajado siempre como un idiota y había perdido la vida al ponerla entera al servicio de la literatura y de una poética que en realidad no había importado nunca a nadie, quizás ni a mí mismo.

12

Ya de vuelta a mi habitación del Littré (siguió Vilnius leyendo), después de haber saludado con alegría al infatigable Shekhar, que esa noche sustituyó al portero nocturno que había caído enfermo, me sentí satisfecho al comprobar que seguía llevando conmigo, en el bolsillo, las catorce páginas arrancadas del libro sobre Fitzgerald en Hollywood. En mi cuarto, me adentré pronto en la lectura de las páginas arrancadas, robadas. Leí, viéndolo todo algo borroso, mermado por el cansancio y sobre todo —hay que comprenderme, soy hijo de padres alcohólicos— por las variadas copas tomadas en dos animados bares nocturnos a los que fui antes de retirarme a dormir, lugares a los que fui a buscar a la mujer de mi vida y, como siempre, fracasé en el intento.

Borroso o no, leí lo que había en aquellas páginas. Y así me enteré de que *Tres camaradas* fue una película aplaudida por la crítica exigente, pero Scott Fitzgerald no pudo perdonarle de ningún modo a Mankiewicz que hubiera recurrido a ocho guionistas más y que encima le hubiera recortado de aquella forma tan escandalosa su guión original. En una de las historias de la serie de Pat Hobby se vengó del productor e hizo que un escritor muy brillante y de gran instinto creador, en definitiva muy parecido a él mismo, amenazara a un productor idéntico a Mankiewicz alias *Monkeybitch*: «Cuando *yo* escriba un libro te convertiré en el ser más ridículo de este país.»

Hice una pausa, lo recuerdo muy bien, porque me encantó la clase de amenaza que contenía esa carta. No podía ser mejor esa idea de convertir a tu máximo enemigo en el ser más ridículo de tu país. ¿No había sido esa mala jugada la que siempre había soñado hacerle a mi padre? Durante un tiempo, conviví con la sórdida esperanza de vengarme de él con un libro que le ridiculizara delante de todos sus admiradores. Era una carta secreta que tenía guardada por si me iba mal todo lo demás, una buena bomba preparada. Decirle, por ejemplo, al mundo: mirad, mi padre era un zoquete de mucho cuidado y, de no haber sido por su obstinación en trabajar sin tregua, no habría sido nada ni nadie.

13

Al día siguiente, en el ático de la calle Bailén, Max, al abrirme la puerta a las doce en punto del mediodía, tenía en la mano el libreto de *Tres camaradas*, el guión original escrito por Scott Fitzgerald y editado en la Southern Illinois University Press. Seguramente no había nadie más en la ciudad que tuviera aquel libreto.

Me hizo pasar a la sala de estar, que tenía mucho de interior hollywoodiense. Los muebles, la alfombra de piel de leopardo, un halcón maltés sobre una repisa de mármol, un mueble-bar, se diría que todo evocaba una atmósfera de película de serie negra. Ya casi sólo faltaba que apareciera por allí Débora, la Verónica Lake moderna, con sus ojos azules y neblinosos, disfrazada de la clásica *hija de papá* de las novelas de Chandler. Con semejante decorado, lo extraño era que Claudio Arístides Maxwell no se moviera por su casa enfundado en la gabardina de Bogart. Quién sí iba con una ropa que parecía salida directamente de una película de serie negra, era yo, aunque mi flamante gabardina me caía rematadamente mal, era demasiado ancha y parecía falsa, claramente impostada.

Max había repasado a fondo el libreto y dominaba muy bien el inglés y ya podía asegurarme que ninguna frase recordaba mínimamente a la que hubieran podido traducir en España por «Cuando oscurece, siempre necesitamos a alguien». Le pregunté si pensaba pues que era de locos intentar averiguar quién pudo poner aquella frase en el guión de *Tres camaradas*.

Max se recostó contra la repisa de su falsa chimenea, en una tensa imitación de la perfecta naturalidad. Y finalmente me invitó a sentarme en el sofá. Una vez ya acomodados los dos en nuestros asientos, él se inclinó hacia adelante con su gran cuerpo de boxeador de peso pesado y me miró con desasosiego.

—Bueno —terminó diciéndome con su voz de celuloide—, me parece muy improbable que exista alguien en el mundo que pueda resolverte lo que esperabas que te resolviera yo, ¿no crees? Por otra parte, hay algo en todo esto que no entiendo. Puedo comprender que trabajas en un archivo y también que te gustaría saber si la frase es tuya o de Fitzgerald, pero no acabo de entender por qué me has buscado a mí para llegar a saber algo. Sincérate conmigo, sin miedo. ¿Por qué yo? ¿Por qué has pensado en mí, muchacho? ¿Por qué viniste ayer a mi encuentro? Y, por favor, tutéame, no soporto que me trates de usted.

—Bueno, nadie duda en la ciudad de que usted, perdón, de que tú eres una autoridad en el cine de los años dorados de Hollywood...

—Ya. Pero ésa es una etiqueta que me han colgado. Aunque es cierto que el Hollywood de aquellos años es mi especialidad.

—Bueno —le dije—, es posible que sí, que en el fondo sólo busque que esa frase, que tanto me gusta, pueda acabar considerándola mía. O igual estoy buscando que la investigación sirva para demostrar que las frases son de todos, que no existe la autoría, que el origen real de cualquier frase se pierde en la noche de los tiempos… En realidad, busco una cosa, pero también la otra, bien distintas las dos. De poder escoger, creo que preferiría que la frase fuera mía. Que fuera una frase auténtica y mía.

—¿Qué quieres decir con todo esto? ¿Siempre hablas así?

—Nada, olvídelo. Perdón, olvida lo que te he dicho.

Max hizo un breve gesto de contrariedad y luego señaló hacia el mueble-bar y me ofreció un whisky, un vodka, un cointreau, lo que quisiera. Me miraba todo el rato incrédulo, como si no pudiera entender que yo estuviera allí en su casa.

Acepté un whisky confiando en que me ayudara a sobrellevar mejor mi resaca y a lo que en realidad me ayudó fue a animarme para hablarle de alguien, cuyo nombre no recordaba, que había explorado a fondo el pensamiento místico judío y sostenía que una palabra no era un signo, un sustituto de otra cosa, sino el nombre de una Idea, y además decía que en algunos modernos como Kafka o como los surrealistas, la palabra se apartaba del significado en el sentido «burgués» y retomaba su poder elemental y gestual, la palabra recuperaba su fuerza intrínseca y nos recordaba que en la noche de los tiempos la palabra y el gesto de nombrar eran lo mismo… Desde entonces, terminé diciéndole, el lenguaje habría experimentado una gran caída. Tal vez porque antes, en la noche de los tiempos, una palabra no era un signo, sino el nombre de una Idea.

—Tú eres raro y yo soy torpe —dijo Max—. O simplemente mi ritmo, mi mundo, mi único mundo, es el de las historias de hora y media, el del cine americano clásico. Lo demás no lo entiendo bien. Sé quien es Kafka, pero no es de los míos. Y me gusta entender lo que me dicen, lo contrario me pone muy nervioso.

(…)

—Sí, sí, no pongas esa cara de no comprender nada, Vilnius, que aquí el que no entiende soy yo, ¿entendido?

(…)

—En las películas de hora y media se narra con viveza, sin reflexión, sin peso. En ellas las palabras son palabras, ¿me entiendes? La reflexión llega después, si acaso. Por eso no puedo seguirte, muchacho, cuando hablas de ideas y de noches de los tiempos…Tu padre también era filósofo. Le perdía eso a la hora de narrar. Recuerdo que un día leí un artículo suyo y me quedé muy impresionado porque no lo entendí o, mejor dicho, porque me costó mucho averiguar de qué hablaba. Finalmente, cuando conseguí descifrar y comprender algo de lo que decía, me quedé de piedra porque vi que sostenía la teoría de que narrar historias sin más, narrarlas solamente, era algo anticuado, ya acabado. Lo encontré aquel mismo día por la tarde en la calle Balmes y recuerdo que le dije: «Mira, Juan, mi obligación es advertirte que tu cruzada contra la narrativa convencional es una causa perdida.» Sí, eso le dije a tu pobre padre, siempre tan vanguardista.

Se puede odiar a tu país, pero no admitir que un extranjero te lo critique. Lo mismo me pasó a mí en ese momento con respecto a mi padre. Me había llevado muy mal con él y lo odiaba además mucho y no había podido soportar nunca su tendencia —muchas veces incluso innecesaria— al vanguardismo o al juego inútil de los heterónimos y los pseudónimos, pero no estaba nada dispuesto a que un extraño dijera algo contra mi padre, aunque dijera lo mismo que podría yo pensar de él. De ser necesario, podía hasta convertirme incluso en un artista radical, en un vanguardista de primera fila con tal de no darle la razón al extraño en sus opiniones sobre mi padre.

—Pero, Max, por Dios, todo el mundo sabe que Juan Lancastre no fue nunca enemigo de lo narrativo. Más bien lo que hacía era tratar de mover cosas estancadas; provocaba, a veces sólo para poner en cuestión lo que el canon español da tontamente por serio y por bueno. Hacía cosas así, pero no estaba contra lo narrativo, ni muchísimo menos. Agitaba todo lo que podía, demostraba que se podían hacer cosas diferentes, que no había leyes inmutables en esto de la literatura, y menos aún en las leyes españolas, tan rancias…

—Creía que erais irreconciliables, pero veo que lo defiendes. Así me gusta. Hay que honrar, venerar, reverenciar al padre. Y más si acaba de fallecer. Mereces todos mis respetos, me acabas de caer muy bien, muchacho. Sí, señor, muy bien. Pero me sorprendes, creía que no os podíais ni ver.

—¿Quién te lo ha dicho? Tampoco es algo que se sepa tanto. Bueno, la verdad es que estaba contra sus teorías literarias porque eran demasiado modernas, o anticuadas modernas, no sé cómo calificarlas. El caso es que tú, si me permites decirlo, me pareces algo reaccionario y eso me lleva incluso a inclinarme por las ideas de mi padre frente a las tuyas… ¿Quién me iba a decir que un día tendría que salir en defensa de las posiciones de mi padre?

Lo que le oculté en ese momento era que yo no creía

para nada en todo este tipo de clasificaciones. No creía, sobre todo, en la que entendía como equivocada división entre reaccionarios y vanguardistas, sólo creía en la distinción entre la obra de arte bien hecha y la que no estaba bien hecha.

—No sé de qué posiciones me hablas. ¿Reaccionario? La primera vez que lo oigo. Me gusta Hollywood y eso es todo. Bueno, haré como si no te hubiera oído, ya estoy un poco de vuelta de según qué cosas, la verdad, y este tipo de absurdas acusaciones no me importan, pero, ya que eres tan avanzado, sabrás escuchar lo que voy a decirte: tu padre batallaba por una causa perdida, porque siempre se han contado historias y siempre se contarán.

—Insisto, nunca estuvo contra lo narrativo, en todo caso contra los códigos del realismo.

—No me hables de códigos porque yo soy sencillo y enseguida me pierdo. Me suena a leyes, a código penal. ¿Comprendes?

—Oh, vamos, sabes muy bien de qué hablo. ¿Y todos esos libros que has escrito sobre los códigos del realismo clásico de Hollywood? No es legal hacerse pasar por analfabeto. ¿A quién quieres engañar?

—Muchacho, no sé de qué me estás hablando. Yo soy tonto y no tengo inconveniente en decirlo. No entiendo de códigos, ni de literatura híbrida, ni de cine de vanguardia, ni de cine radical, ni de la santísima trinidad de Marienbad. ¿De acuerdo?

No quise preguntarle qué santísima trinidad era aquélla. Por primera vez la voz de Max había sonado metálica más que *celuloidica*. Quizás fuera ésa su verdadera voz. Y por primera vez también, yo le miré con desconfianza casi completa. Me alarmaba que no supiera de códigos y adoptara, además, aquel aire de rudo leñador o de sublime idiota y no le molestara declararse tonto, siendo, como era, tan vanidoso.

—Max, no estoy contra John Ford, que, si no me equivoco, es uno de tus autores preferidos, ¿no? Sólo estoy en contra del estilo acartonado del realismo.

—¿Acartonado? Dices cosas bien raras y me estás sacando de quicio, creo que comportándote así no estás honrando a tu padre, creo que me he equivocado contigo hace un momento, y mira lo que te digo, no sé si seguir ayudándote. Te voy a quitar el whisky.

—Te lo voy a explicar, Max. Hay un realismo para el que el propio realismo es un género como cualquier otro, no el componente esencial de la creación. Ese género realista es una convención muerta, relacionada con un cierto tipo de trama tradicional, con principios y finales previsibles, con diálogos tópicos, con marquesas que salen de casa a las cinco de la tarde y todo eso, y ahora no me digas que no me entiendes.

—¿Me estás hablando del cine de Hollywood o del realismo? Creo que hablas con la inspiración de tu padre, con la influencia de tu padre, bailas al son de tu padre. Insisto, me habían dicho que no os parecíais demasiado y que, además, os odiabais, pero veo que no podéis tener más cosas en común. Me gustaría que supieras que él me caía bien. Aunque siempre que nos veíamos le reprochaba que buscara en sus libros esos híbridos entre relato y ensayo. No y no, le decía, no trates de juntar la filosofía con el relato porque no tienen nada que ver. Mira, al escribir tu padre parecía estar diciéndonos de alguna manera esto: «Prueba a pensar lo que te invito a pensar y verás qué pasa.» Aun admirándole, los días que charlábamos un rato, yo siempre acababa burlándome un poco de él. No me juzgues mal, lo que quiero decirte es que me burlaba de una forma amistosa, cariñosa. ¿Comprendes? La verdad es que me molestaba su intelectualismo, y eso es todo.

Quién se creerá que es, me pregunté molesto. Seguramente se cree que es lo que es, me dije. Pero ¿quién es?

Max hablaba en todo momento como si hubiera sido amigo de mi padre, pero nunca lo había sido demasiado, por no decir nada. De hecho, no había ido ni al entierro. Y esa manía hacia lo intelectual no podía ser más troglodita…

¿No dijo alguien que algunas mentes pertenecen a periodos anteriores de la historia y que nos conviene saber que entre nuestros contemporáneos hay babilonios y cartagineses, y también tipos de la Edad Media? Max, con su corpulencia y sus gestos desmañados, tenía mucho de monstruo salido del Medievo. Pero yo decidí que me cuidaría mucho de decírselo, porque si había algo allí bien evidente era que Max era belicoso y con un whisky de más podía partirme la cara en cualquier momento.

14

No sé cómo fue —siguió leyendo Vilnius tras una pausa— que mi mirada se perdió en las horribles cortinas doradas de la ventana del salón de aquella casa tremenda del señor Claudio Arístides Maxwell, al tiempo que me daba por evocar la inconfundible risa de mi padre muerto, su risa en una fiesta ya bien lejana en el tiempo, yo todavía muy niño, una fiesta aburrida relacionada con el no menos tedioso bautizo de un primo.

De pronto, mi padre haciéndome todo tipo de señales para que saliéramos al jardín de la monstruosa familia de mi primo.

Hay momentos intrascendentes que nos quedan misteriosamente grabados y regresan un día con mayor plenitud incluso que el día que los vivimos. ¿Salir al jardín? Sí, hijo, me decía él, me repitió varias veces. Y acabamos saliendo, claro que acabamos saliendo. En muy pocos segundos nos situamos, al menos mentalmente, más allá de las fiestas aburridas y de todos los bautizos de este mundo.

En casa de Max, como si hubiera recibido de nuevo aquella consigna de salir al jardín, traté de atravesar con la mirada las cortinas de aquella sala de estar del tres al cuarto y pasearme imaginariamente por los exteriores de la casa, pero choqué con la maldita tela dorada —para mí una evocación del oro de las estrellas, una evocación hollywoodiense— que ocultaba el paisaje urbano, y ante ese fracaso visual terminé reconduciendo mi mirada hasta el salón y la chimenea falsa. Durante unos momentos me fijé en la biblioteca, donde reinaban Graham Greene y Raymond Chandler.

De la biblioteca pasé a los ceniceros plateados y acabé mirando hacia donde estaba Max, al que encontré bastante distinto a como, haría tan sólo menos de un minuto, le había visto por última vez. Ahora Max tenía cara de paleto y de canalla al mismo tiempo. Quizá no pudiera ya volver a verlo nunca más como había estado viéndolo hasta aquel instante. Traté de olvidarme de esa impresión y no pude. Paleto y canalla. ¿De dónde habría salido aquello? Decidí no quedarme mudo y preguntarle algo, preguntarle cualquier cosa, quizás con la esperanza de averiguar, a través de su respuesta, el por qué había yo pasado a verle de forma distinta a como le veía hacía un minuto.

—¿Así que teníais divergencias tú y mi padre?

—¡Divergencias! ¡Vaya palabrita, muchacho! ¡Cómo se nota que has ido a la escuela! No, lo que pasa es que tanto en el cine como en la literatura, en el arte en general, es una cuestión de gustos, es decir, de limitaciones. A ver si nos aclaramos. En la medida en que a mí me gusta muchísimo Dickens, por ponerte un ejemplo, pues creo que en consecuencia estoy un poco negado para disfrutar, como disfrutaba tu padre, de un autor como James Joyce. Porque *Ulises* es un gran libro, no lo dudo, y tuvo influencia en muchos novelistas del siglo pasado, una influencia creo que decisiva. Sin embargo, mi gusto personal se decanta por Dickens, por esas historias de niños huérfanos rodeados de personajes inolvidables. Ahora bien, no sabría explicar el porqué, tal vez es una cuestión de sensibilidad emocional.

—A mi padre le gustaba tanto Joyce como Dickens, creo que por igual.

—Eso es imposible, absolutamente imposible. Siempre te gusta uno más que el otro. Y veamos, a ti en cine, ¿qué te gusta?

—Yo…

Nunca me hizo gracia pasar por vanguardista ni por postmoderno, tendencias que desdeño y que dejé siempre para mi padre, que a su vez no se consideraba ni vanguardista ni postmoderno, pero al que un crítico francés —sin duda muy despistado— llegó a llamar «el último gran moderno». Sin embargo, en aquel momento, con tal de fastidiar a Max y aun corriendo el riesgo de que acabara todo mal, empecé a adoptar un papel de artista radical. Dudé en hablar o no y finalmente se me oyó decir, casi gritar, de una forma algo descontrolada, casi como en un arrebato, como si fuera un vanguardista y un loco de pura cepa y como si me jugara en todo aquello mi dignidad de artista verdadero:

—Pues yo en cine quisiera romper con todo. Pienso rodar pronto un film que sea como un gran archivo.

—Ya me perdonarás, pero me cuesta imaginar una película que sea un archivo.

—Se centrará en el fracaso general del mundo.

A Max le dio un ataque de risa nerviosa. Y a mí hasta me dio vergüenza haber dicho lo que había dicho, aunque también había que tener en cuenta que las ideas reaccionarias de mi interlocutor me habían sacado de quicio. Al lado de Max, mi padre era un santo bendito, y hasta parecía que anduviera por allí, por la sala de estar, animándome a meditar acerca del carácter rústico del tipo que tenía delante, como si quisiera decirme: perdónale porque es un patán con aspiraciones de leñador. Eso parecía querer indicarme, aunque a veces creía notar que me decía algo bien diferente, algo de un estilo un tanto criminal: estrangúlalo porque no merece seguir vivo.

—No tengo más remedio —me dijo Max— que comentarte lo que seguramente quieres oír. Y te lo digo: no entiendo palabra. Es más, no me parece que hables de cine. ¿No te zurró tu papá alguna vez?

—Y tú, ¿no has tenido problemas con los niños vivos de Camboya?

—¿Con quién?

—Ya lo has oído perfectamente. Hiciste un artículo sobre ellos, ¿no es así?

Max me miró tan extrañado que hasta daba miedo, se veía muy claro que no tenía ni idea de qué le hablaba.

¿Por qué inventaría lo de Camboya mi madre? ¿Una prueba más de sus ganas constantes de perjudicar sistemáticamente al prójimo, entendiendo en este caso por prójimo a su propio hijo?

—Mira, muchacho, estás bien loco. O quieres ser muy original. O crees que eres Bob Dylan. No obstante, entiendo que los jóvenes tenéis ganas de cambiar el mundo, aunque sea sólo diciendo cosas especiales, radicales, o imbéciles.

—Perdona, pero me dijeron…

—Siempre ha sido así. Lo malo es que los que estamos de vuelta y media de todo no tenemos ganas de escuchar lo que ya sabemos que se podría hacer para cambiar el mundo y de paso cambiar el cine. La verdad es que decidimos un día olvidarlo porque, mira, no lleva a nada. ¿Otro whisky? Me habían dicho que bebías mucho, que eras un *enfant terrible*, una combinación entre Bob Dylan y Rimbaud y Lovecraft, me dijo alguien. Pero no me avisaron de que solías hablar de niños camboyanos.

—¿De Lovecraft? —pregunté todavía sorprendido por esa referencia.

—Sí, pero no vayas ahora a pensar que Lovecraft es un niño camboyano.

15

Nadie abandonaba la sala, pero yo notaba que reinaba entre los oyentes una cierta perplejidad, una desorientación lógica, puesto que el noventa y siete por ciento de los asistentes había entrado a mitad del relato. Sin embargo, por curioso que pudiera parecer, cualquier idea de marcharse antes de tiempo había quedado desterrada, nadie se movía de allí, como si no tuvieran nada mejor que hacer. De hecho, antes del final de la sesión sólo se produjeron dos bajas y desde luego fueron las más inesperadas, las de los dos jóvenes que precisamente habían aguantado estoicamente conmigo desde el comienzo. Pasaron los dos a mi lado y oí que uno le comentaba al otro que él había visto «muchos Lovecraft en Camboya, te lo juro». También esto fue como para quedarse perplejo. O quizás no. Después de todo, ¿no había algunos jóvenes en Barcelona que decían que físicamente me parecía a Lovecraft? Puede que aquellos dos jóvenes se refirieran a mí, cosas peores me han ocurrido.

A todo esto, de vez en cuando Vilnius me miraba con rabia grandiosa y yo no podía saber que era porque si alguien allí le estaba impidiendo fracasar ese alguien era yo, que me había convertido en la única persona del mundo que aún podía decir que había escuchado íntegro su teatro sin teatro. Me era imposible saber todo eso y ya no digamos imaginar en aquel momento que Vilnius me estaba mirando con irritación tan infinita porque se preguntaba qué me sucedía a mí que, con todas las oportunidades que había tenido, era el único que no había salido aún de la sala. Me odiaba, me odiaba mucho. Pensé que era porque le irritaba sumamente mi cara de palo y aspecto de señor terrorífico, a lo Lovecraft. Pero no era ése ni mucho menos el motivo por el que me observaba con fijación y tanto enojo. Se trataba de un disgusto que iba mucho más allá del simple desagrado por mi fealdad. Su enfado era inenarrable, se le notaba en todo lo que hacía; estaba casi fuera de sí, masacrado por aquella gran contrariedad de ver que yo permanecía inmóvil en mi sitio. Desde luego tenía sentido su gran enfado si creía que sólo yo, únicamente yo con mi cara de tronco y de escritor de terror, le estaba arruinando su tan ansiado gran fracaso.

16

Unos minutos después (siguió leyendo Vilnius), hablábamos tranquilamente del libreto de *Tres camaradas*. Como si no pasara nada y no hubiéramos tomado todo el alcohol que llevábamos ya encima.

—Te lo dejo —me decía Max— y lo miras mejor en tu hotel. Para que veas que en el fondo, a pesar de mi cara de mala hostia, soy bondadoso. Pero ya te lo digo: no está ahí la frase que buscas. Porque buscas esa frase, ¿no? ¿He de entender que eso es lo que buscas aquí realmente? ¿Has venido aquí por el libreto, no? ¿O has venido para otra cosa?

Parecía que quisiera agarrarme por la solapa y volver a preguntarme si había ido allí para otra cosa.

—Por el libreto. Pero dices que lo mire mejor en mi hotel. Y aquí hay algo que no me encaja. ¿Cómo sabes que vivo en un hotel?

Max cambió brevemente de semblante, pero reaccionó rápido.

—Lo sé —dijo Max—, lo sé por personas que fueron al entierro de tu padre y me han comentado.

—¿Los mismos que te hablaron de Lovecraft?

—Te presto el libreto, pero no te lo regalo, porque para mí tiene un cierto valor, lo compré en un viaje a Minnesota, es una edición rara... Ahora bien, ya te lo advierto, tratar de encontrar la frase me parece tarea inútil. Además, suponte que la encuentras. Eso no te habrá llevado a descubrir nada en firme, porque Fitzgerald podría haber sacado la frase de la novela de Erich Maria Remarque. Tendrías entonces que consultar la novela, que, por cierto, debe de ser muy pesada. Y aun así, podría ser que no llegaras a nada tampoco en firme porque igual la frase es de Remarque, pero en la versión española el traductor se la saltó y entonces tú acabas creyéndote que era de Fitzgerald sin que lo sea. En fin, como decía Einstein, nunca llegarás a nada.

La sonrisa de suficiencia y de malvada satisfacción de Max no la he olvidado, no. Me pareció que, por algún motivo que no acertaba a ver, mi monstruoso y corpulento anfitrión deseaba que mi investigación acabara en un simple y puro fracaso. Quizás le parecía más digno no resolver el enigma. Quizás era sólo un gran cabrón, al que le complacía ver estrellarse a los otros. El hecho es que empecé a cogerle una verdadera ojeriza.

—Lo siento, pero es lo que hay. Creo que no vas a saber nunca de dónde salió esa frase —insistió Max.

—¿Y qué interés puedes tener tú en que fracase?

Max hizo como que no me había oído, como si quisiera simular que me tomaba por loco, pero, aun así, se molestó en contarme que no había existido otra película en esa época en Hollywood en la que se transformara tanto el libreto inicial. De modo que descubrir la verdad, me dijo, conduciría posiblemente a una constatación horrorosa: tu hermosa frasecita acerca de la necesidad que tenemos de compañía cuando oscurece puede que sea del gran villano y gran manipulador de frases, el productor Mankiewicz.

Hasta las ideas más sublimes de Fitzgerald para la película las había cambiado ese temible productor con ínfulas de guionista. Una prueba: en la novela de Remarque había una escena en la que Bobby, uno de los personajes, por motivos que no venían al caso, se encontraba incómodo, fuera de lugar, en un *night-club*, pero toda su incomodidad era mental: nada de ella se veía. Fitzgerald replanteó esta incomodidad en términos de lo que la cámara podía captar y dio con el medio de que pudiera filmar realmente la pérdida de la compostura de Bobby. Mankiewicz hizo rodar la escena tal como Fitzgerald la había escrito. Ahora bien, cuando en el guión Bobby se reunía con sus amigos al día siguiente del desastre nocturno, uno de sus camaradas le consolaba con un consejo que venía a repetir lo que ya Fitzgerald había escrito, con su habitual talento, en *The Crack-Up*: «A las tres en punto de la madrugada un paquete olvidado tiene la misma trágica importancia que una sentencia de muerte. Y en la verdadera noche oscura del alma siempre son las tres en punto de la madrugada, día tras día.»

Pero en la película el consejo quedó reducido a estas palabras: «Olvídalo. Muy pocas cosas resisten un examen a las tres de la madrugada.»

O sea que Mankiewicz reescribió la escena de Fitzgerald de tal forma que desapareció prácticamente toda la angustia de las tres de la madrugada.

—Parece —me dijo Max— que en los márgenes del ejemplar del guión que finalmente se rodó, Fitzgerald anotó: «Aquí el autor hablando del guión. Esto no es escribir. Esto es Joe Mankiewicz. Así de meloso, así de barato.» Comprenderás pues que, habiéndole cambiado al pobre Fitzgerald todo lo que era más inspirado o maravilloso de aquel guión, difícilmente puede darse la casualidad de que tu frase sobre la oscuridad pueda ser de él. Lo más probable es que sea de Mankiewicz y eso le quita toda la poesía al asunto, ¿no crees?

Tras decirme esto, Max rió con una crueldad que parecía infinita, como si se sintiera muy feliz de haberme arruinado la investigación. Y no contento con esto, me habló de Ted Sorensen, aquel hombre de genio, siempre a la sombra de John F. Kennedy. Me contó que a Sorensen, que redactaba los discursos del presidente, se le había atribuido siempre la célebre frase «No pienses en lo que tu país puede hacer por ti, sino en lo que tú puedes hacer por tu país», aunque en sus memorias no quiso ser vanidoso y dejó caer la sombra de una duda sobre el hecho de que esas palabras le pertenecieran.

—Aunque se supone que la frase era suya —me dijo Max a modo de pérfida conclusión—, se llevó a la tumba la confirmación de que lo fuera. Y ahora ya la frase —siguiendo en realidad el destino de todas las frases— ya no es de nadie. Hasta podría ser tuya. Como la de Fitzgerald. Aunque yo de usted, forastero, me alejaría de la frase, porque es de Mankiewicz, tendrías que dar ya por hecho que es de *Monkeybitch*.

Acompañó esto último con una sonora carcajada. Y añadió:

—Es de *Monkeybitch* y no tuya.

Y cuando minutos después le comenté, casi de pasada, que el día anterior por la noche había creído verle en el edificio donde vivía mi madre, su rostro mudó de pronto por completo, aunque enseguida controló su calambre facial extraño y desvió la conversación hacia las últimas horas de la vida de Scott Fitzgerald que, al igual que mi padre, había muerto también de un ataque al corazón. Fitzgerald estaba escuchando un partido de béisbol por la radio cuando su corazón se detuvo; dio un salto levantándose y luego cayó muerto.

—¿No le ocurrió igual a tu padre? —dijo Max.

—¿Un salto antes de caer? No sé de dónde sacas eso.

No creí haberme engañado, Max había hablado de un salto antes de morir, pero me negó de pronto haberlo dicho y desvió la conversación de nuevo hacia Fitzgerald para contarme cómo le llevaron ya cadáver a una funeraria de Los Angeles, y en ella se presentó su amiga Dorothy Parker y ante el ataúd pronunció la misma elegía que Ojos de Búho había entonado por Gatsby: «Pobre hijo de puta.»

Max lo sabía todo sobre los años dorados de Hollywood y nunca perdía la oportunidad de demostrarlo.

—La frase dio la vuelta al mundo —concluyó Max con aires ufanos.

Y no pude evitar preguntarme si en realidad, con todo lo dicho o insinuado, no habría querido Max en el fondo señalarme que también mi padre había sido un adorable hijo de puta. Volví a pensar en el ascensor y el montacargas de la noche anterior y en si le había visto verdaderamente o no.

—¿Qué es lo que quieres en realidad preguntarme? —dijo Max, inclinándose hacia delante, casi doblegándose, parecía prepararse para caer sobre mí y aplastarme.

A punto ya de perder el equilibrio y caer con toda su inmensa humanidad y peso sobre la mesa y muy especialmente sobre mí, me dijo:

—Ya está bien de tanta comedia y tanta hostia. Como llevas dos días hurgando con insistencia, te digo que sí. ¿Me oyes? Que sí. Tú lo has querido. Tu madre y yo somos amigos. Desde hace tiempo. Amantes. ¿Satisfecho por fin?

En mi vida me he quedado tan asombrado, tieso, lívido, pasmado, con la mirada perdida de pronto en las horrendas cortinas doradas, más allá de las cuales parecía haber un jardín de horror.

Mi expresión mudó de tal forma que pasé a tener la cara de un perfecto idiota. Quizás mi padre, pensé, había querido sutilmente conducirme hasta ese preciso instante, quizás era realmente la sombra que poco antes, desde algún oscuro rincón, me había hecho señales para que atravesara las cortinas doradas y saliera irrealmente al jardín.

Quizás cuando imaginaba que imaginaba a mi padre, en realidad no lo imaginaba tanto, sino que era mi propio padre el que me hacía creer que le estaba imaginando.

Mi padre, que aún no había dejado la Tierra y por lo visto se demoraba en abandonarla y entre otras ocupaciones se dedicaba a advertirme de asuntos que yo desconocía.

—¿Y esa chica? —le pregunté a Max aferrándome a la última posibilidad de que me hubiera mentido—. Creo que se llamaba Débora. ¿No era tu novia ayer? Yo diría que sí, ¿no? Me pareció que ibas con ella...

Max sonrió, se levantó, fue hacia la falsa chimenea y con las manos en los bolsillos se recostó contra la repisa.

—Pero bueno, ¿bromeas, no? O no te enteras de nada. Debe de ser ese archivo desarchivador que tanto te absorbe. Débora era la amante de tu padre. ¿Vas a decirme que no lo sabías?

(...)

—Se llama Débora Zimmerman, es mallorquina de padre americano. ¿Quieres saber más de ella? Inteligente y loca a la vez. Y enferma. Tiene crisis peligrosas. La viste ayer conmigo porque andaba buscando un manuscrito de tu padre que ya no existe, pero que ella cree que es suyo. Loca, y en lo del manuscrito no demasiado inteligente.

(…)

—Sí, no pongas esa cara. Cree que es suyo, sólo porque tu padre se lo dio a leer y le dijo que le dedicaría ese libro y que un día el manuscrito sería para ella. Pero tu madre se comió anoche el manuscrito, se lo comió, sí, aunque Débora se niega a creerlo.

(…)

—¿Qué? ¿También tú te niegas a creerlo? Pues se lo ha zampado.

(…)

—¿Débora? Loca. Lo que te digo. Y enferma. Muy artista, también eso es verdad. Pero loca. ¿Lo quieres oír de otra forma? Esquizofrénica. Y con obsesiones. Espectacular, sexy, para tirársela, pero a la larga un incordio.

(…)

—No sé de qué protestas. Paciencia.

17

Sostenía yo (siguió leyendo Vilnius, con la voz más calmada, como sugiriendo que llegaba ya al final de su texto) la más mema de las expresiones mientras bajaba en el ascensor. Lelo total, todavía bajo los efectos de lo que acababa de saber. Con un repentino sentimiento de orfandad pavoroso. Durante unos segundos, me convertí en un joven sin pasado, arrancado, como si fuera una planta, de su propio contexto natural y lanzado al anonimato de un sitio cerrado y sin salida, tan claustrofóbico como el ascensor en el que estaba descendiendo en aquel momento.

De aquellos lamentables segundos me rescató el inesperado humor de mi padre. Oí su respiración de espectro y sus palabras apenas susurradas: «Olvídalo. Muy pocas cosas resisten un examen a las tres de la madrugada.»

No eran aún ni las tres de la tarde, pero aquel «olvídalo» me hizo sonreír. Y ya en la calle, me dije que, si era cierto que andaba él por algún lugar perdido del universo intentando de vez en cuando infiltrarse en mi mente, estaba dispuesto a agradecerle de rodillas que me aclarara las cosas o simplemente me orientara en un momento tan complicado como aquél. Lamenté incluso haberle insultado tanto en vida y me sorprendió ver que le echaba en falta: había sido tan protector conmigo que ahora le añoraba y hasta necesitaba creer que él trataba de infiltrar su memoria y experiencia en mi mente. No le dejaría infiltrarse mucho porque dos memorias me crearían demasiada confusión, pero le agradecería que no se alejara demasiado.

Fui bajando por las calles de Barcelona hacia el mar y empecé a pensar que tenía más de un motivo para la sombría esperanza de que Juan Lancastre realmente anduviera por algún lugar del universo todavía y quisiera acompañarme en mi vagabundeo.

Dios, qué orfandad.

Caminé y caminé largo rato y, hacia el final de mi paseo, vi que había caminado tan sólo para comprobar que nadie me quería.

Si al menos existiera para alguien, me dije.

Si al menos existiera para mi padre, por ejemplo.

Aquel día, cuando empezó a atardecer en Barcelona y pasó la luz a ser ya casi una leve gasa que rozaba las hojas de los árboles, a esa hora en la que se van alargando las sombras, comprobé que estaba más solo incluso que unas horas antes, y entonces regresé, volví al hotel Littré y entré en mi cuarto y en menos de un minuto ya había apagado la luz. En la oscuridad total, quizás no necesitemos a nadie, pensé. Y luego pensé lo contrario, porque me di cuenta de que prefería pensar, por ejemplo, que mi padre, en sus tinieblas eternas, me necesitaba, me buscaba en la noche para que perdiera yo mi estado de pobre lelo total.

Por lo demás, señoras y señores, sepan que soy ocioso, inestable, geométrico, errabundo, aspirante a ideólogo de la desgana, volátil, y siempre ando soltando lastre. No repetiré estas sentidas palabras sobre dramas y fracasos de mi vida privada en ninguna otra parte. Vine precisamente a San Gallen para soltar lastre.

18

De entre el público, sólo aplaudí yo. El resto permaneció en un estado de indiferencia, o de perplejidad total. No se me olvidará la última de las miradas terribles que me envió Vilnius. Y yo, claro, seguía igual de despistado con respecto a lo que en realidad estaba ocurriendo. Salvo que fuera por mi cara de palo (que más de un inconveniente me había causado en la vida), se me escapaban por completo los motivos por los que me hubiera podido coger aquella manía tan exagerada, tan incomprensible, tan verdaderamente superlativa.

III

1

Aquella extraña y delirante mirada última de aquel joven con aire de Dylan hizo que saliera desconcertado de su teatro sin teatro, pero al mismo tiempo de buen ánimo, porque el tono en el que había sido contada aquella historia —apartándose con su formato de cuento del resto de severas conferencias del congreso— me había contagiado hasta las ganas de escribir, y eso que había yo decidido —aunque lo ocultaba a todo el mundo— no volver a emprender la aventura de redactar ningún otro libro en mi vida.

Salí de aquella sala dando vueltas a aquella «sombría esperanza» de que su padre quisiera protegerle desde algún lugar del universo y acompañarle en su vagabundeo. Para añorar a un padre al que tanto había detestado, tenía Vilnius que sentirse muy solo, me estuve diciendo. Y después, al pensar en ese padre protector que él buscaba o añoraba y que le gustaría volver a ver por alguna parte, me acordé del padre omnisciente del escritor John Cheever.

A finales del siglo XIX, el padre de Cheever había vivido en Munich y trabajado de modelo para un escultor, que lo talló como una especie de Atlas o cariátide masculina, y puso la figura en la fachada del viejo hotel Königspalast, destruido en los años cuarenta por los bombardeos aliados. Creo que fue en 1935 cuando John Cheever atravesó Alemania a pie, vio el hotel y los rasgos inconfundibles de su padre, cuyos hombros sostenían el enorme dintel. Más adelante, en Frankfurt, descubrió la figura de su padre sosteniendo los balcones y techos del Frankfurter Hof. Evidentemente no sirvió de modelo para todas las cariátides, pero la asociación le fue creando una obsesión a Cheever y empezó a tener la impresión, en absoluto jamás desagradable, de que muchos apartamentos, hoteles, teatros y bancos se sustentaban sobre los nobles hombros de su padre. Años después, como la guerra causó a esos edificios menos daños de los que cabía esperar, Cheever creyó reconocer a su padre en la fachada de un hotel de Yalta. En Kiev lo vio sostener los miradores de todo un edificio de viviendas. En Viena y Munich lo vio por todas partes y en Berlín alguien lo vio mutilado, desfigurado, tendido en la hierba de un solar próximo al puesto de control del Muro. Ya que había iniciado su vida en la acera más exquisita de la calle, sosteniendo los dinteles bajo los que pasaban los ricos y famosos, era lamentable ver cómo la luz abandonaba esos edificios y que la presencia de la cabeza y los hombros descubiertos de su padre señalizaban una pensión de mala muerte, unos grandes almacenes en quiebra, un cine abandonado o el umbral de los barrios más miserables. Al final, para Cheever fue un alivio volver a su casa de Kitzbühel, donde los edificios eran de madera.

2

Pienso en aquel final seco del teatro sin teatro de Vilnius y me acuerdo de que, cuando todo hubo terminado, una frase conmovedora y ridícula a la vez quedó para mí flotando en el aire: la de que a él no le quería nadie.

Nadie me quiere, había dicho literalmente. Y aunque al principio no pude evitar tomarme la frase a broma, a medida que me fui alejando de la conferencia, sus palabras se me fueron volviendo cada vez más conmovedoras y menos ridículas.

Toda su intervención, su honesto e impecable *Teatro de realidad* dejó tal estela de veracidad que, ante la aplastante y obvia sinceridad de sus palabras, resultaba hasta absurdo hacerse la latosa pregunta, ya clásica en los tiempos modernos, acerca de cuánto había de realidad y cuánto de ficción en lo que nos había contado el dramático joven.

Todo era verdad, estaba bien claro. Vilnius parecía imaginativo y creativo, pero para su historia no había necesitado inventar nada. Además, él mismo llevaba en el rostro el profundo estupor por lo que le había ocurrido en aquellos días posteriores a la muerte de su padre.

¡Las relaciones entre realidad y ficción! Qué insufrible, por cierto, me ha parecido siempre esta cuestión cuando, a propósito de mis libros, me han preguntado por ella. Sin embargo, he leído textos de colegas, en algunos casos hasta de escritores amigos (*El viaje*, de Sergio Pitol, por ejemplo) y he sentido la tentación de querer averiguar si lo contado les sucedió de verdad. ¡Qué vergüenza he pasado cada vez que he caído en semejante simpleza y vulgaridad y he terminado preguntando a un amigo escritor si tal episodio le ocurrió…!

Desde luego, de la intervención de Vilnius no tenía el menor sentido querer averiguar si había manipulado los hechos reales porque se veía a la legua que había contado literalmente su vida privada. Se veía que el muchacho era auténtico en todo y estaba, además, interesado en que eso se apreciara, pues quería distinguirse especialmente de la manera de ser y de ver las cosas de su padre.

Su *Teatro de realidad* no había sido otra cosa que un grito rabioso de verdad y autenticidad, un grito conmovedor de auxilio que se había alargado casi dos horas, adoptando indistintamente para la lectura de su texto un ritmo a veces lento y otras algo más veloz, siempre en todo caso indolente, muy apropiado para el Oblomov que se escondía en su interior, muy adecuado también para el ideólogo de la desgana en el que se quería convertir.

Sólo un detalle, no precisamente intrascendente, de aquella intervención ofrecía dudas de veracidad. Porque parecía más que razonable preguntarse —de hecho me propuse planteárselo en cuanto le tuviera a mi alcance— si creía *realmente* que su padre se había infiltrado en su memoria para traspasarle la suya en forma de herencia y si pensaba que su padre seguía esa actividad de invasión de su cerebro. Porque si Vilnius se hallaba convencido de la autenticidad de esa invasión, sólo había dos maneras de interpretarlo: o era verdad, o se estaba volviendo loco y le parecía verdad lo que decía. Si era esto último, tanto podía ser que él fuera un perturbado leve (alguien que estuviera llevando un duelo demasiado severo por la muerte de su padre, por ejemplo) como un notable demente (no daba para nada esa última impresión).

La oportunidad para salir de dudas pareció llegarme

al atardecer de aquel mismo día, en la espectacular terraza cubierta del bar del hotel. Me encontré con Vilnius y le detuve con un gesto cariñoso, amistoso; casi me había olvidado de su mirada tan rara al final de su intervención matinal. Cuando oscurece, siempre necesitamos a alguien, le dije bromeando, en una maniobra de aproximación, que acabó para mí resultando muy desconcertante y, sobre todo, decepcionante. Sonrió, pero en su mirada había una especie de rencor extraño. Me comentó que yo tenía un modo de moverme que parecía salido directamente de una escena del Juicio Final. No te entiendo, me limité a decir. Esta mañana fue usted el único que se quedó hasta el final, sin duda con la idea de juzgarme, dijo. Nada tan absurdo, le contesté enseguida. Pero se había dado la vuelta y largado ya de allí; debió de marcharse muy rápido porque ni me di cuenta. Nos veremos más tarde, le oí de pronto vocear desde la puerta de salida y de forma también algo extraña, casi inmediatamente después, desapareció. Por la noche no le vi en la cena colectiva, ni en ninguna parte.

A la mañana siguiente, después de la brutal lluvia nocturna, amanecí en mi cuarto con los ojos abiertos a un nuevo y muy luminoso día. Había en la habitación una claridad increíble, llena de vida. Parecía la luz inmensa y deslumbrante que uno —quizás influenciado también por las palabras que crucé con Vilnius el día anterior— imagina que habrá el día después del Juicio Final. Vi que me habían deslizado por debajo de la puerta el periódico de la mañana, y en una reacción rara en mí, no quise saber nada de las noticias. Como si pensara: hallándome en el paraíso o en una réplica del mismo (la luz creaba esa sensación), no tengo ganas de ocuparme de las noticias del día, de la crisis económica y de todo eso y de todo lo demás. Fui a mirar por la ventana que el intenso aguacero de la noche había dejado bien nítida. Miré. Enérgico espectáculo de la naturaleza. Todo parecía nuevo. Me puse de buen humor y bajé a desayunar con el ánimo bien alto, con el ánimo iluso del que se siente de pronto literalmente en el paraíso.

Al fondo de la sala de los desayunos estaba Vilnius, idéntico a un ángel caído, triste y sin compañía, parecía seguir representando su papel de persona-a-la-que-no-quería-nadie. Le pregunté si podía sentarme. Después de todo, dije, somos aquí los únicos barceloneses. Sonrió con extrema levedad, me invitó a acompañarle, la mirada de rencor había desaparecido. Entonces, arriesgándome a volver a entrar en conflicto, le felicité irónicamente por haber acertado la tarde anterior a profetizar el fin del mundo. Gracias, dijo muy lacónico, pero no sé qué decirle ni a qué se refiere. Te hablo del Juicio Final, ¿no te acuerdas?, dije. Ah, es algo que ya ocurrió hace años, no se preocupe por ese Juicio, me contestó. ¿Ocurrió?, pregunté. Sí, contestó. Más bien, le dije, se le espera para dentro de unos años. Cada uno es dueño de creer lo que quiera, incluso que el Juicio aún está por venir, me respondió hermético.

No parecía agradarle la cuestión en la que nos habíamos enzarzado y decidí abandonar rápidamente el tema y no sé por qué me puse a comentarle lo muy insoportablemente de moda que estaba la ciudad de Barcelona en el mundo.

—Llena de mosquitos tropicales y de turistas —dijo cerrando abruptamente el nuevo tema.

No sabía por qué me trataba mal, hasta que me lo aclaró. Al aplaudir su intervención del día anterior, le había arruinado toda posibilidad de gran fracaso. Al principio, creí que hablaba en broma. Después, al ver que iba todo tan en serio, pedí disculpas. Eso pareció mejorar las cosas, aunque siguió un largo silencio.

Ligeramente molesto con él —me parecía injusto y de niño caprichoso un enfado así—, estuve a punto de decirle lo grosera que me parecía su obcecación en no hacer nada para evitar parecerse tanto físicamente a Bob Dylan joven. Pero finalmente pensé que era mejor tener la fiesta en paz y le hablé de amigos comunes, sobre todo de amigos de su padre que también eran amigos o conocidos míos. Tuve por momentos ganas casi irrefrenables de decirle que debía olvidarse de convertir la orfandad en una poética, pero en lugar de esto hice algo más útil y le pregunté si era verdad o, mejor dicho, si estaba convencido, completamente seguro, de que su padre se infiltraba a veces en su cerebro y quería transmitirle en herencia su memoria. Era desde luego la pregunta clave. Y aún añadí otra: ¿Seguía su padre molestándole? De ser afirmativa tu respuesta, le dije, habría que empezar a pensar que serías la primera persona del mundo a la que le pasa esto, porque nunca se hereda directamente la memoria y la experiencia de otro.

—Lo que he contado es lo que es —me respondió.

—Ya. Creo que te entiendo, pero no estoy seguro. O al revés, estoy seguro de que te entiendo, pero sin estar seguro.

—Lo que narré —dijo Vilnius muy tranquilo— es lo que me ha pasado en los últimos días. Noto la presencia de mi padre, pero no en sueños, que sería más creíble para usted y para todo el mundo, sino durante el día, estando bien despierto, aunque ahora, por ejemplo, no le noto, quizás lo ahuyentan los desayunos terrenales, y perdone usted por la broma.

—Sí, quizás lo ahuyento yo, quién sabe —dije.

—Bueno, el hecho es que si mi padre me infiltra o trata de infiltrarme memoria es algo que va más allá de una posible sugestión mía. A veces lo intenta y yo lo rechazo, al igual que se repele con obstinación un mal pensamiento. Sé que esto que digo no puede sonar más que raro, rarísimo, pero es así. Y sé que cuanto me ocurre no lo puedo demostrar y tiene todo el aire de estar sucediendo en el teatro de mi cerebro. Sea lo que fuere, no pienso, en todo caso, contarlo de una forma que pueda resultar más sencilla y convincente; no pienso decir, por ejemplo, que es una «voz interior» y toda esa clase de mamarrachadas. Las cosas son como son y yo sólo sé que si algún día alguien, un Einstein del futuro, explica el funcionamiento íntegro del universo, lo que me está ocurriendo quizás acabe resultando no tan raro.

—Sólo sé —le dije intentando que aprendiera a respetarme— que la realidad puede permitirse el lujo de ser increíble, inexplicable. Lamentablemente, una obra de ficción no puede permitirse las mismas libertades.

—A todo esto, añadiría una pregunta: ¿cuánto hay de *real* en la realidad? ¿Se ha planteado usted alguna vez eso? Trata mi padre de comunicarse conmigo y algunas veces lo logra, otras no lo consigue porque opongo fuerte resistencia, pues uno se vuelve loco con dos memorias al mismo tiempo. En otras, es él quien se ausenta por periodos largos, ocupado, supongo, en flotar en ambientes distintos. Pero he llegado a tener recuerdos que sólo podían ser suyos, eso ha sido determinante, porque me confirma que algo raro sucede. Esta misma mañana, por ejemplo, al despertarme, he tenido la sensación de que alguien me había inyectado en vena un recuerdo personal de mi padre... ¿Qué puede hacer uno ante esto?

Quizás lo único que le acaba resultando posible hacer es *Teatro de realidad* en San Gallen, teatro por un solo día, porque no voy a ir pregonando mi historia por todas partes. Tal vez deba esperar a que alguien me quiera ayudar a comprender lo que me está pasando. ¿Usted puede hacerlo, usted podría ayudarme? Yo sólo sé que no he perdido la cabeza, soy de verdad una persona sensata, se lo aseguro. ¿O cree lo contrario? Me mira intrigado. Está intrigado, lo veo. Le intriga el contacto con los muertos, y es lógico. No le pido que vuelva a aplaudirme como ayer, pero tampoco que me mire tan mal.

Le dije que sólo me veía capaz de decirle que me había interesado su teatro sin teatro y que, mientras le escuchaba, me había acordado de la pregunta que un día le hicieron a un matemático muy reputado que decía haber visto extraterrestres. Le preguntaron que cómo era posible que él, un hombre consagrado a la razón, hubiera creído que los alienígenas le mandaban mensajes para salvar el mundo. Y él contestó: Porque las ideas que concebí sobre seres sobrenaturales acudieron a mí del mismo modo en que lo hicieron mis ideas matemáticas, y por esa razón las tomé en serio...

—Claro, claro —me interrumpió Vilnius—. ¿Y por qué piensa usted que la gente habla de fantasmas y cree en ellos? Ayer, Sergio Chejfec habló de ellos en su conferencia, parecía conocerlos a fondo. Dijo que eran inconstantes y, por supuesto, imprevisibles, y estaban sometidos a un régimen que a él se le ocurrió llamarlo «de flotación». Parecen dispuestos a comunicarse, pero flotan o son blandos. Y son algo incoherentes, porque parecen estar dominados por fuerzas ajenas a ellos: ahora están cerca y de inmediato lejos, o directamente no están.

—¿Y has podido saber al final si es verdad que tu

madre ha quemado las memorias que tu padre escribía? Perdona por tantas preguntas, pero es que me dejaste ayer con las lógicas dudas.

—¿Es usted de los que leen todo lo de mi padre?

—¿Qué quieres decir?

—Si le gusta lo que escribía mi padre.

—Algunas cosas. Una vez, en el bar Perturbado creo que fue, me reí durante horas con él, pero no recuerdo de qué. Me habría gustado leer esas memorias.

—No he vuelto a saber nada de mi mamá horrible, pero doy por hecho que es verdad lo que me dijo, no tiene sentido que me mintiera. Leyó esas memorias abreviadas, no le gustaron y las destrozó. Ella es así. Ahora que estoy enterado de qué clase de vida llevaban uno y otro, no me extraña que a mi madre le disgustara lo que pudiera él decir en esas memorias, donde seguramente habría incluido detalles de sus amores. Qué horror. Destruir la obra póstuma de mi padre. Cada vez que lo pienso… La señora Verás es a todas luces un ser monstruoso.

—¿Te refieres a tu madre al decir Verás? ¿Y ahora, por cierto, qué harás?

—Pregunta usted de una forma graciosa. ¿Le gustan los pareados? ¿O quizás le gusta reírse de mí?

Quería hacerme amigo suyo, sólo era eso. Y confiaba, por otra parte, en su sentido del humor. Claro que se me había escapado una nota de humor en un momento no muy oportuno. Pero es que aquel apellido, Verás, despertaba un cosquilleo brutal, ganas inmediatas de hacer pareados, bromas de todas clases, y más si uno pensaba en lo malísima y destrozadora de pobres almas que era aquella señora Verás.

De pronto, dando vueltas a por qué había hecho

aquel inoportuno pareado, me pregunté si no había estado yo incluso algo enamorado de Laura Verás. Recordaba una noche acalorada de hacía ya tiempo en la que, magnetizado, había bailado largo rato con ella en la pista central del Bikini. ¿O había sido en la del Zigzag? ¿O en la del Perturbado? Quizás en la del Boliche. Pero ¿se podía bailar en el Boliche de la Diagonal? No, seguramente había bailado con ella en el Zeleste, porque era amiga del cantante Sisa, cliente habitual de aquel local en el que seguramente la vi a ella allí un sinfín de veces...

Tras un largo silencio, terminó Vilnius diciéndome que no tardaría mucho en seguir investigando acerca de «Cuando oscurece, siempre necesitamos a alguien.»

—He estado pensando —dijo— que la investigación sobre el origen de esa frase de *Tres camaradas* terminó por llevarme muy lejos y hasta descubrí todo lo que me ocultaban mis padres. Está claro que investigar sobre la autoría de esa frase lleva a grandes cosas. ¿No cree?

—Puede hasta que sea la llave que te permita descubrir más secretos. Igual te sirve incluso como motor para investigar el mundo...

—Genial. Motor para investigar el mundo —repitió pensativo.

Me contó entonces que pensaba incluso ir a Hollywood a indagar sobre el origen de la frase. Quizás no lo averiguara, pero, tal como le había ocurrido investigando en Barcelona sobre la frase, quizás descubriera otras cosas. Investigar no llevaba siempre a encontrar lo buscado, pero sí a encontrar lo que está al lado de lo buscado, normalmente siempre también interesante.

Lo más probable era que fracasara a la hora de enterarse de qué guionista en una lejana tarde de 1933 había colocado aquella frase en un diálogo de *Tres camaradas*.

Pero iría a Hollywood, quería acumular experiencias para incorporarlas al largometraje sobre el fracaso que andaba preparando y que quizás no rodaría nunca.

Creí que a continuación iba a preguntarme cómo veía yo su idea de viajar a América, pero, en lugar de eso, se interesó generosa y muy magnánimamente por mi trabajo. Los jóvenes no suelen ver mucho a los otros, así que le agradecí el gesto y además, sin decírselo explícitamente, le agradecí también que, tal como me parecía intuir, mi cara de palo a lo Lovecraft no le horrorizara tanto como el día anterior había yo creído que le horrorizaba.

Le conté que había puesto el punto final a una novela hacía muy pocos meses y que haberme deshecho ya del libro me permitía vivir tranquilo, sin la tiranía que sobre los novelistas ejercen las novelas en construcción.

Ahora, le dije, leía mi horóscopo por las mañanas y a esa operación lectora le dedicaba mucho tiempo porque profundizaba en ella tanto que hasta estudiaba su relación con mis oráculos inmediatamente anteriores. Luego, paseaba todos los días un buen rato, me pateaba Barcelona. Muchas veces, iba andando desde mi viejo apartamento junto al parque Güell, hasta la calle Casanova, allí donde habíamos comprado el piso en el que mi mujer y yo pensábamos instalarnos pronto. Después de tantos años, más de treinta, de vivir en la vieja casa, estábamos muy tensos ante la inminencia de la mudanza.

Casi todos los días, seguía las obras de restauración del nuevo piso y después regresaba al apartamento a preparar, según mi costumbre de hacía años, la comida, que casi siempre tenía dispuesta cuando mi esposa llegaba del trabajo. Seguía una siesta y después, a media tarde, me dedicaba a analizar hechos del pasado, de un pasado muy lejano, las cosas que escribí en mi fugaz diario íntimo (una libreta pequeña que comercializaban entonces como «agenda americana»), un diario adolescente que abarcaba desde el 1 de enero al 24 de mayo de 1963. Analizaba meticulosamente ese fugaz diario con la idea de ver si algún día podría dedicarme a escribir algo sobre mis años adolescentes, pero tenía datos de tan sólo cuatro meses de mi vida de entonces y la empresa parecía difícil, aunque no estaba mal tener que concentrarse en tan breve periodo de tiempo en el que aparentemente no pasó nada, pero en realidad pasó mucho.

—Concedo especial atención —le expliqué— a las películas que con compañeros del colegio estuve viendo a lo largo de esos primeros cuatro meses de 1963. Películas en programas dobles de salas de reestreno de Barcelona. Me dedico a analizar qué me queda de cada una de ellas. Algún día, quizás haga un libro sobre ese tema, el tema de las películas vistas a los quince años. De algunas no recuerdo nada, ni siquiera el título, y sigo sin recordar nada aun después de haberlas localizado con el buscador de Google. Es pavoroso si uno piensa en la cantidad de cosas que hemos olvidado para siempre.

—Y así por las mañanas ¿sólo camina usted y profundiza en el horóscopo? Y por las tardes, mira su agenda de niño. ¿Es eso todo?

—Bueno, le hago las comidas a mi mujer. Y la agenda no es de niño, sino de adolescente.

—Bueno, sí, de adolescente.

—Descanso después de meses de esfuerzo, aunque me muestro disponible ante los demás para embarcarme en nuevas historias. Esa disponibilidad es una sensación fantástica que no se puede comprender bien si antes no se ha trabajado duro como suelo trabajar yo. No te puedes ni imaginar lo grande que es el momento en que uno puede emitir hacia el exterior signos de disponibilidad. Es una sensación genial, de gran libertad, sobre todo cuando se viene de pasar meses atado a una novela... Uno de pronto se libera de todo y sabe que puede embarcarse en algo nuevo cuando quiera, en el momento que quiera.

Mentí aquí a conciencia, pues no estaba interesado en volver a escribir nunca más nada que se pareciera a un nuevo libro. Pero mentí porque deseaba seguir por mucho más tiempo llevando en secreto esa decisión que había tomado.

—¿Y qué predice su horóscopo para hoy?

Miré por la ventana de la gran sala de desayunos de aquel hotel y vi que había crecido aún más la intensidad de la luz, parecía imparable la luminosidad. Después, le conté que, meses atrás, había cometido el error de declarar en una entrevista que me dejaba guiar por el horóscopo de un periódico barcelonés, pues aun cuando lo que allí vaticinaban a los de mi signo no parecía nunca tener relación alguna conmigo, mi capacidad de interpretar cualquier texto, por muy oscuro que éste fuera, hacía que al final sí acabara encontrándole alguna relación. Esto debió de llegar a oídos de Xuflus, el encargado de los horóscopos en ese periódico, un dudoso mago al que había conocido en mi juventud y que me odiaba y que, a partir de aquel día en que manifesté yo aquello y sabiendo como sabía mi signo, empezó a escribir las predicciones para Aries directamente para mí, con los peores presagios siempre.

—Bueno, aún estoy más impaciente por saber qué dice su oráculo hoy.

—Lo estuve mirando en la habitación, en mi ordenador portátil. Es el primer vaticinio en mucho tiempo que no es negativo. Francamente, un respiro. Dice algo así como que la conjunción de la Luna con Júpiter en mi signo da aliento a una gran oportunidad que se venía gestando desde hacía meses.

Al joven Vilnius se le iluminó la cara más que el día.

—Creo que yo soy esa oportunidad —dijo.

—¿Cómo? ¿Y qué clase de oportunidad eres, Vilnius?

—No sabría decirle a usted. Sólo la intuyo.

Me pregunté qué clase de intuición sería aquélla y si sería intuición suya o de su padre, que en aquel momento quizás probaba a infiltrarse. Y entonces, en ese exacto instante percibí que, sin apenas darme cuenta, había pasado sin más problema yo también a ver hasta como normales las infiltraciones mentales del difunto Lancastre en su hijo.

3

Pero es que, si miramos seriamente las cosas, veremos que tampoco es tan rara en *Hamlet*, por ejemplo, esa figura fantasmal del padre que, amante de las historias de este mundo, vuelve de muy lejos. Vuelve de lejos, como todos los grandes narradores, que siempre manifestaron su deseo de volver después de muertos para ver qué nuevas tonterías sucedían en el pobre mundo que abandonaron. El fantasma del padre de Hamlet vuelve en realidad para recordarle al hijo la misma verdad de siempre, la que en verdad quiere dejarle en herencia, no la que le dejó, sino la nueva, que es más interesante y que dice que, más allá de la vida, primero hay un árbol negro nudoso, cuyas apretadas hojas forman un tejido contra la lluvia, y luego ya nada, todo es exhalación y frío y espacio y tierra extrema.

4

A la mañana siguiente, decidí aprovechar las últimas horas que me quedaban en San Gallen para asistir a la conferencia de Daisy Skelton. Previamente, leí mi oráculo del día: «Le esperan conversaciones que se abren al futuro, pero procure que las cosas transcurran de la forma más idónea posible.» Desde que me hallaba en San Gallen, el odioso Xuflus parecía haber cambiado de planes para mí y ya no lo veía todo negativo para los del signo de Aries. En cuanto a la luminosa luz de juicio final del día anterior, ésta ya no era tan intensa, e incluso parecían anunciarse nuevos temporales de lluvia. ¿De qué conversaciones podía estar hablando mi horóscopo? ¿Las que en el futuro podía tener con Vilnius?

Caminé con unos amigos hacia la universidad, donde había gran expectación por escuchar «Fracasa otra vez», la conferencia de Daisy Skelton. Confiaba en volver a ver allí a Vilnius y seguir conversando con él, pero no le encontré, lo que me pareció toda una contrariedad.

La joven y atrevida Skelton dijo entre otras cosas que, cuando escribía, lo que siempre estaba intentando expresar era su manera de estar en el mundo y que para lograr eso le parecía imprescindible ante todo ser realmente «auténtica», palabra tan mal vista por los postmodernos. Algo estaba claro, dijo. Para llegar a alcanzar momentos en que pudiera sentirse verdaderamente «auténtica» necesitaba de un proceso implacable de eliminación de todos los tabúes que nos impiden darle la vuelta al lenguaje muerto, a los dogmas de segunda mano, a las verdades que no son propias sino de otros, a los lemas, a los eslóganes, a las mentiras nacionales, a los mitos de nuestra propia época histórica (...) Una vez eliminado todo lo que no es mío, concluyó Skelton, lo que queda es lo que resulta ser más o menos mi propia verdad. Eso es lo que busco cuando leo una novela: la verdad de una persona, por lo menos la parte de verdad que puede ser transmitida a través del lenguaje.

Fue una conferencia que, tal como había intuido, le habría interesado mucho a Vilnius, tan obsesionado como estaba en poder ser lo más auténtico posible y diferenciarse así de su padre, artista de múltiples caras. Le habría gustado a Vilnius, que parecía suscribir aquello que Nabokov decía de los escritores que provienen de otros: parecen versátiles, pero sólo porque imitan a muchos, mientras que la originalidad artística no podrá nunca copiarse más que a sí misma.

Skelton dijo cosas que a Vilnius forzosamente le habrían interesado mucho, pero que no pudo oír por su indolencia, por su pereza, o por lo que fuera que le llevó a equivocarse y no acudir a aquella charla. Skelton explicó que escribir dependía antes que nada del cumplimiento de un deber moral, es decir, del deber de ser fiel a uno mismo. La idea de la importancia del «yo» estaba en la base misma de esa idea. El artista, dijo Skelton, percibe el mundo a través de una serie de sensaciones, experiencias e ideas, que le son propias y tiene que ir en busca de ellas y apartarse de las que no son suyas para ser *él mismo*.

Fue una conferencia ideal para Vilnius, pero éste ni

se enteró de lo que en ella se dijo, debió de perder la tarde soñando un manifiesto revolucionario en favor de la indolencia. De hecho, a él no le volví a ver hasta la noche, ya en el aeropuerto de Zurich, poco antes de tomar los dos el avión de regreso a Barcelona. Me acerqué en el hangar tercero a un lugar en el que se había creado un pequeño revuelo, pero donde lo último que imaginé fue encontrarme, en medio del tumulto, al pobre Vilnius. Ante mi asombro descubrí que unas jovencitas le pedían un autógrafo a alguien que tenía la misma nariz y la misma cabellera que el joven Bob Dylan, y ese alguien, con una sonrisa en los labios, no paraba de dar explicaciones y desmentir que fuera el cantante, entre otras cosas —les decía con cierto sadismo— «porque el verdadero Dylan tiene cuarenta años más que yo».

Decidí alejarme de allí como si no hubiera visto aquel espectáculo.

Me entretuve en el bar con un colega muy pesado, un colega que también había participado en el congreso y que no paró de hablarme de la cantidad de cosas con las que tenemos que competir los novelistas en el mundo actual, tantas —me decía desesperado ese horrible colega— que se planteaba tirar la toalla, porque hoy en día obtener la atención para una novela es mucho más difícil de lo que antes solía serlo, pues cada vez los escritores debemos convivir con más atracciones y diversiones, crisis económicas, invasiones de países árabes, rivalidades futbolísticas, amenazas para la supervivencia, hambrunas y crímenes horrorosos, podridas bodas reales, terremotos devastadores, trenes que descarrilan y no precisamente en la India...

Rearmándome de una sensatez que siempre he detestado, pero que a veces he de rescatar de lo más hondo de mi espíritu para corregir a los idiotas, le expliqué que era monstruoso y absurdo ver como «rivales» a todas esas cosas que me había estado nombrando. ¿O es que no lo comprendía? Le cité una caricatura que había hecho de un intelectual el dibujante Daumier; en ella se veía a una dama de aspecto severo que hojeaba enfadada el periódico en la mesa de un café. «No hay más que deportes, caza y disparos. ¡Y nada sobre mi novela!», se quejaba. Ahí estaba, bien evidente, el gran error: creer que un libro tenía que competir con el último asesino en serie o con el último caudillo árabe destronado. ¿O acaso escribimos para los que sólo siguen las noticias de lo que ocurre en Wall Street, en Siria, en Libia, en Irak, en Grecia, en Japón y en la pujante China?

Los hacedores de esas noticias todas tan tremendas, decía Bellow, piensan en la conciencia como un territorio que se acaba de abrir para los colonizadores y la explotación, una especie de fiebre por la tierra de Oklahoma. Pero en realidad, el escritor le habla a un lector indefinido, pero que de algún modo imagina que tiene que ser como él, alguien que no se deja ahogar del todo por los cien mil atractivos de Oklahoma y en cambio se muestra interesado por el esfuerzo grandioso que hay que hacer, a menudo un esfuerzo secreto y más que escondido, para poner en orden la confundida conciencia.

Ese trabajo secreto con la conciencia, traté de explicarle al odioso colega (que miraba cada vez más hacia otro lado) se desarrolla en perímetros alejados del gran espectáculo del mundo. Hay lectores que son conscientes de que a diario los famosos «mercados» y sus parientes más próximos, los dueños del Teatro de Oklahoma, están abusando de su atención. Pero también son conscientes de que los escritores que sobreviven —seguí diciéndole, creo que algo influenciado por la conferencia de Daisy Skelton de aquella mañana— son sólo aquellos que tienen en cuenta la tragedia de tantos lectores de los que se ha abusado y que, a pesar del abuso, aún muestran fuerzas para prestar atención a quienes, como ellos, traten de poner en orden a la enmarañada conciencia. Ese trabajo secreto con la conciencia no se ve jamás en la televisión, no es mediático, habita en las viejas casas de la vieja literatura de siempre.

Estas últimas frases, que sonaron como un discurso moral en medio del bar del aeropuerto y que buscaban, sin éxito, aplastar del todo a mi estúpido colega, las oyó Vilnius, que se había aproximado a nosotros después de su sesión de autógrafos. Parecía en desacuerdo conmigo (a mí me daba igual que estuviera o no de acuerdo, pues, aunque me lo guardaba para mí, no pensaba volver a escribir un libro en mi vida, así que el asunto en el fondo me importaba muy relativamente), pero no dijo nada hasta que nos quedamos solos en la cola para embarcar en el avión. No era que estuviera en desacuerdo con mis honradas palabras, me dijo, sino que pensaba que cualquier esfuerzo era ya baldío en los tiempos que corrían, nada se podía hacer ya por el mundo, todo se iba a pique y esforzarse por escribir o por rodar un film inteligente cuando eso ya no le interesaba a nadie era sencillamente una pérdida de tiempo, parecía mejor irse a una playa desierta a escuchar *Under The Mango Tree*, por eso cada día se decantaba más por negarse a ser un eslabón más en la cadena del esfuerzo y el trabajo, que sólo beneficiaba a los mafiosos de siempre.

«Le esperan conversaciones que se abren al futuro», había leído aquella mañana en mi oráculo. En esas conversaciones, pensé, no me extrañaría que participara mucho Vilnius. Dentro del avión nos separamos, pero aún le quedó tiempo para decirme que lo estaba ya moviendo todo para irse lo más pronto posible a Hollywood, porque había pensado que allí entre la multitud no se sentiría tan solo y porque, además, podría seguramente seguir investigando quién era el autor de la frase de *Tres camaradas*.

Por cierto, ¿qué era eso que me dijo ayer acerca del motor de esa frase?, preguntó en el momento de dirigirse a su butaca al fondo del avión. Que la frase te puede servir como motor para investigar el mundo, contesté.

Ya en tierra en Barcelona, en el momento de ir a tomar cada uno su taxi, estuve a punto de decirle que, como me cambiaba pronto de barrio y viviría no muy lejos de su hotel Littré, quizás no tardáramos demasiado en vernos. Pero soy algo supersticioso y pensé que, si le decía aquello, al final precisamente por habérselo dicho acabaríamos no volviendo a vernos más. Así que callé, pues prefería volver a encontrarme algún día con él. Tomé el taxi y no me despedí. Vilnius tampoco.

5

Tres semanas después, llegó para mí en Barcelona el tan temido momento del traslado de casa. Advertidos por todo el mundo de que una mudanza era una experiencia traumática, recuerdo que esperábamos mi mujer y yo aterrados a que llegara el gran camión que transportaría nuestras cosas. Luego no pasó nada especial. Llegaron cuatro obreros que a gran velocidad comenzaron a embalar muebles y biblioteca. Unas horas después, mi vieja mesa de trabajo, aquella en la que había escrito mis mejores obras, se hallaba rodeada por doscientas veinte cajas de libros. Y yo, como digno capitán de mi barco personal, sin alterarme, esperando el momento en que me sugirieran que apagara el ordenador, seguía allí escribiendo.

¿Por qué en medio de una mudanza, rodeado de doscientas veinte cajas de libros, seguía yo impertérrito escribiendo sobre el mundo de las huellas en la historia de la humanidad? Pues no sólo porque no se me ocurría que hubiera nada mejor y más entretenido para hacer aquel día, sino también porque había olvidado que hacía tiempo que me habían encargado aquel prólogo y, como deseaba cumplir con los encargos que había aceptado antes de decidir retirarme de la escritura, no veía mejor solución que terminarlo aquel mismo día, pues había rebasado con creces el plazo acordado para la entrega.

Sabía que en cualquier momento me harían apagar el ordenador si no quería ir yo mismo a parar al fondo de otra caja de libros. Pero entretanto iba contando la historia, poco conocida, de Juan Vucetich, un modesto policía argentino de la ciudad de La Plata, que en 1891 había llevado a cabo las primeras fichas dactilares del mundo. Tras haber verificado su método con seiscientos reclusos de la cárcel de La Plata, en 1894 la policía de Buenos Aires había acogido oficialmente el sistema de Vucetich, y no habían tardado nada en adoptarlo enseguida el resto de las policías de Occidente.

«O sea que todo empezó en La Plata, esa ciudad simple y provinciana que...» Me hallaba exactamente en mitad de ese párrafo cuando fui conminado amablemente a apagar el ordenador. No olvidaré el momento en que la vieja casa de la ficción —más de treinta años en ella, siempre sentado ante el mismo escritorio— comenzó a iniciar su desplazamiento hacia otro ámbito. Irremediable. El final de una época. Sólo cabía esperar que la vida continuara más allá del viejo apartamento junto al parque Güell.

6

Al poco de haberme instalado en la casa de la calle Casanova, un mediodía salí a pasear por el barrio para pasar el tiempo —*fazer horas*, que dicen los portugueses— hasta las dos de la tarde, que era cuando había quedado con unos amigos en el café Sándor de la plaza Francesc Macià. No llevaba mucho caminando cuando divisé de lejos al joven Vilnius, que estaba parado ante el quiosco de prensa que hay a la altura de la calle Calvet junto a la Diagonal. Hasta entonces no le había visto por el barrio, pero esto no era algo que me hubiera intrigado demasiado porque hay casos de gente que vive cincuenta años en la misma aldea y no se ve nunca. Y porque, además, le imaginaba en Hollywood y pensaba que lo más probable fuera que no hubiera vuelto aún de allí. Alguna vez, eso sí, había pensado en él y me había preguntado cómo le estaría yendo allí en Los Angeles con sus investigaciones, con su frase-motor, se suponía que válida incluso para llegar hasta el gran secreto del mundo.

No hacía mucho que había vuelto de Los Angeles, me dijo algo seco. Allí todo le había ido raro, por calificarlo de algún modo, pero en el fondo había ido bien. Ya no se sentía tan solo como en San Gallen, pero no podía darme más explicaciones. Seguía viviendo en el Littré, a cuatro pasos de allí. ¿Y yo? ¿Estaba ya instalado en mi nueva casa? ¿Me gustaba el barrio? ¿Me arrepentía de haber dejado atrás mi viejo despacho?

Le conté que, en efecto, me había cambiado ya de domicilio y que al mismo tiempo, casi en plena mudanza, había tenido que viajar a Sao Paulo, Brasil, para un congreso en torno a la situación de la prensa cultural, un congreso en el que se había hablado de todo menos de esa situación. Había tenido unas jornadas realmente muy agitadas entre Brasil y la siempre trabajosa instalación en un nuevo piso, le dije. Y Vilnius me contó entonces que al día siguiente le hacían un homenaje a su padre en la librería Bernat de la calle Buenos Aires, enfrente mismo de su hotel. Era una reunión de los veintidós socios del «club de interrumpidores Lancastre». Permitían la asistencia de personas que no fueran socios, siempre que éstos aceptaran que no tenían derecho a la palabra. Por lo visto, querían mantener un poco la apariencia de club privado. Si yo quería acudir a la reunión, a él le encantaría. Pasaban *Radio Babaouo*, su cortometraje, y después había un coloquio con los socios interrumpidores. Habían invitado a su madre, pero por suerte, al saber que pasaban aquella película de su hijo, no había querido asistir. Seguramente no habría ido aunque no hubieran pasado el cortometraje, me dijo Vilnius. Creer que le importaba la obra de su marido era como creer que a Bob Dylan le preocupó alguna vez de verdad la guerra del Vietnam.

¿Le espero?, me preguntó Vilnius. ¿No irás a contarles lo mismo que en San Gallen?, bromeé. No, qué va, en lugar de *Teatro de realidad*, tengo pensado *Teatro de ratonera*, dijo misteriosamente. ¿De ratonera? Pero mi intención, dijo, es no hablar demasiado de mí, sino, como requiere la ocasión, disertar sobre Lancastre, el ídolo de los adoradores de la obra del gran Lancastre. Por cierto, ¿sigue importunándote tu padre?, me atreví a preguntarle. Me dijo que sí con la cabeza y sonrió. Creo que iré a la Bernat, le dije, aunque quizás llegue un poco tarde. Me alegra saber que le veré mañana y que conste que no quiero convertirle en especialista en mis representaciones teatrales, dijo. Son experiencias leves porque por suerte haces teatro sin teatro, le respondí. Pues mañana sí haré teatro, dijo en un tono algo enigmático.

No entendí a qué se refería, pero no quise que me lo aclarara porque le vi con muchas prisas. Vilnius compró una revista en el quiosco y dijo que se había hecho muy tarde para él, y con esas palabras impidió que se creara la atmósfera necesaria para que pudiera cortésmente volver a tocar el tema del fantasma o de ese «algo» que le perseguía. También quedó en el aire saber si en Hollywood había encontrado al autor de la frase de *Tres camaradas*. Vilnius no me dio la oportunidad de una conversación calmada, parecía nervioso, inquieto.

Esperaré a mañana para salir de dudas, pensé viendo que Vilnius me estaba ya tendiendo la mano para despedirse. Estoy enamorado, me dijo de golpe. Tardé en reaccionar, tanto tardé que, cuando volví en mí, Vilnius ya no sólo no me ofrecía la mano, sino que se había alejado y caminaba en dirección al Littré. Aún se giró para repetirme lo que me había dicho. Que estoy enamorado, gritó.

—Y ahora vuélveme a contar lo del dentista —oí que me decía alguien al oído.

Fue un momento que recuerdo horrible. Un amigo de un antiguo amigo del colegio, un tipo que siempre había tenido boca de canguro, me pedía que le repitiera un viejo chiste. Hacía treinta años que no le veía. Reaccioné mal, no supe controlar aquella contrariedad.

—Pero ¿cómo? —dije—. ¿No has envejecido demasiado?

7

Segundos después, viendo a lo lejos a Vilnius torcer por la calle Urgel y caminar como si fuera escopetado, me vino a la memoria un momento de mi reciente viaje a Brasil, el momento en el que, andando muy deprisa con Emilio Fraia y su novia por el Mercado Central de Sao Paulo —muy deprisa porque nos esperaba un taxi afuera—, recibí en mi móvil una llamada de Mario Gas, amigo de juventud y director del teatro Español de Madrid, al que en los últimos tiempos veía muy raramente. Estaba en París, me dijo, y había pensado en mí de pronto, no sabía muy bien por qué, le parecía que era porque en ese momento andaba él por la rue Jacob, una calle que relacionaba conmigo. Llamaba seguramente por eso, porque estaba en esa calle del Barrio Latino, cercana a la casa en la que había vivido yo en otro tiempo, hacía ya más de treinta años. Llamaba por eso y quizás también porque no nos veíamos nunca y porque, pensándolo bien y teniendo en cuenta que estaba hablando en ese momento conmigo, hacía años que quería decirme que escribiera algún día una obra de teatro. No era un encargo que me hacía para el teatro Español de Madrid, no, que quedara claro, ni siquiera era un encargo para él, para cuando dejara de dirigir el Español, no; era tan sólo algo que se le había ocurrido de pronto: yo había escrito mucho, pero nunca para la escena. Quise interrumpirle y contarle que estaba en Brasil y que me alegraba mucho que hubiera tomado la iniciativa de llamarme, pero fue él quien se interrumpió a sí mismo. Y ahora cuelgo, dijo, porque ya sé, me lo dijeron ayer, que estás en Sao Paulo.

8

Al día siguiente de mi encuentro en la calle con Vilnius fui a la librería Bernat al caer la tarde, dispuesto, entre otras cosas, a ver en qué consistía el *Teatro de ratonera*.

—Bienvenido a la Bernat, donde aquí todos esperamos que te encuentres como en casa —oí que le decía en aquel momento la librera Montse a Vilnius después de la proyección de su cortometraje *Radio Babaouo*, que había dejado con caras de palo a todos los allí reunidos.

—Aquí me tenéis. Un placer. Trataré de que sepáis lo que no sabéis de mi adorable padre.

—En el nombre de los veintidós socios del club de interrumpidores Lancastre —continuó Montse— recibe nuestros más cálidos saludos.

Me situé en la fila última. De hecho, fui a sentarme en una sección aparte de los socios interrumpidores, que estaban todos en primera fila porque por algo pagaban una cuota. Pero me sentía muy contento de estar allí porque en el fondo —me decía yo— a mí me habían invitado de verdad, es decir, me había invitado el propio Vilnius.

—Qué cálido todo —dijo Vilnius con toda la bondad de la que es capaz un ser que ha conocido de cerca la maldad y huye de ella buscando el lado extremo de la amabilidad.

—Queremos hablar de ti, y también de la obra y vida de tu padre, del que hoy se cumplen cuarenta y nueve días de su muerte, una fecha que el club de lectura Lancastre quiere conmemorar. Decirte que desde esta misma posición en la que ahora me encuentro, así medio ladeada de cara a la puerta de entrada, te he visto tantas veces, en las últimas semanas, salir del hotel de enfrente, que ya formas parte de mi imaginario real de personas ligadas a mi librería. Pero me hace gracia verte aquí, esta noche, a este otro lado de la calle, a este lado del paraíso, junto a nosotros, los interrumpidores... Para empezar, Vilnius, quisiera saber de qué libro de Francis Scott Fitzgerald es la frase que abre *Radio Babaouo*, el cortometraje que acabamos de ver.

—Bueno, la frase no la encontré en un libro, sino en la película *Tres camaradas*, de Frank Borzage. El escritor Francis Scott Fitzgerald figuraba en ella como guionista y me pareció que esas palabras sólo podían ser suyas.

—¿Y lo son?

—No. Investigué recientemente en Los Angeles y no son palabras de Fitzgerald. Merece la pena que sepáis cómo lo averigüé, pero quiero pediros que, si tardara mucho en explicar mi historia, deis por hecho que estoy boicoteando el tiempo que pensabais dedicarle esta noche al gran Lancastre. ¿De acuerdo?

—Te interrumpiremos, no lo dudes, aquí a todos nos gusta interrumpir —le dijo Montse sonriendo.

A Montse no era la primera vez que yo la veía. En otra ocasión había entrado ya en su librería de barrio y le había comprado *Brooklyn*, la novela de Colm Tóibín. Aparte de lo guapa que era, tenía una sonrisa única, muy bella. No parecía que se hubiera contaminado de las ruindades que continuamente asaltan nuestra vida cotidiana. Iba a cumplir pronto los cincuenta años y nunca había sido fácil lograr verla de mal humor. Desde su silla de ruedas había desplegado siempre una importante energía y contagiaba un ánimo que personas con más suerte en la vida no querían o no sabían transmitir: espíritu de ir hacia delante y una forma muy sabia de saber estar en la vida. Quizás en parte por esto, Montse era el corazón del barrio, el centro por donde tenía que pasar toda historia que ocurriera en él. Su admirable permanente buen estado de ánimo le animaba a organizar en su amplia librería —la reciente compra de un *sex shop* vecino le había permitido duplicar el espacio de su local— toda clase de actos culturales y contaba con varios clubs de lectura; el de ese día, el que llevaba el nombre del padre de Vilnius, era el más numeroso y potente y algunos miembros de otros clubs, agazapados en la zona del divertido bar de la entrada, lo venían llamando desde hacía horas, sarcásticamente, el grupo de los Burt Lancaster, tal vez celosos de que Montse hubiera conseguido para esa tarde la presencia del hijo del autor y que allí en la Bernat aquella tarde pareciera no existir otra cosa que la reunión de los lancastreianos.

—Adelante, Vilnius, pero te interrumpiremos, no lo dudes —le repitió Montse viendo que él se había quedado sin continuar, como si no se decidiera a arrancar.

—Durante mucho tiempo —dijo entonces Vilnius y se quedó clavado, como si no supiera por dónde proseguir.

Bebió agua.

Miró a los socios interrumpidores. Risas y miradas expectantes.

Satisfacción secreta por parte de Vilnius. Su comienzo había sonado idéntico, salvando todas las insalvables diferencias, a aquel «Longtemps» que abre la *Recherche* de Marcel Proust. Vilnius siempre había creído que si alguien iniciaba un discurso con ese maravilloso «Longtemps» (Durante mucho tiempo) estaba avisando cortésmente de que la cosa podía ir para largo. Y aquella tarde, según me explicó él días después con todo detalle, tenía pensado que sus palabras iniciales duraran un cierto tiempo, el que necesitaba para contar lo que le había ocurrido en Los Angeles cuando su frase-motor («Cuando oscurece…») le sirvió de herramienta perfecta para investigar a fondo.

Le entusiasmaba esa historia porque por segunda vez en su vida la frase-motor le había llevado lejos y tenía ganas de contarlo con cierto detalle. Además, había comprobado en San Gallen que hablar sin que le interrumpieran le ayudaba a coger confianza en sí mismo. Bebió más agua y creyó que iba incluso a atragantarse peligrosamente. Muerte por agua sin gas, pensó con un sentimiento de fatalidad. Pero finalmente comenzó a hablar y le salió que ni bordado su monólogo sobre los días que había pasado en Hollywood. Como si lo hubiera ensayado mil veces. La verdad es que lo teatralizó con la misma técnica que ya le había visto exhibir en San Gallen, es decir, con un deliberado aire indolente al narrar. Como si quisiera copiar la legendaria inexpresividad de Bob Dylan en sus actuaciones.

Vilnius obró de un modo que parecía que no le importara nada contar todo aquello, lo que, eso sí, se contradecía un tanto con su complacencia en demorarse en algunos detalles. Después, cuando le traté algo más, supe por él mismo que aquel aire holgazán con ecos de Dylan era una simple treta y un gesto coherente con su convicción de que era mejor no actuar, ya que uno sólo podía sentirse verdaderamente bien cuando no intervenía en nada, porque así no fracasaba. Pero esa convicción no fue en momento alguno esa tarde un estorbo para que no acabara hablando sin interrupción ante un sano «club de interrumpidores». La verdad es que fue interesante ver cómo convertía en un monólogo su respuesta a la primera pregunta de Montse.

IV

1

Durante mucho tiempo, amigos interrumpidores, estuve convencido de que la frase «Cuando oscurece siempre necesitamos a alguien» sólo podía ser de Francis Scott Fitzgerald. Pero un día hablando con un experto en cine de Hollywood que resultó ser el amante de mi madre, vi que no estaba claro que la frase fuera de quien yo siempre había pensado que era. Y eso no me lo esperaba, la verdad. Bueno, de hecho no me esperaba ni la existencia de ese amante ni que la frase no fuera de Fitzgerald. Tampoco que el duelo por la muerte de mi padre fuera a afectarme tanto. Le odiaba, no os lo voy a negar, y había tenido con él un prolongado y grave problema, pero de repente, en un movimiento misterioso del alma, había pasado tímidamente a añorarle.

Si a todo esto unimos el sentimiento de soledad absoluto en el que caí, se comprenderá si digo que comencé a sentirme una pequeña ruina humana. Pensad en la imagen de un pobre huérfano perdido en la materia más oscura del tejido estelar del universo y acertaréis.

Me sentía desamparado, huérfano total. Porque madre tengo, pero como si no la tuviera. Viendo que debía hacer algo para no ir de mal en peor, decidí dejar Barcelona por unos días. Ya que no puedo cambiar de madre, me dije, cambiaré al menos de ciudad. Y es que el humor a veces ayuda a mitigar la tragedia.

Un encuentro casual con la crítica literaria Gabriela Boco, buena amiga de mi padre, acabó de convencerme de la necesidad de que me fuera de Barcelona cuanto antes. Me crucé con esa mujer terrible a la salida del cine y me preguntó si ya había comprendido que haber conocido a mi padre había sido una experiencia de un valor incalculable para mi vida. Parecía que me recriminara que me hubiera llevado siempre mal con Juan Lancastre y me defendí como pude o, mejor dicho, con una verdad que saltaba a la vista. Me resultó siempre sospechosa tu amistad con el señor Lancastre, le dije. ¿Qué quieres decir?, preguntó. Nada, le contesté. Y así la dejé en ascuas. Boco, que ya de por sí es una señora muy estirada, se sintió seguramente ofendida y me miró más que nunca por encima del hombro, aunque finalmente supo recurrir al humor, que es algo que a veces no le falta. Tienes cara de cocodrilo, señor hijo del señor Lancastre, dijo. Con esta cara, le supe responder veloz, te digo que no debías de ser muy amiga suya si ahora sólo sabes verle como un mito y no como el tipo que bebía cervezas contigo. Tal vez ya lo tenía mitificado cuando bebía con él, dijo. Pues aún peor, le respondí, porque era de carne y hueso y yo lo sé mejor que nadie. Era un lujo poder estar con él, dijo Boco. Era un padecimiento si quien estaba con él era su hijo, le respondí.

Dicho esto y dado el lío en el que me había metido, todos mis pasos se encaminaron ya decididamente a apartarme de aquella temible señora, pero también de la ciudad. Dos días después, me había hecho ya con un billete para irme a Los Angeles. Incluyendo mi viaje en mi presupuesto imaginario para *Archivo General del Fraca-so*, película en preparación, fui a darme una vuelta por Hollywood con la idea de investigar quién fue la persona que en 1938 inscribió en el guión de *Tres camaradas* esa frase que dice: «Cuando oscurece siempre necesitamos a alguien.»

¿Era, como me había insinuado el sentido común, misión imposible averiguar el nombre del autor de aquellas palabras? Se veía a todas luces como una misión irrealizable, pero tenía que intentarlo. Necesitaba tener una experiencia de puro y duro fracaso antes de rodar sobre el fracaso. Pero es que, además, he de confesarles que había descubierto que aquella frase podía servirme de extraordinario motor de descubrimiento de lugares nuevos e insospechados en mi mente. O sea que me sucedía con la frase lo mismo que me pasaba con los fracasos, que no eran sólo fracasos, pues el mundo al que se abrían esas derrotas era un mundo cargado de parajes insospechados.

Fui a Los Angeles pues a fracasar y conocer nuevos parajes, a hacerme por fin con una experiencia verdaderamente vivida sobre el sentimiento de perdedor, sobre la derrota. Y también fui porque en algún despacho de Hollywood, en los años treinta del siglo pasado, tenía yo la impresión de que alguien había inventado esa frase especialmente para mí, aunque esto se podía decir de otra forma: sin mí, que la rescaté del olvido, la frase no habría sido nunca nada.

Pensé que si, a pesar de mis deseos de fracasar, averiguaba quién había creado aquella frase que sentía tan mía, quizás llegaría a saber algo más sobre mí mismo, pues sin duda, aunque permaneciera oscuro a primera vista, tenía que haber algún lazo de unión entre el guionista y yo. Pero no confiaba mucho en encontrar ese lazo. En todo caso, podía ser una maravilla si lo hallaba, pues ya antes de investigar el asunto había decidido que la frase en cuestión sería mi epitafio, iría en mi tumba y por tanto estaría ligada a mi último destino.

Todo eso no excluía que yo pensara que iba directo al fracaso, que era imposible hallar a aquel guionista. Pero bueno, antes había que probar. Yo tenía en esa frase un enigma a clarificar, uno de esos enigmas que a veces, según cómo vayan las cosas, por muy tontamente que uno crea que van a ir, pueden colocarte de golpe, por sorpresa, a dos o a tres o incluso a un solo paso de resolver, por ejemplo, el gran misterio de tu identidad personal, es decir, pueden situarte a las puertas mismas de la posibilidad de acceder a lo que en ciencia se llama la realidad última.

¿O acaso a quien había tenido la ocurrencia de escribir aquella frase sobre el atardecer y la soledad, no le había yo adjudicado la escritura de mi epitafio y por tanto tenía que empezar a pensar que, de un modo u otro, era alguien que había quedado conectado con mi realidad última?

Yo creía y creo todavía, señoras y señores interrumpidores, que todo está relacionado pero que lo normal, por mucho que éstas existan, es no saber ver esas relaciones. Fui sin embargo a Los Angeles con la esperanza de que lo normal no se impusiera en esta ocasión y supiera encontrar conexiones que me permitieran situarme lo más cerca posible de mi verdadera identidad.

Fui por todo esto a Hollywood y también porque era mejor ir allí y adentrarse en esta incierta investigación que quedarse en Barcelona arriesgándome a volver a tropezar con la crítica Boco, a la que siempre que la veía me extrañaba que no le hubiera crecido más el bigote. Y porque, además, por razones que ahora no vienen al caso, creía mucho en los resultados que podía darme buscar al desconocido autor de esa frase de *Tres camaradas*.

Mejor la realidad última, pensé, que la realidad de Barcelona y mejor marcharse que quedarse de nuevo a merced de la posibilidad de volver a cruzarse con Boco, señora a la que tan incomprensiblemente admiraba mi padre, la admiraba quizás falsamente porque —habiendo comenzado a publicar en los años en los que la crítica literaria podía decidir el destino de un libro— había cogido la costumbre de llevarse bien con aquellos reseñistas que demostraban un peligroso ánimo depredador, pues no parecía recomendable cruzarse de brazos con ellos y quedar plenamente a merced de su sed de mal o de su voluntad de invocar siempre a ese escritor fantasmal que para ellos sería el escritor perfecto: un narrador que parecían conocer a fondo porque eran ellos mismos, pero al que eran incapaces de encarnar, ni aunque fuera intentando escribir como lo haría ese mitificado autor ausente.

Viajé a Hollywood sin poder quitarme de la cabeza la impresión de que el logro más alto de la física de los últimos tiempos no ha sido la teoría de la relatividad, ni la teoría cuántica, ni la disección del átomo y el consiguiente descubrimiento de que las cosas no son lo que parecen. No, el logro principal ha sido el reconocimiento universal de que aún no nos hemos puesto en contacto con la realidad última.

2

Fui a Hollywood y me hospedé en Sunset Boulevard, en el curioso hotel Earle, a doscientos metros de donde estuvo el Garden of Allah, la residencia de *bungalows* de tantos guionistas de los años treinta, hoy convertido en un desolador parking. Cuentan que el Garden se parecía mucho a una aldea marroquí, o a lo que en Hollywood imaginaban que era un idílico pueblo del norte de África, y de ahí que le llamaran de aquel modo tan exótico. Sunset Boulevard sigue habitado por muchos guionistas, aunque los de hoy en día no son tan díscolos y delicados como aquellos Faulkner, Fitzgerald y compañía que lo ocuparon en su momento.

La decoración del Earle es bien extraña, la verdad. Imita a la del atrabiliario hotel del mismo nombre que aparece en la película *Barton Fink*, de los hermanos Coen, aunque la imita, eso sí, con un cierto glamour de cuatro estrellas y el personal del hotel dista mucho de parecerse al de aquel tórrido y extraño lugar en el que se hospedó el pobre Barton Fink, el guionista interpretado por John Turturro, aquel joven dramaturgo recién llegado de un Broadway donde el pobre había triunfado sin saber que ese éxito, al conducirle a Hollywood, sería su perdición. Aunque la perdición en sí, la verdadera devastación para el propio Barton Fink le llegaría desde dentro del propio hotel, un lugar tan infernal como las entrañas del terrible Hollywood.

La historia que cuenta *Barton Fink* es la más seria de las que se pueden narrar si uno se mueve en el mundo del cine y quiere especializarse en el tema del fracaso. Es la historia de cómo el arte literario de un joven guionista es destrozado por la industria. Hollywood parece haber tenido siempre unos ejecutivos de corte kafkiano especializados en el fracaso de cada uno de los artistas que llegan a Sunset Boulevard. Quizás por eso, desde que llegué al hotel Earle, por si acaso la cosa también iba conmigo y alguien quería perjudicarme como al pobre Barton Fink, traté de comportarme como un investigador privado y no como un artista, y sobre todo traté de no perder de vista nunca que por aquella misma calle y por aquellos parajes de palmeras y estuco anduvo también William Faulkner, que fue implacable con ese mundo: «Siguen allí haciendo películas brillantes y originales. Pero mi sentimiento principal acerca de Hollywood es el suicidio.»

Creo que, de algún modo, puede decirse que no hubo un solo momento de mi estancia en Hollywood que no mantuviera firmemente a raya cualquier idea de muerte por mano propia. A esa atención especial con la que vigilaba no caer en ninguna depresión —al menos no caer en ninguna demasiado antes de tiempo— se unió la lenta pero ascendente euforia que fui sintiendo a lo largo de las horas que pasé en el bar del Earle, donde aprendí a *crecerme* como sólo saben hacerlo los tímidos en el escenario. Hablé con mucha gente. Adopté la figura del detective. Hacía preguntas indiscretas simulando que buscaba a un tal Skelton. Llegué a deslizarle en la barra un par de billetes al barman para que me diera información sobre Skelton, agente inmobiliario, «padre tal vez de Daisy Skelton», añadía a veces, sabiendo que allí nadie sabía quién era Daisy Skelton. Naturalmente, nunca le habían visto por el hotel y, naturalmente también, el barman no quiso aceptar mi dinero. Algunos guionistas me miraban incluso con admiración, pues yo era en realidad lo que ellos querían ser en la vida: detectives privados.

Bebí mucho, bebí más que nunca esos días. Y aprendí a curarme de las resacas jugando al ping-pong en el solárium del hotel, lugar especialmente idóneo para las relaciones públicas, esa actividad en la que no soy yo precisamente un genio. Descubrí que ese deporte —me refiero al del tenis de mesa— era el que allí estaba más de moda. Lo había practicado mucho en mi adolescencia, de modo que eso facilitaba las cosas. Comencé a ser conocido en todo el Earle como un redomado campeón. Me llamaban Little Dylan. Yo, además, les animaba a hacerlo. Llamadme Little Dylan, les decía. Y casi todo el mundo me llamaba así. Jamás he sido tan popular, creo. Descubrí que tenían razón los que decían que en América es muy fácil triunfar. Entre copas y vibrantes partidos en el solárium, a fuerza de rachas pasajeras de pérdidas de timidez facilitadas por el alcohol, fui coleccionando amistades. Little Dylan por aquí y Little Dylan por allá.

Hablando con casi todo el mundo, en sólo dos días y medio obtuve amplia información acerca de la clase de vida que los guionistas de mi generación llevaban en Hollywood —ciudad que, como ellos dicen, es más un estado mental que un lugar en el mapa—, y fui viendo, entre otras cosas, que nadie conocía la película *Tres camaradas* y que ninguno, además, tenía mínimamente en cuenta el pasado, la historia del cine, y de hecho incluso vivían de espaldas a ella. Y pronto, al igual que para el pobre Barton Fink, el hotel comenzó a volvérseme extraño e infernal; extraño, porque las paredes de mi cuarto parecían hablar —igual que en la película— y decirme que jamás llegaría lejos en mi investigación; infernal, porque todo el hotel parecía querer atraparme y convertirme en el joven guionista que no era y dejarme allí paralizado para siempre.

Pero al tercer día, por un cúmulo de múltiples circunstancias azarosas, subiendo hacia el solárium con una pala roja de ping-pong, mi pala preferida, coincidí en el ascensor nada menos que con Louis H. Derek, el veterano productor, y me di cuenta enseguida que ése era el tren que de ningún modo podía dejar escapar. Por suerte entendí pronto que, más que presentarme como investigador, me convenía adoptar la figura de un periodista barcelonés, amigo de los guionistas que se reunían en el solárium. Y también por suerte entendí rápido que sería mejor no dar rodeos verbales porque no había tiempo que perder. El ascensor no permitía recrearse en nada, el ascensor subía como una exhalación hasta la última planta. Y fuera del ascensor, ya no tendría ninguna opción.

Apremiado por el tiempo del que disponía, actué con celeridad y logré situar a míster Derek en sólo tres preguntas en el centro mismo de mi inquietud y búsqueda. El hombre entendió a la primera, tras las tres preguntas o los tres tiempos diferentes de mi asalto, lo que quería saber y me sacó de dudas con una facilidad asombrosa. Nunca pensé que fuera tan fácil llegar a semejante información. Tras simular que se rascaba la cabeza en busca de lo que yo necesitaba, terminó diciéndome que había un superviviente.

¿Habría entendido bien? No podía ni creérmelo. Le pregunté, todavía receloso, si podía confirmarme que me había hablado de un superviviente. Me sonrió. En Culver City, si no se equivocaba, a sesenta kilómetros de allí, seguía vivo John Pechmann, uno de los ocho guionistas de *Tres camaradas*; tenía más de noventa años y, según había oído comentar, «el viejo cascarrabias» seguía en forma: buen jardinero, buen conversador y, además, si sus noticias eran ciertas, un jubilado muy activo desde que en los últimos años se dedicaba al estudio y práctica de la hipnosis.

Culver City era una pequeña ciudad ligada a los primeros estudios de la Metro Goldwyn Mayer, y allí en una urbanización próxima al museo de Tecnología Jurásica, en un gran caserón, vivía el viejo Pechmann. Por lo visto, Pechmann hacía treinta años que no probaba nada de alcohol y había pasado a humanizarse y a comportarse como una persona muy razonable. Pero, según solía comentar el propio Pechmann, abandonar las tinieblas etílicas y querer darse de alta en la raza humana le había llevado a descubrir que no había tal raza humana. Dicho de otro modo, no había encontrado a muchas *personas* en Los Angeles.

En cierto modo, el caso de Pechmann, tratando de humanizarse tras una etapa de alcohol y nubes, me recordó al de mi padre, que, como muy probablemente todos ustedes sabrán, tras sufrir algunos accidentes aparatosos y dejar la bebida, también depositó muchas esperanzas en descender al mundo real, pero contó en muchos lugares que lo pasó pésimo al descubrir que, en contra de lo que había imaginado, el mundo de los abstemios era peor que el alcohólico, pues era despiadadamente inhumano; en definitiva, le pareció que no había valido la pena el esfuerzo de intentar comunicarse con el mundo de la gente sensata y serena, porque ese mundo no existía. Y semejante convicción le devolvió —en los tres últimos meses, que yo sepa— al mundo del trago fuerte en una decisión a la que contribuyó también la penosa inestabilidad en la que entraron sus relaciones sentimentales.

3

Fui al día siguiente a Culver City, esa ciudad que me parecía remota y que hoy recuerdo tan cercana como adorable, llena de bonitos árboles y de entrañables recuerdos cinematográficos. Tenía el teléfono, la dirección de Pechmann, lo había conseguido todo, había logrado incluso que el viejo guionista aceptara recibirme. Louis H. Derek, crucial en las gestiones, estuvo a punto de acompañarme, pero a última hora recordó que era imprescindible que asistiera a una boda en Malibú y finalmente fui solo y, durante el viaje, decidí que ante el viejo me presentaría como lo que era, como un joven cineasta y no como un periodista o un investigador privado. Tenía la impresión de que en casos como aquél lo mejor era ser sencillo, no complicar las cosas, no impostar, no inventarse personalidades dobles, *ser yo mismo más que nunca*.

Me convenía presentarme como un joven colega, como un cineasta que buscaba un dato para una película que preparaba. Nada de decirle, por ejemplo, que en ese largometraje deseaba filmar el gran espectáculo mundial del fracaso, visto como brutal y gigantesca extensión de la realidad provinciana que apenas había cambiado en mi país desde los tiempos del Quijote. Nada de decirle estas cosas que sonaban tan rebuscadas y en América, además, sonaba a lenguaje de terrorista. Y aunque pensaba preguntarle si conocía al autor de la frase «Cuando oscurece...», no pensaba ni loco insinuarle, por ejemplo, que lo buscaba para averiguar quién, tiempo antes de que yo naciera, dijo unas palabras de las que yo iba a ser el máximo, en realidad único, destinatario en la Tierra. Y aún menos contarle que creía que, si localizaba a la persona que escribió esa frase, tendría pistas seguramente decisivas para acercarme a mi verdadera identidad y a lo que podríamos llamar mi realidad última, la mía y también la del mundo en general. Y ya no digamos decirle que tenía la impresión de que mi padre muerto no había abandonado todavía este planeta al que llamamos Tierra y a veces entraba a ráfagas en mi mente y trataba de traspasarme, sin éxito, parte de su memoria y experiencia; sin éxito, porque me resistía como podía a ese tipo de embates no deseados que no hacían más que complicarlo todo y, además, parecían llevar una carga de pura venganza, como si quisiera él decirme: ya ves, deseabas ser *auténtico* para diferenciarte así de mí, deseabas librarte de mi sombra, pero ni siquiera ahora, exánime como estoy, voy a permitir que tengas un estilo único, un estilo propio y que encima disfrutes del estúpido orgullo de sentirte auténtico, faltaría más.

No, nada de eso. Habría sido un error inmenso, grandioso, comentarle algo de todo aquello a John Pechmann. Los americanos son muy sencillos, creen en muertos que están muy vivos después de su muerte, pero no en muertos moviéndose con el estilo que yo imaginaba que exhibía mi padre por los parajes del más allá. Porque el espectro paterno inconfundiblemente europeo que yo notaba que pululaba a veces por mi habitación del Earle era un espíritu que no tenía ganas de discutir conmigo de nada y sólo estaba interesado en ayudarme. Quizás por eso, porque andaba tan cerca y porque al verme tan perdido en el universo no se decidía nunca a largarse al otro mundo, acabó ocurriendo que durante mi segunda noche en el hotel soñé algo que sólo era posible que lo soñara él, únicamente él, no yo, aunque ante mi asombro lo soñé yo. Naturalmente, un suceso tan desconcertante como éste me dejó preocupado, y eso a pesar de que no era la primera vez que me tocaba cargar con visiones que sin lugar a dudas pertenecían al mundo personal de otros: en varias ocasiones, al tomar pastillas de melatonina en viajes transatlánticos, había acabado soñando historias —perfecta y misteriosamente diseñadas por algún creador oculto— que me habían hecho entrar en el mundo de personas que no conocía y a las que, por haberlo tenido yo, privé seguramente de la posibilidad de tener ellos aquel sueño que les pertenecía.

En mi segunda noche en el Earle, vi en sueños a un amigo de mi padre, al que no he tratado nunca personalmente pero del que en familia siempre he oído hablar mucho. Caminaba eléctrico por el callejón de un viejo núcleo urbano, posiblemente europeo. La lluvia, en cambio, no ofrecía dudas: era mexicana, la había visto años antes en D. F. y me había llamado mucho la atención porque, por un raro efecto visual, parecía contaminada, casi parecía lluvia de Chernóbil. Entró el amigo de mi padre en un aula de estudios y comenzó a escribir signos que yo nunca había visto, los escribía con gran velocidad en una pizarra de un color verde extraordinariamente potente. La pizarra se transformó en una puerta encajada en un arco ojival árabe, una puerta de un verde aún más potente y sobre la que él inscribía, ralentizando el ritmo de su mano, la poesía de un álgebra desconocida: fórmulas y misteriosos mensajes de aire cabalístico, judío, aunque quizás el aire fuera sólo musulmán, musulmán de la China, o simplemente italiano, de los tiempos de Petrarca; poesía de un álgebra extraña, sin patria, que remitía al centro mismo del misterio del mundo.

No digo que esté seguro del todo, pero quizás en este sueño pudo mínimamente influir el hecho de que, antes de dormirme, hubiera yo abordado la relectura de *Hambre*, novela de Knut Hamsun que me gusta mucho porque habla de un joven perdido y de los movimientos de su mente. De hecho, es la novela que me inspiró la idea de llevar un Registro del Inconsciente, que hoy en día es una carpeta de mi ordenador en la que anoto las inspecciones que llevo a cabo de los caminos imprevistos de mi pensamiento. Recuerdo que a Hamsun le interesaban los secretos movimientos que se realizan inadvertidos en lugares apartados de la mente, esos devaneos sin rumbo que emprenden el pensamiento y el sentimiento, viajes aún no hollados que se realizan con la mente y el corazón, extrañas actividades nerviosas, murmullos de la sangre, plegarias de huesos, toda la vida interior del inconsciente. Creo que nada me quedó tan grabado, cuando las leí, como estas palabras de Hamsun.

Pero en fin, nada, absolutamente nada de todo esto pensaba comentarle a John Pechmann porque no me interesaba asustarle. Llegue a su casa de Culver City justo al mediodía, exactamente a la hora pactada. Su casa, tan grande como la había descrito Derek, tenía un espléndido jardín de estilo oriental aunque la mansión era de estilo afrancesado: tres plantas, coronadas por unas elegantes mansardas. Inscrito en el arco de la puerta de la entrada principal podía leerse esta solemne y rara frase: «Si uno tiene la intención de comprender a los demás, debe antes intensificar su propia personalidad.»

No entendí bien qué quería decir, pero lo anoté mentalmente para luego pasarlo en limpio a una carpeta muy especial de mi archivo digital sobre el fracaso. Me pregunté si sería precisamente el hipnotismo lo que habría reforzado, en los últimos años, la «personalidad» del dueño de aquella casa. ¿Qué sabía yo de las técnicas de sugestión y de sueño? Si Pechmann me daba conversación sobre ese tema, iba a andar muy perdido. Previamente había buscado en Wikipedia toda la información que pudiera encontrar sobre Pechmann y así había sabido que pertenecía a una familia acomodada de Decatur, Illinois, había estudiado en Harvard y, después de muchos años de guionista en Hollywood, se había dedicado, al retirarse o perder el favor de los productores, a estudios sobre la historia del circo, no el circo romano, sino ese espectáculo artístico, normalmente itinerante, que puede incluir acróbatas, payasos, magos, adiestradores de animales y otros artistas.

Leyendo, por cierto, esa descripción me acordé de que, de niño, mi padre, vuestro adorado Juan Lancastre, le dijo a su padre que quería ser director de un circo, aunque en realidad, según aclaró él mismo muchos años más tarde, lo que quería era dirigir algo, lo que fuera, pues no deseaba que le dirigiera su padre siempre.

Sigo con Wikipedia y Pechmann: estuvo estudiando, sin demasiado éxito, para mago y finalmente, a través de un profesor pakistaní que le instruyó a fondo, adquirió ciertas dotes de hipnotizador, que le llevaron a escribir un libro famoso sobre esa ciencia y le dieron, de paso, una segunda fama, quizás ésta de mayor relieve que la que en su momento llegó a adquirir como guionista de segunda fila de Hollywood.

Fue el propio Pechmann quien me abrió la puerta. Estaba cerca de la puerta, me dijo con sencillez, como excusándose. Había un mayordomo a diez metros y parecía contrariado de no haber podido abrir él. Amplia sonrisa de Pechmann. Tenía cara de hombre muy viejo, tal como me esperaba, pero también una notable cara de loco, lo que francamente me esperaba menos. Me hizo pasar al salón principal de la casa, pero se cansó enseguida de estar allí y me llevó a un despacho contiguo, una estancia algo rara, porque era —o así me lo pareció— despacho y al mismo tiempo consultorio, quirófano, cuarto de estar, relojería, garito de póquer y almacén de armas de fuego y aparejos de pesca. Escritas en una viga del techo podían leerse estas palabras: «A nadie le gusta salir de Elsinor con tanto viento fuera.»

Vio Pechmann que miraba con horror aquella incomprensible sala y me detenía en el intento de comprensión de lo que estaba escrito en aquella viga y decidió irse también de allí y me llevó a través del jardín hasta el bello invernadero de hierro verde forjado. Allí me invitó a sentarme en la que dijo que era una silla pensada para los invitados. Y de pronto, soltó esto:

—Pero al fin y al cabo, ¿de dónde viene tanta felicidad?

No sabía qué podía contestarle ni a qué felicidad se refería, si a la suya, o a la del mundo entero, o a la mía, tan improbable. Me preguntó por Louis H. Derek y le conté —como si le conociera de toda la vida— que estaba muy bien, que era muy feliz. Quiso entonces saber por qué era Derek tan feliz y vi que me había metido en un lío. Está muy contento de todo, le dije, porque ha descubierto que, en contra de lo que creía, su familia le quiere mucho.

Pechmann se rió, como si el que estuviera loco fuera yo. Y luego quiso saber cosas de mí. Soy Vilnius Lancastre, le dije, nací en Barcelona, una ciudad del Mediterráneo, famosa por sus Juegos Olímpicos. He vivido siempre entre esa ciudad y Madrid. Fui publicista de gran éxito, pero ahora me dedico sólo al cine, soy director y estoy preparando una película muy larga, muy larga, y para ella me iría bien saber algo relacionado con el guión de *Tres camaradas*, el film de Borzage en el que usted participó, aunque no sé si se acuerda mucho de ese film.

Me llamo John Pechmann, me contestó muy serio y parodiándome, tengo más de noventa años y fui concebido en el hotel Rebret de Decatur, Illinois. Nací en el Hospital Presbiteriano de aquella ciudad y me crié en Brooklyn, Nueva York. Jugué al béisbol en Central Park y conocí a mi secretaria, luego primera esposa, en uno de esos cotillones inagotables que había antes en el Waldorf. Estuve cuatro años con Ruth. Y ella, justo ya hacia el final de nuestro matrimonio, me acompañó a Hollywood cuando me encargaron trabajar en el dichoso guión de esa película. ¿Cómo no voy a acordarme de *Tres camaradas* si mientras trabajaba en ella mi primera mujer me abandonó?

Vaya, créame que lo siento, las mujeres son como la ayahuasca, le dije. Y ni yo sabía lo que significaba la frase, pero es que no sabía qué decirle y ni siquiera si era mejor que le hablara. No te preocupes por nada, todo eso ya pasó, me hizo saber él. Pues en ese caso no voy a preocuparme, dije. Después, tras esperar en vano que me preguntara qué era la ayahuasca, fui directo al asunto que me había llevado hasta allí. Tiene tanta memoria, pensé, que es capaz de acordarse del dato que ando buscando. Cuando oscurece, siempre necesitamos a alguien, dije. Él repitió la frase dos veces. Una y otra vez, muy lentamente. Y después comentó que el último paso de la razón consiste en reconocer que hay una infinidad de cosas que la sobrepasan. No le entiendo, dije, o tal vez habla usted así porque le sobrepasa algo en estos momentos. La frase, contestó. No entiendo, dije. Que es la frase la que me sobrepasa, me aclaró. Y qué le ocurre a ésta, pregunté, aunque no sabía si él estaba hablando de mi frase o de la suya. Nada, dijo, sólo que la había olvidado y ahora la recuerdo. Y la enunció lentamente en voz alta: Cuando oscurece, siempre necesitamos a alguien.

Parecía muy emocionado y fue un momento que casi se me hizo eterno. Le pregunté por qué le había conmovido la frase. Negó que le hubiera conmocionado en algo aquella frase y me pareció que el ambiente se me iba volviendo muy claustrofóbico. Sentí por unos instantes que en cualquier caso, al haber reencontrado él la frase, había quedado yo trágicamente desposeído de ella. Pero no me convenía desviarme de mi investigación, de mi búsqueda de la realidad última.

Le pregunté si casualmente se acordaba de quién era el autor de aquellas palabras sobre la oscuridad y el desamparo. Ayer cené jamón frío, ensalada y patatas, pero cuando probé un bocado de ensalada tuve que escupirla, dijo. Había entendido mal mi pregunta. Eso deduje, aunque sin tiempo para confirmarlo porque noté, con alarma, que aumentaba mi claustrofobia y él me miraba con extraña fijeza, como si quisiera hipnotizarme. Me había metido en un buen lío, pensé. Todos mis movimientos en los instantes siguientes estuvieron dedicados a impedir que aquel loco me dejara allí tieso, dormido. Bastante tenía ya con mi padre tratando a veces de inyectarme su memoria. Curiosamente mi padre —les recuerdo o les informo a todos ustedes, queridos interrumpidores, que, desde que él murió, me acompaña de un modo muy especial— se había cuidado mucho de acercarse a mí en esa visita a la casa de Pechmann, parecía que hubiera olido algún peligro.

Quería hipnotizarme y resistí sólo por breve tiempo. Cuando desperté, había pasado una hora, eso me dijo él, y yo, un tanto inquieto, pude comprobarlo perfectamente en mi reloj, una hora exacta. Él seguía allí, mirándome, pero haciéndolo sin la fortaleza de una hora antes, observándome ahora más bien con ternura, como tratando de que no me preocupara o asustara. Debo confesarte, dijo, que se agradece que tu manera de contar las cosas no se apoye en la emoción. No entiendo, le comenté, no entiendo. Creo que me puedes comprender más que bien, dijo, pues lo que digo sobre tu forma de hablar hipnotizado podría decirse también de la prosa, en comparación con la poesía: la prosa no requiere emoción, y eso siempre jugará a su favor, a favor de la prosa. Aún le comprendo menos, le expliqué. Prosa y poesía, ¿a qué viene esto? Y por cierto, ¿por qué me ha hipnotizado? Pero, ¿qué se ha creído usted? ¿O no me ha hipnotizado?

Me salió una horrible voz de gallo al preguntar esto último y seguro que quedé perfectamente ridículo ante él. Pero no perdí la compostura y seguí con mi cara de indignado. Lo estaba y mucho, no fingía. Estaba molestísimo por lo que había ocurrido. Pero al mismo tiempo era consciente de que aquello ya no tenía remedio, es decir, que poco podía hacer ya para paliar la cantidad de estupideces que seguramente le había confesado.

Estoy diciendo que no eres poeta, que hablas en prosa, me aclaró. Fue un momento difícil, porque me pareció entender que, en efecto, me estaba comentando que yo no era poeta porque le había hablado sin emoción, le había hablado en prosa cuando estaba hipnotizado. No pensaba reírle una cosa así.

Para colmo, comenzó una tormenta. El cielo se ensombreció. Cuando oscurece, pensé, siempre necesitamos a alguien. Descargó una intensa lluvia. Pechmann comenzó a excusarse. Me dijo que podía parecerme enormemente descortés que él me hubiera hipnotizado y que se disculpaba, pero que era conveniente que yo supiera que solía actuar siempre así, todo el mundo lo sabía, pensaba que me lo habían advertido. Y luego preguntó si quería saber de qué le había hablado mientras estaba bajo su influjo. Bueno, curiosidad no me falta, respondí. De la realidad última, dijo. Quedé algo sorprendido y me pregunté muy intrigado qué le había podido decir yo de la realidad última. Comentaste que habías venido aquí a buscarla, me explicó. Pues entérese, le respondí, de que no vine aquí para que usted supiera que busco la realidad última, sino para saber algo que sólo puede decirme usted. Pero es que, además, me interrumpió, ya no buscas la realidad última, eso al menos dijiste. No entiendo, hábleme más claro, supliqué. Has encontrado esa realidad, dijo, eso me has dicho cuando estabas bien aplastado de sueño. Le miré sorprendido. Empezaste explicándome, dijo, que habías venido a Culver City porque te habían dicho que por aquí andaba tu padre. Y luego rectificaste: mi padre, no; el padre de la frase. Y luego volviste a rectificar: no, lo que en verdad me dijeron era que por aquí andaba la persona que podía darme la pista de quién era el padre de la frase. Yo desde luego no te entendía nada. Eres el hipnotizado más raro que he tenido y sólo me queda ahora preguntarte si la frase era la de *Tres camaradas*. Sólo comencé a comprender algo cuando dejaste de hablar de tu padre y de otros padres, porque parecías tener todos los padres del universo, y diste en tu discurso, digamos que sonámbulo, una vuel-

ta más de tuerca y dijiste que estaba entrando en ti la
realidad última, y entonces te pedí qué dijeras qué era lo
que exactamente estaba entrando y me hablaste de una
playa y de un zumo de papaya y de una canción en la
que bebían mango y después me hablaste de un camino
en tren que pasaba por pueblos mineros de Virginia occidental, por Ashland, Kentucky, por Olive Hill y More-
head, siempre con quietud campestre y colinas que se
alzaban para acunar el tren bucólico que se deslizaba
por el valle, y después me hablaste de un abrigo de visón
comprado en Nueva York en una tienda de segunda
mano de la calle Cincuenta y siete, y luego del cosmos
entero y dijiste que todos éramos una misma persona y
una misma fuente de energía y que tú eras tu padre y tu
madre y también tu hijo y todas las personas del mundo
entero y se iluminó tu cara de una manera que jamás
había visto iluminársele a nadie cuando dijiste estar frente a la realidad última, y luego resultó que esa realidad
final era el ruido de la lluvia tibia sobre este tejado de
hierro.

4

Miré lentamente hacia arriba, hacia el tejado del invernadero. ¿Era aquélla la realidad última? No sé por
qué, pero aquel tejado me trajo el recuerdo de una noche en la que con mi padre fuimos a dar una vuelta por
la estación de trenes de Portbou y vimos que habían quedado atrapados decenas de pájaros, topando allí con la
bóveda de hierro, chillando todos con angustia casi humana y estruendo delirante.
El viejo Pechmann me estaba mirando con cara de

alucinado. Si me ofrecieran volver a vivir, dijo de repente, pondría una sola condición en mi contrato: que no tuviera que emocionarme más de lo indispensable. No sé de qué habla, dije, y evoqué para mí mismo la melodía de *Under The Mango Tree*, un modo de ahuyentar el horror de la locura del viejo y también el horror de haberle dicho tantas cosas a aquel hombre; algunas, además, desconectadas de mi mundo real, como ese extraño tren minero de Virginia occidental que tan ajeno me resultaba, no era posible que yo hubiera hablado de ese tren que no conocía.

Y dijiste también, añadió Pechmann, que la lluvia parece estar llena de mensajes en algún código secreto y que buscamos en ella algo que no sabemos qué es, pero que se ha perdido. Todo eso dijiste y otras cosas que me han hecho pensar mucho. Y poco. Siempre pensamos mucho y poco, ¿no crees?

Lo de los mensajes y el código secreto me pareció muy bonito, aunque tampoco me parecía posible que hubiera podido decirlo yo. Quizás fuera algo pensado en un día de otro año por el pasajero del tren minero de Virginia que se había adentrado en mi viaje sonámbulo. ¿Quién sería ese pasajero? Juan Lancastre nunca estuvo en Virginia. No parecía pues que fuera un pensamiento de mi padre que se hubiera infiltrado en mí. ¿Sería quizás un pensamiento perdido? ¿Un pensamiento precisamente del hombre que escribió la frase sobre la oscuridad y el desamparo que me había traído hasta allí?

Pero oiga, protesté, a mí lo que me interesa saber es quién de los ocho guionistas escribió en *Tres camaradas* la frase que tanto me conmociona y que habla de que cuando oscurece…

Oficialmente eran ocho, pero yo sé que en cierta forma fueron nueve, me interrumpió Pechmann, otra vez al borde de la emoción. Al verle de nuevo tan conmovido, me quedé casi helado de la sorpresa. Nueve, repitió, y vi que por su mejilla izquierda resbalaba una lágrima. El noveno, dijo, fue sólo guionista durante unos segundos y era mi señor padre, el hombre que se casó con mi madre. Le llamaban Harlem, continuó con la voz algo entrecortada. Durante mucho tiempo yo fui «el hijo de Harlem».

—¿Harlem?

No era afroamericano como igual está usted pensando, siguió Pechmann, pero había vivido en ese barrio de Nueva York y algunos amigos le sacaron ese apodo que sonaba a gueto. De joven, me tenía muy controlado, me vigilaba a todas horas, no me dejaba dar ni un paso por mi cuenta. Era un hombre muy cabezón en todo y se había tomado tan literalmente el papel de padre que ejercía como tal de un modo implacable, como si tuviera que rendir escrupulosas cuentas ante un tribunal del Buen Comportamiento Paterno. No he conocido a una persona más despótica que él, había trabajado toda su vida en la administración pública de Decatur y no comprendió que abandonara mis estudios en Harvard para dedicarme al cine. Viajó expresamente a Los Angeles con la intención de arruinarme la vida y que me despidieran de mi trabajo. Le montó un escándalo a un jefe de personal y también a un productor, aunque estos asquerosos líos no le sirvieron de nada porque mis jefes le hicieron ver que yo era mayor de edad y hasta le indicaron que había perdido la cabeza. Lo intentó todo, muy especialmente minar mi moral.

—¿Sabe que yo también tuve un padre muy metido en su papel de padre?

—El mío no podía estar más metido a fondo en ese papel. Fundó el Club de Padres de Decatur, un club que todavía existe. Con su odio hacia mi trabajo de guionista atacaba del modo más certero todas aquellas cosas para él desconocidas que se relacionaban con tomar una pluma y escribir. Te seré sincero: en esa actividad había yo conquistado cierta independencia respecto a él, aunque esa independencia recordaba la del gusano que, cuando un pie le aplasta la parte trasera, intenta soltarse con la delantera y se arrastra hacia un lado. Pero el hecho es que en cierto modo me sentía a salvo escribiendo, pues al menos podía respirar, lo que, si te digo la verdad, significaba ya mucho para mí y para la precaria vida que llevaba. No te puedes ni imaginar la repulsión que sentía él hacia mi actividad de guionista, aunque también es cierto que esa repugnancia la acogía yo con secreta alegría. Y aunque mi vanidad, mi orgullo, se resentían cuando despreciaba de forma cruelísima todo lo que yo hacía, la verdad es que saber que, por muy horrorosas que fueran sus reprobaciones y prohibiciones, yo podía respirar, me animaba, de una manera muy eficaz, a seguir.

5

Oficialmente, siguió diciendo Pechmann, siempre fuimos ocho guionistas, pero en un día que acabo de recordar gracias a ti, un día de luz casi sobrenatural que no he olvidado, al caer la tarde, fuimos nueve en nuestra oficina de Williams Green Boulevard. Estábamos reunidos los ocho cuando se abrió una puerta y apareció mi padre, apareció Harlem fumando un puro habano de dimensiones colosales, con una cogorza importante encima y con la intención de llevárseme de allí para siempre. Los otros guionistas se quedaron paralizados y el único que le rió las gracias a mi padre fue Francis Scott Fitzgerald. Te diré exactamente lo que pensé en ese momento. Pensé que desde que tenía uso de razón, había tenido que preocuparme con tanta intensidad de afirmar espiritualmente mi existencia, que todo lo demás ya me resultaba indiferente. Era ridículo ver a mi padre intentando arruinar mi carrera en Hollywood, pero peor era sentirme tan desnudo en el universo. Por suerte, las carcajadas de Fitzgerald lo suavizaban todo, aunque cuando dije que aquel señor de la cogorza imponente era mi padre, hasta el propio Scott se quedó mudo, serio, impresionado, seguramente apiadándose de mi mala suerte al tener aquella clase de patriarca. Y digo patriarca y no padre porque así empezó a llamarle el propio Scott.

Patriarca, haga el favor... Patriarca, cálmese... Etcétera. Déjenos trabajar, patriarca... Era divertido oírle a Fitzgerald llamar así a mi padre. Os habla el cateto, no el patriarca, dijo mi padre, os habla el que os dice que John se va conmigo, se acabó el pecado.

Para mi padre, ¿era realmente Hollywood un pecado o era pecado ser escritor de películas? Nunca lo supe, nunca lo sabré. Ha pasado una infinidad de tiempo desde aquello. Parece que recurrió a esa excusa de tipo religioso, moral, para justificar su impresentable actitud. No le dejaron salirse con la suya y se pidió la presencia del servicio de seguridad. Cuando ya se lo llevaban, rompió a llorar. Fue un momento emocionante, ¿qué quieres qué te diga? Miró hacia afuera, donde era visible esa mágica luz que invade las ciudades de California en el instante final del atardecer, y nos descubrió a todos lo solo que estaba en el mundo, cuando dijo, en medio de leves hipidos que sonaron algo ridículos pues eran producto de haber bebido tanto y porque, además, ni llegaban a ser sollozos: «Cuando oscurece, siempre necesitamos a alguien.» Todos nos miramos enseguida, la frase era preciosa y encajaba tan bien en nuestro guión que pasó directamente a él, los ocho estuvimos de acuerdo en integrarla a la película. ¿Cómo no iba pues yo a acordarme de esa frase, amigo mío? Mientras estabas hipnotizado y hablabas tanto de tus múltiples padres, lo he estado recordando todo. Ser guionista era mi única posibilidad de independizarme del mío, de mi padre, pero él también se infiltró en ese territorio que era el único en el que yo podía sentirme un ser único y no un ser-con-padre, también ahí se infiltró él y metió su pezuña.

Aquella pezuña era, entre otras cosas, mi epitafio, pensé. Y callé, porque obviamente no me habría entendido. Se habían cubierto con creces mis expectativas aunque, a esas alturas de la tarde, la impresión de que el viejo guionista estaba como una chota me hacía dudar de todo, hasta de lo que había oído, no podía ser de otra forma. Prefería pensar que había inventado su historia y así mi epitafio no sería una pezuña. En cualquier caso, no sabía qué decirle a Pechmann, no se me ocurría nada para comentarle, y finalmente le dije que le agradecía que se hubiera mostrado tan solidario conmigo en la cuestión de las siempre difíciles relaciones de los hijos con los padres. Cualquier día de ésos pasaría a recogerlo en coche y para no entrar en la casa y que volviera a adormecerme iríamos los dos a Decatur a visitar su Club de Padres.

Pechmann me miró con cara de extrañeza, de nuevo observándome como si fuera yo el demente. Y se hizo un largo silencio, durante el cual miró hacia el tejado de hierro, como si ahí pudiera recuperar aún más momentos de aquella escena del pasado. Después, también en silencio, salimos del invernadero y regresamos a la casa, y allí le pedí al mayordomo que llamara a la central de taxis, pero el hombre tardó mucho en reaccionar, en darse cuenta de lo que acababa de decirle, como si estuviera él también hipnotizado. Aún tardó más para llamar a la central. Me pareció que la lluvia arreciaba. Por un momento pensé que nunca saldría de allí. Mientras la tormenta parecía subir de tono, Pechmann no paraba de hablar de la maldición de haber tenido un padre como aquél y le llamaba ya coloquialmente Harlem todo el rato, incluso hubo un momento en que le llamó Harlem Pechmann.

Harlem Pechmann Pezuña, pensé.

El taxi no llegaba y hubo que volver a llamar a la central. El telefonazo le trajo a Pechmann el recuerdo de otra llamada, ésta ya perdida en el tiempo, pero cuya memoria, dijo, yo acababa de hacerle recuperar. A la espera del taxi, me hizo entrar en la sala temible, ese despacho que al mismo tiempo era consultorio, quirófano, cuarto de estar, garito de póquer y almacén de armas de fuego y aparejos de pesca. Y allí, mientras arreciaba aún más la lluvia y yo rezaba para que no tardara mucho en llegar el coche que tenía que rescatarme, Pechmann me contó que la última vez que habló con su padre fue por teléfono, una conferencia de aquellas de antaño, conferencia heroica, dijo. Llamó a Decatur y, tras unos pequeños tropiezos iniciales con las alocadas telefonistas, oyó la voz lejana de su padre, o lo que él supuso que era su voz, porque, al no haberla oído antes nunca por teléfono, en toda su pureza y realidad, tan diferente a la voz que él había estado acostumbrado a escuchar teniendo delante la cara tan familiar de su padre (o, como diría Stephen King, «viendo la familiar partitura de su rostro»), no reconoció en aquella voz que le llegaba tan cambiada y distante la voz del Patriarca.

Era, concluyó Pechmann, una voz doliente, cuya fragilidad no quedaba mitigada ni disfrazada —como solía ocurrir cuando le veía en directo— por la máscara cuidadosamente dispuesta de sus facciones, y esa extraña voz distante y tan real decía brutalmente la verdad, delataba cuál era el grado de tristeza de su dueño y cuántos pies y manos había puesto ya en la ultratumba. Días después, el viejo de la voz brumosa murió y se convirtió él mismo también en una bruma, en este caso angustiosamente impenetrable, mientras que a su hijo le tocó comprender que a partir de entonces, siempre que quisiera recordar a su antiguamente tiránico y ahora brumoso padre, no le quedaría más remedio que evocar las últimas palabras dolorosas de aquella conversación telefónica en la que la voz del Patriarca le pareció irreconocible: «Hijo, no tengo el menor interés en volver a verte, tengo desinterés hasta por los extraterrestres.»

6

Cuando llegó el taxi, que siempre he pensado que llegó casi de forma milagrosa —aquella mansión tenía todo el aire de ser una verdadera ratonera—, el mayordomo se equivocó al cubrirme con el paraguas y quedé de golpe empapado, calado hasta los huesos, tal era la fuerza de la lluvia en aquel momento. Ya con el taxi enfilando el sendero de salida, me giré y miré, a modo de despedida, hacia la gran casa extraña, y decidí apuntar en mi libreta de notas la leyenda grandilocuente inscrita en el arco de la puerta, decidí apuntarla con la idea de más tarde pasarla a ese archivo digital que llevo sobre el fracaso. Pero al final no apunté nada y logré recordarla igualmente de memoria.

Ahora ya lo sabía: el guionista más fugaz de Hollywood, un tipo llamado Harlem, había sido el que había trazado la línea de mi vida, dibujado mi destino. El caso estaba resuelto. Caso extraño, pensé, pues terminaba con una voz al teléfono y con la voz desvaída de un Patriarca. Caso raro, pero era lo que había. Philip Marlowe habría seguido investigando, pero yo me sentía ya incapaz porque veía que, al final de todo, por mucho que siguiera buscando, no encontraría más que aquello con lo que ya había dado: una voz irreconocible, quizás la voz que me tocaría oír el día en que por fin tendría verdadero acceso a la realidad última... Por mucho que me obcecara, no cambiaría lo que parecía una evidencia: la investigación había quedado resuelta. Lo que quería saber ya lo sabía: un tipo llamado Harlem, el guionista más breve del mundo, había escrito mi destino. Las reglas del juego imponían esto: todo lo que la frase-motor me descubría, jamás debía considerarlo prescindible. Había creído que fracasaría en mi investigación y sin embargo nada de eso había sucedido. De hecho, de existir un fracaso en mi visita a la casa de Culver City, éste no era otro que el hecho de que mi objetivo de fracasar hubiera fracasado. Qué difíciles se vuelven a veces los intentos de fracasar, pensé con repentino enojo, casi rabia. Pero después me di cuenta de que no había para tanto. Además, lo importante no era no haber fracasado, sino la reafirmación de mi frase de uso privado. ¿O acaso no era formidable que con aquella frase del guionista Harlem contara yo con un motor eficaz para descifrar misterios del mundo y descubrir nuevas realidades?

Bendito Harlem.

7

Me pareció que Vilnius quedaba extenuado después de aquel «Bendito Harlem», pero fue una impresión falsa. Unas buenas gafas contra mi miopía —las mismas que llevo tanto tiempo resistiéndome a llevar— me habrían hecho ver que Vilnius seguía conservando toda su energía y lo único que pretendía era realizar una estratégica pausa que le sirviera para separar la historia del guionista Harlem de aquel *Teatro de ratonera* del que me había hablado en la confluencia entre Calvet y Diagonal y que se disponía, en breves momentos, a poner en escena.

Recuerdo que en el instante mínimo que duró aquella pausa me dediqué a imaginarme convertido ya en un escritor que no escribía, en un ser completamente feliz, liberado del yugo de mi profesión y de la oda a la rectitud literaria que había sido toda mi vida. Me imaginé yendo por una calle brumosa. Al ir a doblar una esquina, alguien me preguntaba a qué me dedicaba si ya no pertenecía al gremio de los chupatintas y yo le contestaba lo que Diaghilev respondió un día cuando le preguntaron qué era exactamente lo que hacía en los ballets rusos, ya que ni componía, ni tocaba, ni bailaba:

—No hago nada, pero soy indispensable.

V

TEATRO DE RATONERA

1

Bendito Harlem, repitió Vilnius. Y, llegado a este punto, se interrumpió, se relajó por momentos, inició una
pausa que no pretendía que fuera larga, pero que acabó
escapándosele de las manos, pues creó una brecha mínima por la que se coló el mundo de su padre, especialista en el tema precisamente de las interrupciones. Tardó
algo en reaccionar y cuando lo hizo se dio cuenta del error
que había cometido con su intervalo, pues éste había permitido a Juan Lancastre encontrar un hueco por el que
revolotear e intentar de nuevo inyectarle más memoria y
experiencia, aunque cada vez con menos método, como
si anduviera ya con las fuerzas mermadas y él sólo se
desorientara a veces. Últimamente, la comunicación con
el padre le llegaba de forma muy escasa y débil y, cuando llegaba, casi siempre lo hacía en forma ya de ovillo
ilegible. Aun así, Vilnius detectó que le resultaría difícil
salir de la pausa. Quizás el público no notara nada, pero
él se sentía como atrapado en la estación de Portbou,
como un pájaro obturado, interrumpido. Toda una ironía
del destino si caía en la cuenta de que era hijo de quien
había sido famoso especialmente por *La interrupción*, tratado muy completo acerca del arte de obstaculizar el flujo

de lo que pretende continuar sin trabas; un tratado con un tema en el fondo muy contemporáneo y en el que siempre aspiró a ser su padre un especialista, aunque luego escribió *La fluidez*, libro que rebatía con gracia, una por una, todas las tesis de su libro más famoso.

Su padre fue realmente un especialista en transformarse en cada libro. Cambiaba de piel en cada uno de ellos. No mucho antes de su muerte, un periodista le preguntó quién era él realmente, y Lancastre contestó como si fuera Bob Dylan en su papel de Alias, en la película sobre Pat Garret.

—¿Quién soy? Ésa es una buena pregunta.

En otra ocasión, ante la misma cuestión, reaccionó de una forma no muy distinta, aunque quizás más sorprendente.

—¿Quién soy? Me llamo Pedro Páramo como todo el mundo. Mi familia es aire y yo soy mezcla de las voces y recuerdos de distintos vivos y muertos.

2

Invadido por el espectro y por el ovillo ilegible que se había ido adueñando de su ingenua pausa, Vilnius, sentado aquella noche frente a los socios del club Lancastre, hizo verdaderos esfuerzos por salir del difícil *impasse*.

—¿Hamlet?

Esa pregunta fue lo único que entendió del confuso lenguaje de las infiltraciones paternas. La situación, estando como estaba él sentado ante los socios del club, fue volviéndose incómoda, aunque éstos no parecían notar ni siquiera que se había quedado tan encallado; hablaban entre ellos, como si no pasara nada; quizás se relajaban también después del monólogo hollywoodiense del atribulado hijo de su ídolo.

La pausa para muchos no era en realidad ni pausa, pero para Vilnius, en cambio, era un drama, pues, a medida que iban transcurriendo los segundos, a medida que iban cayendo uno tras otro esos segunderos de reloj que creía que penetraban en su mente, cada vez acertaba menos a vislumbrar cómo haría para recuperar la palabra.

Hasta que se hundió en un segundero —una experiencia por la que seguro que no había pasado ni su padre— y creyó que ya no saldría nunca. En su atolladero, en su profundo *impasse*, el joven Vilnius llegó a creer que los socios interrumpidores hablaban entre ellos de Lancastre y decían que le pedía a su hijo venganza por su asesinato. De hecho, ¿no era aquello lo que le solicitaba el fantasma de su padre? Pero no era lógico que los socios del club Lancastre pensaran en una cosa así.

Se calmó cuando vio que los interrumpidores no hablaban ni mucho menos de eso, más bien de todo menos de eso; escuchó varias conversaciones que se producían al mismo tiempo, y paró el oído especialmente en una de ellas, que giraba en torno a si se podía considerar que Dios se llamaba Harlem y era el guionista más fugaz del universo, un hombre de barba blanca que un día escribió una primera frase y después se olvidó de todo, o lo que era lo mismo: permitió que le relevaran infinitos dioses, todos más fecundos que él a la hora de crear historias.

—Yo diría que Harlem decidió echarse una siesta y jamás volvió de la misma —le oyó decir Vilnius a una socia interrumpidora.

—El día que se despierte —le contestó otra— se quedará impresionado al ver lo que el mundo ha sabido construir con su primera frase.

Como si estuviera a punto de derrumbarse de sueño porque la pausa lo hubiera dejado atontado, Vilnius dio una cabezada hacia adelante y creyó observar que el espectro, como si quisiera desmentir su supuesta debilidad, lograba por momentos infiltrarse en él con una tenacidad que parecía haber olvidado y le hablaba de un cráneo grande que era frágil como un huevo bajo sus dedos, que lo masajeaban. Pero no tardó también en percibir que se trataba de una fuerza sólo pasajera y que no habría seguramente de regresar nunca más el brioso empuje de los primeros días.

Aun así, algunos intentos de infiltración alcanzaban su objetivo. Me gustaría saber, le pareció que le decía el autor de sus días, de dónde has sacado eso de que quiero adosarme, así que deja de pensar idioteces, sólo es necesario que sepas que se acerca la hora en que he de entregarme al tormento de las llamas sulfúreas, pero que por el momento estoy condenado a vagar en la noche y a pedirte que lideres mi venganza.

¡Llamas sulfúreas! Eso sí que sonaba a puro Shakespeare y que las frases eran hamletianas. ¡Y ese cráneo que era un huevo!

Vilnius dio una segunda cabezada hacia delante, como si estuviera a punto de ser dominado ya por una fuerza hosca. Últimamente, todo el mundo quiere hipnotizarme, pensó no sin humor.

—¿Hamlet?

¡Pero bueno! ¿Y esa insistencia? No había ya duda alguna de que su padre, por muy débiles que anduvieran sus fuerzas, gozaba interrumpiéndole incluso los momentos divertidos.

3

«Uno nunca sabe quién es. Son los demás los que le dicen a uno quién y qué es. Te explican tantas veces quién eres y de formas tan distintas, que al final uno acaba por no saber en absoluto quién es. Todos dicen de ti algo diferente. Incluso uno mismo está siempre cambiando de opiniones. Si a eso añadimos que uno se esfuerza por sorprender a los otros siendo varias personas al mismo tiempo, lo que en verdad acaba sucediendo es que terminamos no teniendo ni la menor noción de quién somos o podríamos haber sido.» (Juan Lancastre, *La interrupción.*)

4

—Perdona que te interrumpa, pero es ya toda una evidencia que estás boicoteando el tiempo que pensábamos dedicarle esta noche a tu padre. En todo caso, por nosotros, puedes seguir en las ramas de Hollywood. Porque es ahí dónde estabas ahora, ¿verdad Vilnius? —intervino Montse muy cauta y con una sonrisa amable.

—Bueno, lamento el coloquio que le he robado a mi padre en el tiempo —Vilnius se hizo un lío al decir esto, quizás porque aún conservaba señales del ovillo mental que se le había infiltrado durante la pausa—. Perdón, quiero decir que lamento haberle robado tiempo a Lancastre en este coloquio. Pero quiero que sepáis que de algún modo, lo digo en varios sentidos, él no ha dejado ni un segundo de estar presente en lo que os he contado. En el fondo, a mi padre ahora lo conocéis más que cuando entrasteis aquí. Y es que estoy seguro de que se le ve mejor cuando se le observa desde un punto de vista no central, preferiblemente lateral…

—¿Lateral? —sonrió Montse.

—Sesgado, esquinado. Su familia era el aire, lo dijo él en alguna ocasión. Mi padre siempre fue una mezcla de muchas voces y recuerdos, de muchas personas muertas y de algunas también vivas… Y en cuanto a eso de que yo estaba en las ramas de Hollywood…

—Ha sido un decir.

—Claro, Montse. Pero no estaba allí en Hollywood exactamente. Pero es verdad que lo paso bien recordando ese viaje tan reciente, recuerdo tantas cosas que hasta me acabo de acordar ahora mismo de que conocí allí a un tipo que hace años que prepara una biografía exhaustiva de Mankiewicz. Es alguien que me gustó conocer. Me recordó a mi abuelo paterno, no sé por qué. Hablando con él caí en la cuenta de que alguien podría hacer una buena tesis acerca de la importancia de la obra de Mankiewicz en el mundo de mi padre. ¿Veis cómo no le niego al gran Lancastre el protagonismo de esta reunión?

—No hay duda de que los aquí presentes tomarán buena nota de esto. ¿Algún interrumpidor se ha planteado ya ese tema de la influencia de Mankiewicz en la obra de Lancastre? —preguntó Montse sabiendo perfectamente que nadie se había planteado algo así.

Nadie allí se había preguntado nada de todo eso.

—Puedo deciros —prosiguió Vilnius— que mi padre se acordaba hasta del cine de Barcelona, el Astoria, en el que de niño había visto un tráiler de *Julio César*, película de Mankiewicz en la que actuaba Marlon Brando. A mi padre le quedaron grabados aquellos minutos medio entrevistos de la tragedia de Shakespeare. Un año después, en el mismo cine, desde el mismo butacón de uno de los palcos de la primera planta del Astoria, le quedaría grabado otro tráiler, el de *La condesa descalza*, la siguiente película de Mankiewicz. Los dos resúmenes de estos films despertaron tanto su interés que esperó como un loco a crecer para poder ver íntegras esas dos películas no aptas para menores.

—¿Y qué le parecieron de mayor cuando las vio?

—Me gusta imaginar que todo eso lo había ya dejado por escrito o lo iba a contar en esa autobiografía en la que estaba trabajando y que se ha extraviado tan lamentablemente. Al llegar a la mayoría de edad, pudo por fin ver las dos películas y éstas terminaron por ser los contrafuertes sobre los que se fundamentó toda su obra literaria: el drama de la sucesión, *Julio César*, y el cine dentro del cine, *La condesa descalza*.

—Perdona Vilnius, pero ¿qué significa eso de que se ha perdido su autobiografía? —interrumpió la socia 19.

—Que había unas memorias en marcha. Un relato de su vida bastante sintetizado, que no llegó a terminar. Un relato sesgado, transversal, esquinado. Ese manuscrito ha desaparecido de la casa de mi madre. Ella asegura que lo destruyó, parece que lo arrojó al fuego. Débora Zimmerman, amante de mi padre a la que iba a estar dedicado el libro, se ve capaz de reconstruir el manuscrito destruido, de hecho ya ha empezado a hacerlo. Y es que tuvo acceso a lo que mi padre escribió y lo recuerda con bastante precisión, y donde no llega su memoria llega su imaginación. Pero todo esto lo contará mejor la propia Débora cuando llegue, la estoy esperando.

—¿Esperas a quién? ¿A Débora Zimmerman? —preguntó Montse.

—Os quiero pedir que no le preguntéis demasiadas cosas porque queremos ir esta noche a la Filmoteca, a la sesión de las diez. Hoy han programado *Suave es la noche*, basada en la novela de Scott Fitzgerald. Sabed que me llevo bien con Débora y está colaborando en mi futuro largometraje sobre el tema del fracaso. Es mi ayudante ahora, me auxilia en todo, creo que formamos ya una sociedad artística, me atrevería a decir que una pareja de creadores del futuro si no fuera porque quizás eso de «creadores del futuro» suena demasiado solemne... De lo que estoy seguro es de que ella percibe y caza fracasos con más facilidad que yo, lo cual ya es mucho decir... Me ayuda en el Archivo General y quiere hacerlo también en la dirección de mi película y yo, por mi parte, la asesoro en esas memorias de mi padre que ella reconstruye. Nunca —sonrió ahí Vilnius— estuve tan activo. De hecho, soy el novio de Débora... ¿Se dice así? ¿Se dice «soy el novio de...»? Bueno, soy el amante de la antigua amante de mi padre. Eso se acerca más a la verdad, ¿no es cierto? Me satisface acercarme siempre lo máximo posible a la verdad.

5

Cuando Montse abrió el turno de preguntas recordó a todos los interrumpidores que, por una de las normas del código de conducta del propio club y tal como había hecho alguien ya aquella tarde, estaban obligados a dar previamente su número de socio si se decidían a «atropellar educadamente» —en claro homenaje al espíritu interrumpidor de Lancastre— al invitado que les había honrado aquella tarde con su presencia.

Por un momento me pareció que también me lo decía a mí. Pero no, yo no era socio. Qué bien, pensé, saber que no tendré que decir nada en los próximos minutos, cada día tengo más conciencia de haber hablado demasiado en esta vida y quizás sólo sea mala conciencia por haber escrito tantos libros, por haber sido tan prolífico, en definitiva.

Estaba dando vueltas a todo esto cuando el socio 17 dio su número y se dirigió a Vilnius y con ello interrumpió mis pensamientos de atormentado escritor fértil.

—Creo —le dijo ese socio— que con esos temas centrales que le atribuyes a tu padre, drama de sucesión y cine sobre cine, no parece que podamos tomarte del todo en serio. Porque es fácil ver que en realidad ésos son tus temas, ¿no te parece? En más de una ocasión has hablado del problema de ser hijo de un famoso, o sea, del drama precisamente de la sucesión. Recuerdo que una vez dijiste: «Nunca me he sentido hijo suyo, sino hijo de su leyenda.» Y en cuanto al cine dentro del cine parece tu especialidad, acabamos de comprobarlo hace media hora viendo *Radio Babaouo*. ¿Me equivoco mucho?

—Está bien, son mis temas, no voy a llevarte la contraria. Y por cierto, la frase sobre ser hijo de una leyenda se la copié a la hija de Marlene Dietrich, y se la copié sólo porque me pareció una bonita frase. Y bien, son mis temas, es verdad. Hasta me gusta ser una mezcla entre *Julio César* y *La condesa descalza*, que son las dos películas que prefiero de Mankiewicz. Pero, si lo pienso bien, me doy cuenta de que hasta hace medio minuto no sabía yo que tenía temas. Es una sorpresa agradable. Algún día tendré que hacer una película que cuente mi vida y se llame *El drama de la sucesión*. Pero si quieres que te diga la verdad, yo quisiera ya olvidarme de ese drama, en realidad aspiro a concentrarme en mi film sobre el fracaso y a vivir en paz...

—Tengo la impresión de que, aun habiéndolo boicoteado esta noche y aun siendo muy notoria la difícil relación que tuviste con tu padre, últimamente has cambiado la vieja beligerancia por una actitud más pacífica hacia su figura y ha habido incluso un intento de acercamiento y de comprensión de su vida y obra. Seguramente por eso accediste a venir aquí esta noche. ¿No es así, Vilnius? —dijo Montse.

—Habría venido igualmente porque me encanta sentirme tu vecino. Vivo en el Littré y quiero integrarme en este barrio. He venido, además, porque me gusta intentar hacer amistades, y digo intentar porque me cuesta mucho hacerlas, no siempre está el ping-pong hollywoodiense que facilite las cosas.

—A tu padre no le faltaban amigos —interrumpió el socio 5—. Y amigas. Gabriela Boco, Desbocada Boco, por ejemplo.

—Si alguien un día escribe la vida de la crítica Desbocada Boco, yo querría llevarla al cine. De llamarse Boca en lugar de Boco ya sería perfecto. ¿Os imagináis? Cuidado, que viene la Boca. Será Boca quién escriba sobre tu libro… Le sentaría tan perfecto llamarse Boca, la boca de la maledicencia, la boca de la verdad, la boca de la reseña implacable. Es la reina de la suficiencia, despótica y malcarada, moviéndose siempre con su *lobby* de pequeños mafiosos.

—Bueno, parece que la odias, yo ni siquiera la había oído nombrar —dijo Montse.

—Es discípula de Felipe Iriondo, y también el caso de éste es raro porque, siendo tan sabio pero al mismo tiempo tan inteligentemente humilde como todos los verdaderos sabios, sólo ha sabido generar discípulos altivos, muy arrogantes, que se consideran superiores al resto de la humanidad. Digamos que le salieron averiados a Iriondo todos los herederos y que no es fácil explicarse por qué se ha producido semejante mutación genética si lo que predicó siempre Iriondo fue una *activa sabiduría humilde*. He ahí un buen tema para una película alemana o checa, bien profunda: un sabio humilde, con discípulos arrogantes. Veo ya algunas de las escenas en torno al misterio del caso Iriondo y el drama de sus discípulos, sobre todo veo el drama de éstos: si no tienes el cerebro de un Wittgenstein, más vale que no te consideres tan inteligente porque caerás en el ridículo continuamente...

—Bueno, sin ánimo de molestarte y dicho con todo el humor del mundo, ¿no crees que también tú eres un heredero averiado, Vilnius? —interrumpió la socia 1.

Vilnius encajó perfectamente, con serenidad, el golpe.

—Tienes razón —dijo—, aunque sólo sea porque eres la socia número 1. Pero es que, además, tienes toda la razón, mujer. Padres e hijos, maestros y discípulos. El viejo tema. Pero no sé qué decir, tan sólo que no hay nadie que escape a la ley general de la avería. Y reconozco que soy uno de los que menos logró escapar de la saga de los herederos que nacen con el pie cambiado. Te doy la razón también en que me he acercado últimamente con más buena disposición a la figura de mi padre. En vida, él era insoportable conmigo.

—Eso lo sabemos —interrumpió la socia 18.

—A mi padre le encantaba comparar mi caso con uno que se hizo célebre cuando él era adolescente, el drama de uno de los hijos de Chaplin, al parecer destrozado por el peso de la figura del padre. Siempre me hablaba de ese asunto, hasta que descubrí que el pobre hijo de Charlot no era alguien especialmente inteligente. A partir de aquel día, la comparación con Chaplin junior empezó a ofenderme. Y un día se lo dije. Y, claro, llegó una pelea más. Se vengó de forma grandiosa, incluyendo en una de las secciones de su catálogo de seres «nacidos para interrumpir» una lista de hijos de genios, todos desgraciados, todos interrumpiendo la brillantez paterna o materna. Los hijos de John Lennon, John F. Kennedy, Liz Taylor, Vladimir Nabokov, Fidel Castro, Frank Sinatra, Pablo Picasso, Marlon Brando...

—La idea de tu Archivo General del Fracaso parece que haya tenido que surgir de esa lista de tu padre —volvió a intervenir Montse.

—Me cuesta reconocerlo, pero es así.

—De todos modos, tu padre no ha sido tan famoso como te imaginas o pretendes hacernos creer —interrumpió la socia 2—. No dejó de ser siempre un escritor minoritario y así nos gusta, además, adorarlo. Hablas de Sinatra o de Picasso, pero compararlos con tu padre resulta casi absurdo. Le ganaban cien mil a uno a tu padre en popularidad mundial.

—Es verdad, pero en realidad no importa cuán famoso en el mundo sea el padre de uno. De hecho, basta que sólo sea un poco famoso en su barrio para que eso ya constituya un problema para el hijo.

—¿La única forma de superar a un padre famoso es ser más famoso que él? —interrumpió la socia 22.

—O ser más feliz. Pero el problema es que la felicidad es poco interesante, más bien aburridísima. La infelicidad, en cambio, es apasionante. Una solución es tratar de estar más cerca de tu padre. Aunque haya muerto, intentar con él cerrar heridas, calmarse. Pero cuando lo intento, percibo su aliento en el cogote. Es terrible.

Todavía temo que se levante de la tumba y me diga que soy un tarado y un apático y un acomplejado de haber tenido un padre con talento...

—¿Temes que resucite? —preguntó Montse algo extrañada.

—Se ponía como ejemplo siempre de hombre hecho a sí mismo y de trabajador infatigable. Un tipo espantoso y al mismo tiempo un hombre conmovedor. Se tomó muy en serio su carrera y la posibilidad de llegar a algo en ella. Tenía la idea de que progresaba día a día, de que avanzaba en un bosque hacia la luz. Desde luego era conmovedor. Y también patético. Lamento tener que hablar así ante tanto admirador. Lo siento, de verdad que lo siento. Él era insoportable. Y después de muerto, sigue igual. O peor. Ahora habla como un ovillo. Bueno, no me hagan caso, ustedes no han oído nada.

—Es raro lo que dices —interrumpió el socio 4.

Pero Vilnius apenas le oyó. De hecho, cayó de golpe en el fondo del fondo de un recuerdo que le empezó a filtrar su padre y entonces Vilnius fue reconstruyendo en silencio unas palabras que le había dicho Lancastre unos meses antes de morir cuando le habló de que en realidad uno siempre anhelaba mejorar escribiendo, pues si no sería para volverse loco... Se trataba, le había dicho su padre aquel día, de un fenómeno que aparecía con la edad. Uno de pronto sentía que sus creaciones habían de ser cada día más rigurosas, aunque supiera, al mismo tiempo, que el rigor iba a matarle la frescura, la genialidad juvenil de primera hora, la vitalidad del bruto ignorante, la rabia rebelde...

—Le recuerdo en sus últimos años lamentándose de haber sido tan idiota —volvió a entrar en escena Vilnius—. Decía mi padre que su paso por el hospital le había hecho cambiar de valores y que, por ejemplo, la enfermedad le había hecho empezar a mirar al sol de un modo distinto. En cambio, otras cosas dejaron de tener el interés que podían haber tenido antes para él. El éxito, la fama, la gloria. Muy bien, había ya conseguido todo eso. ¿Y qué? Citaba a Tolstoi: «He luchado toda mi vida para ser mejor que Shakespeare, y lo soy. ¿Y ahora?» Esa pregunta de Tolstoi yo la he colocado en mi archivo, en mi catálogo de frases relacionadas con el fracaso. Se lucha para obtener algo y, cuando eso se obtiene, lo pavoroso es ver que después de eso ya no hay nada. Puedo entender que esto le deje a uno bien perplejo. No será nunca mi caso porque yo no aspiro a ser nadie, lo hago todo con indolencia y siempre estoy al borde del desmayo.

—Creo que comprendo de qué hablaba su papá —interrumpió la socia 10, joven mexicana—, pues también lo observé en el mío. Es terrible. Se despliega tanta energía y se realizan tantos esfuerzos para lograr algo que en realidad sólo nos motivaba cuando no lo teníamos…

—Yo quisiera que me dijera cómo fue que contactó con ese biógrafo secreto de Mankiewicz, me ha dejado intrigada —interrumpió la socia 1.

—Lo único que puedo decirle es que, al enterarme de que era Harlem quien había escrito la frase «Cuando oscurece…», mi estancia allí en Hollywood dejó de tener sentido, porque en cierta forma fue para mí como si hubiera averiguado quién era el guionista del mundo, y empecé a aburrirme de tanto bar y de tanto ping-pong y de tanto Little Dylan por aquí y Little Dylan por allá y descubrí que necesitaba volver a trabajar en mi Archivo General, descubrí que tenía un verdadero síndrome de abstinencia del archivo. Y entonces se me ocurrió publicar un anuncio pidiendo arrepentidos.

6

—¿Arrepentidos de qué, Vilnius?

—Puse un anuncio en *Los Angeles Times*. Me dije que seguro que había muchos cineastas en Hollywood que, habiendo filmado tantas películas, pensaban que podrían haber realizado menos, quizás no haber rodado ni una sola. Gente afín, sensible al tema del fracaso. Gente que habría guardado silencio hasta entonces, pero que llevaba tiempo deseando borrar parte o todo de lo que había filmado y deseaban expresar en voz alta aquel deseo. En el anuncio, yo me ofrecía a entrevistarlos para que contaran lo que les gustaría poder suprimir de sus obras. Y me comprometía a ayudarles a suprimir todo aquello de lo que desearan olvidarse. Avisaba de que era difícil, pero les decía que yo tenía dinero para conseguir aniquilar todo aquello que quisieran suprimir de sus obras, incluso sus obras completas. Calculé que querría contactar conmigo mucha gente y que sus confesiones de arrepentimiento y súplicas de que les suprimiera parte de su obra engrosarían mi archivo.

—¿Y apareció alguien? —siguió preguntando Montse.

—No. Por lo visto, allí todo el mundo está muy satisfecho de lo que ha hecho. No me lo esperaba, francamente. Me había imaginado a Francis Ford Coppola llamándome para decir que si de él dependiera suprimiría toda su obra salvo las dos primeras partes de *El padrino*. Y a Martin Scorsese renegando de toda su producción, excepto de *No Direction Home.* Y a Tarantino maldiciendo todo lo que ha hecho. Y a David Lynch, dando vueltas a lo que debería haber realizado con mayor maestría cuando rodaba *Carretera perdida,* maldiciendo mil veces la banda sonora de su película y tratando de cambiarla por otra, queriendo volver atrás y cambiarlo todo. Veía todo el rato a un Lynch preso del remordimiento por lo que habría podido hacer y nunca hizo. Pero nada. Resulta que nadie en Hollywood estaba dispuesto a reconocer que deseaba acabar con su obra artística, o al menos con parte de la misma.

—¿Nadie estaba arrepentido allí de nada?

—No, Montse. Puse el anuncio tres días seguidos y sólo recibí una carta de un tipo que me insultaba, pero del que después me hice medio amigo y hasta fue el que me dio una dirección que me puso en la pista de una señora que a su vez fue la que me presentó al biógrafo de Mankiewicz. Pero en cuanto a arrepentidos, ni uno. Estaba convencido de que saldrían hasta de debajo de las piedras. Esperaba ver aparecer una caravana entera de artistas afligidos. Pero no salieron penitentes, no, ninguno. Y plegué velas, decidí volver. Al menos había fracasado en esto. A mi regreso a Barcelona, al confortable hotel Littré, tendría un buen fracaso que poder documentar ampliamente en mi Archivo General. Qué horror cuando lo pienso. En Hollywood todo el mundo vivía complacido. Eso da una pista del poco sentido crítico que impera por aquellos parajes.

—Siempre lo había sospechado —dijo Montse con su mejor sonrisa.

—Desde luego, Desbocada Boco lo pasaría muy mal allí. O muy bien. Porque le encanta malherir a los que carecen de ese sentido crítico. Bueno, el hecho es que en cuanto llegué a Barcelona, antes incluso, cuando todavía estaba en Hollywood dispuesto a regresar, fui confeccionando para mi Archivo General una larga lista de directores de cine americanos que habían perdido la oportunidad o habían fracasado en su intento de confesar que les daban vergüenza ajena sus propias obras: McG, Paul W. S. Anderson, Brett Ratner, Uwe Boll, Jason Friedman, Aaron Seltzer, etcétera, una lista en la que los directores iban creciendo de categoría y al final aparecían incluso los mejores, Coppola y Lynch, por ejemplo. Creo innecesario decir que nunca como director de cine pienso trabajar allí. También el ping-pong tiene sus límites.

7

Sería innoble ahora por mi parte ocultar que en ese momento, desde mi posición en la última fila, desde ese discreto lugar desde el que estaba escuchando a Vilnius, temí que todo el mundo se girara para pedirme público arrepentimiento por mi condición de escritor fértil que no había parado de escribir libros desde que en mi juventud publicara un panfleto en favor de la brevedad. Pero eso no ocurrió, aquellos socios interruptores no estaban pendientes para nada de mí. ¿Y qué esperaba? También después de muerto, Lancastre —como siempre— seguía siendo más importante que yo.

8

En realidad, detrás de aquel temor a ser invitado a pedir perdón latía un deseo larvado de poder proclamar, de una vez por todas, mi arrepentimiento general, mi sentimiento de culpa, ya no sólo por tantos libros escritos (lo tenía completamente decidido: no escribiría ningún otro), sino también por todo lo demás, sin excepción: perdón por todo, incluso por haber hablado en demasía a lo largo de mi vida.

Dejar de hablar era mi proyecto más esencial. Ya no sólo dejar de escribir (eso estaba ya hecho, no iba a tener problema en frenar en seco y para siempre mi producción), sino dejar de hablar. Aspiraba a ser, a la mayor brevedad posible, un tipo a quien su mutismo tajante le daría un aire superior, lo que quizás, eso sí, me convertiría, muy a mi pesar, en un ser insoportable para los demás, siempre tan charlatanes. En cualquier caso, ser mal visto no iba a impedir que me transformara en un mudo radical, además de un tipo siempre dispuesto a mirar, pero no a escuchar; un hombre impasible, de una gravedad desesperante para los habladores.

Dirigirme hacia ese estado de pavoroso silencio radical era mi meta. Y que se rieran de mí porque no pensaba apuntalar «mi edificio narrativo» con ningún otro libro y encima pedía perdón por todo, era algo que me traía ya sin cuidado.

A fin de cuentas, ¿quiénes eran aquellos que iban a reírse y qué era lo que creerían saber sobre mí? Les imaginaba a todos con caras de norteamericanos de antes (de antes de que el mundo se volviera norteamericano y después dejara de serlo para empezar a volverse chino), caras tersas, con sólo dos o tres arrugas, pero todas en la frente: norteamericanos natos, a los que, como diría Kafka, bastaba dar martillazos en sus frentes de piedra para averiguar su carácter. Que se rieran de mí —estaba bien seguro— carecía de importancia. Es más, me agradaría que lo hicieran porque sabría darles el justo valor a sus carcajadas de roca dura.

Se reiría la gente, pero yo iría bien caliente. Sin escribir, sin hablar, sólo mirando, no escuchando, sacando de quicio con mi impasibilidad a los lenguaraces. Desde que sabía que no iba a publicar más libros, vivía en un estado de gran paz interna, lo que sin duda debía agradecer exclusivamente a mi decisión secreta de huir de mi vida laboriosa al servicio de la literatura. Era una maravillosa paz oculta que me remitía a los tiempos inmemoriales en los que con sosiego jugaba con naranjas en el jardín de la casa veraniega de mis padres y creía que el largo estío, cuando llegaba a su final, tenía la forma de una naranja pelada.

¿Saber que uno iba a convertirse pronto en un radical mudo y un ágrafo equivalía a verse en el horizonte convertido en una naranja pelada?

No, no era eso. Y aquella zarrapastrosa pregunta que acababa de hacerme era la mejor prueba de que debería callarme incluso cuando sintiera deseos de hablar conmigo mismo. Sí, a semejantes extremos me llevaba mi gran arrepentimiento. Y, por cierto, ¿qué esperaba para seguir escuchando al joven Vilnius?

9

—Volvamos a tu padre —dijo Montse a Vilnius—. Sus últimos años son los menos conocidos. Cuando se volvió una persona tan serena y educada, resultaba extraño verle a veces tan correcto, comportándose de aquella forma tan exageradamente exquisita y, en el fondo, tan anodina. «Me estoy volviendo repugnantemente encantador», se le oyó decir en una entrevista de televisión.

—Y en otra ocasión recuerdo que dijo: «Es un asco dejar de beber porque acaban pasando estas cosas.» Y sí, es cierto, cambió mucho. Volvió a ser un tipo tranquilo, tal como parece que había sido de muy joven, antes de beber. Pero he decir que en los tres últimos meses de vida regresó al alcohol y volvió a tener tantos defectos que de nuevo fue el tipo interesante que había sido. Un tipo interesante para mucha gente, aunque no para mí, ya que conmigo el trato siguió siendo el mismo, azotarme sin piedad.

—¿Y no había modo de que de vez en cuando todo fuera más apacible?

—No. Parecía empeñado en que se eternizaran los problemas que teníamos. Un día, me vengué del trato que me dispensaba y le dije que a él le habían construido para ser educado. Parece que di en el clavo. ¿Construido?, preguntó y me levantó incluso la mano. Confirmé lo que ya sabía. Que no era en verdad educado y que sólo simulaba serlo y que tenía muchas caras y pensaba, además, cosas terribles de todas las personas a las que saludaba tan cortésmente. Odiaba a la humanidad.

—No transmitía esa impresión —interrumpió el socio 4.

—Llegaban a molestarle los cuerpos de la gente en la calle. Los cuerpos. Lo humano. Y quizás por eso, en sus últimos tiempos, se convirtió a mis ojos en una máquina secreta de tener opiniones terribles. Bueno, el caso es que ese día quise rectificar y le dije que había en realidad intentado decir que le habían construido para escribir.

—¿Y qué significaba eso de que le habían construido para escribir? ¿O sólo buscabas ofenderle con la frase que fuera? —preguntó Montse.

—Que alguien desde algún remoto lugar lo había fabricado para que escribiera y que, aparte de aquello para lo que le habían programado, no servía para mucho más. Claro que con ser esto malo, aún peor era su obsesión por estar siempre al día, por sentirse *de vanguardia*, como cuando era joven.

—¿De verdad crees que le obsesionaba eso? —interrumpió el socio 7.

—Le obsesionaba, créame. Y le molestaba ver que tantos jóvenes innovadores le seguían y le admiraban y yo, en cambio, me reía de sus supuestas posiciones transgresoras. Pero también le molestaba ver que sabía leerle en profundidad mientras que había jóvenes que disentían del nutrido grupo de sus admiradores y le atacaban, le decían que sólo había sido vanguardista en su primera etapa y que hacía años ya que estaba acabado, al menos como escritor innovador. Le molestaba todo, pero créame usted, le molestaba especialmente yo.

—¿Y por qué especialmente tú?

—Porque yo me atrevía a decirle que para un verdadero creador estar a la última sólo puede plantearle problemas para desarrollar la obra propia en libertad, es decir, sin tener que estar todo el rato tiñéndose el pelo para parecer más joven…

—Seguro que le sacabas de quicio —interrumpió el socio 12.

—Uno no está obligado a ser perfecto. Somos contradictorios, malvados y sentimentales, y todo eso lo somos a la vez, al mismo tiempo, ¿no les parece a ustedes, señores socios interrumpidores? Creo que ser malvados y sentimentales al mismo tiempo hace a algunos profundamente atractivos, aunque a mí desgraciadamente no. Mi padre lo fue. Atractivo sí. En cuestión de arte de seducción, yo, pobre Little Dylan, no le llegué nunca ni a la suela de los zapatos. Esto fue alimentando mi rencor, lo reconozco.

—Te veo desanimado, Little Dylan —dijo Montse—. Detengámonos un momento, si quieres. ¿Desearías tomar algo? ¿Más agua? ¿Más café? Un whisky no, que no es el momento. ¿O lo necesitas? ¿Quieres un whisky? ¿Quieres suicidarte?

Lo que necesito, pensó Vilnius ante esta inesperada nota de humor de Montse, es que no me llames más Little Dylan. Y el whisky lo necesito, sí, pero más adelante, lo necesitaré para el teatro que preparo con Débora y que no tardará en comenzar.

Desde el primer momento, todo lo había planeado para encauzarlo hacia el *Teatro de ratonera* que, en cuanto llegara su novia, pensaba representar allí. Eso seguramente le daba confianza para mantener el tipo ante todos aquellos interrumpidores que no le miraban con demasiada buena cara.

Por cierto, ¿qué andaba haciendo Débora para no haber llegado aún?

10

Le pareció que podría decirles más cosas a los socios, pero finalmente Vilnius se preguntó si no sería mejor quedarse pensando lo que les habría podido decir pero que no les diría, aunque sabía que a la larga quizás acabara explicándoles muchos más recodos laterales de la biografía de su padre porque, mientras esperaba a Débora, no iba a quedarse callado todo el tiempo. Y entonces pensó que le habría gustado decirles que comprendió muy pronto que necesitaba independizarse de lo que no le dejaba ser libre. Dicho de otro modo: comprendió pronto que le urgía vencer a las fuerzas lóbregas de la naturaleza de su padre, algo que nunca lograría si no conseguía valerse plenamente por él mismo, desvincularse al máximo de él.

Y le habría gustado también decirles a los socios interrumpidores que en su momento, al comprender esto, pasó a vengarse del gran Lancastre a base de no querer ser de su misma cuerda vanguardista y simplemente tratar de ser fiel a sí mismo, esforzándose siempre en ser «auténtico», algo que sabía muy bien cómo se lograba, pues consistía simplemente en ser *él mismo*, algo que a veces simplemente conseguía tumbándose de noche en la hierba y mirando la luna. Pero también para ser uno mismo, como había sido su caso, se podía alcanzar ese ideal de autenticidad intachable teniendo proyectos propios y viendo a tu padre como a un enemigo, sin olvidar en ningún momento lo que suele hacerse con los rivales: ser lo más distinto posible de ellos, comportarse al revés de cómo suelen comportarse esos seres odiados.

—No sé si os gustaría saber cómo me veo cuando me quedo solo —dijo de pronto Vilnius.

Aquello no pudo resultar más suicida para el pobre Vilnius, que cayó víctima de su propio afán por ser tan sencillo y tan sincero, por su deseo de mostrarse tan natural y tan distinto de su padre.

—Nada nos gustaría más —interrumpió la socia 22.

—Pues me veo como alguien que trata de decir la verdad y ser lo más auténtico posible.

—Y para ser alguien auténtico —se rió la socia 22—, ¿hay que ser poco o muy sincero? ¿No son imbéciles los que son demasiado sinceros?

—No sé. Creo que son gente que quiere estar más cerca de la verdad que otros.

—Pero se sabe ya que el arte depende de la verdad —interrumpió el socio 7—, al igual que se sabe ya que la verdad, al ser indivisible, no puede conocerse a sí misma, así que decir la verdad siempre será mentir...

—Y también se sabe que volverse imbécil es un proceso lento —dijo Vilnius sabiendo que era preciso que, de un modo u otro, aunque fuera con una frase sin sentido que despistara a todos, saliera inmediatamente del bucle en el que había quedado atrapado, por culpa precisamente de su excesivo empeño en mostrarse «auténtico».

11

No mucho después, tras haberse cambiado de silla porque la anterior había llegado a parecerle que estaba coja, empezó a contarles que el gran Lancastre fue un hombre que creyó siempre tener muchas personalidades y no una sola. Y todo porque quería sentirse un hombre dividido, un hombre de nuestro tiempo.

—Qué absurdo —dijo—. ¡Creerse un hombre de nuestro tiempo sólo porque era un aficionado a la multiplicidad! No lo iba diciendo todo el rato por ahí, pero se notaba que quería sentirse una persona con muchos heterónimos y con una gran cantidad de dobles que pudieran confundirse con él. ¿Era la pasión de ser postmoderno o simplemente la necesidad de ser muchos individuos para no tener que ser *él*?

Vilnius explicó que en todo caso sabía reconocerle méritos a su padre. Por ejemplo, haber tenido el valor de escribir, durante su periodo más fértil, varias novelas al mismo tiempo, desarrollando así muchos mundos posibles o paralelos, desplegando una narración múltiple, llena de ficciones que se reflejaban y separaban incesantemente, convirtiendo todo en un caleidoscopio de variaciones, desviaciones y mutaciones.

Fue un escritor, siguió diciendo Vilnius, con el encanto de los seres obsesivos. Un hombre asombrosamente trabajador, que llevaba muy lejos las cuestiones que quería tratar y que sabía, además, hacerlo bien. Pero como padre podía llegar a ser hasta grotesco porque parecía estar siempre deseando que su hijo le admirara en posición de cuclillas. No pensaba olvidar nunca esa cena de Nochebuena de hacía no muchos años en la que, como todo aparentemente marchaba bien, se le ocurrió a él de forma muy deliberada ponerse en posición de cuclillas ante su padre y desde su posición de humillado decirle con atrevimiento que desde abajo le veía a él tan sólo como un conjunto de muchas personas diferentes, todas ellas muy planas, muy sencillas.

—Quizás nunca se oyeron palabras más injustas o absurdas que ésas —dijo Vilnius—. Y me imagino que estáis ahora pensando que hablar del modo que lo estoy haciendo aquí de mi padre y criticarle su tendencia a la multiplicidad es hablar como un pobre reaccionario, como alguien opuesto a la intuición contemporánea de que somos muchas personas en una…

Se armó en ese momento un barullo providencial para Vilnius, un alboroto en la puerta y en el activo bar que hay a la entrada de la librería y Vilnius creyó que era Débora que por fin había llegado y que, según lo pactado, estaba iniciando la puesta en escena del teatro que previamente habían ensayado entre los dos.

—¡Pero sí que lo eres, eres un completo reaccionario! —le pareció que le gritaba ella desde el bar.

Pero la miopía y el oído le habían jugado simplemente una mala pasada, porque nadie gritaba allí nada de todo eso. Vilnius se dio cuenta de que aún tendría que esperar para que arrancara el teatro con el que Débora y él se proponían, a través de un texto de ficción que iría acompañado de una calculada puesta en escena, decir la verdad, o aquello que más pudiera aproximarse a esa verdad.

Pero, ¿qué verdad? Es lo que Vilnius se preguntó durante unos momentos, al tiempo que notaba perfectamente que le invadía un leve pero agudo dolor de cabeza que le fue llevando a una deriva mental y también a una imaginación de errancia dolorosa por un mundo que parecía creado por la aguja que manejaba un muerto de ánimo tan punzante —su propio padre, todavía bullicioso— que se dedicaba exclusivamente a pincharle el lado izquierdo de su cerebro.

Tal vez había perdido empuje el fantasma y capacidad de infiltración mental, pero mantenía un alto espíritu puñetero. Pasó Vilnius por momentos críticos, pero luego pudo recuperarse y pudo pensar en aquella verdad que quería introducir en la Bernat esa tarde a través de un texto de ficción que deseaba representar allí mismo, como si fuera aquello un escenario: la verdad que pensaba filtrar de un modo sutil, valiéndose de esa idea del teatro dentro del teatro que Shakespeare utilizó en *Hamlet*, idea consistente en hacer que una compañía de teatro presentara hechos similares a los que habían ocurrido en la vida real, para así dar a entender a todo el mundo (personajes y auditorio) su versión de los mismos y comprobar, por las reacciones de algunos, si su versión era la acertada.

En *Hamlet*, el príncipe aprovechaba la visita de una compañía de actores a la corte para dedicarse a ver si el mensaje del espectro —el mensaje que le decía que habían matado a su padre— había de tomárselo en serio. Para ello disponía que se representara en la obra *La ratonera* la escena del asesinato de su padre y estudiaba las reacciones del rey Claudio, el probable asesino, y al ver que éste se sentía ligeramente alterado confirmaba que el espectro, al señalarle quién le había matado, le había dicho la verdad.

La idea de Vilnius, pactada de antemano con Débora, era la de insinuar el crimen y, aunque no estuvieran allí entre el público ni su madre ni Claudio Arístides Maxwell, comenzar a divulgar la sospecha de que Lancastre había sido en realidad asesinado. No parecía tan descabellado que le hubieran matado. El fantasma de su padre, llamándole Hamlet, se lo repetía en cuanto podía y no había que olvidar que instintivamente ese fantasma le había conducido de algún modo, guiándole o empujándole a visitar las casas de su madre y de Max, hacia realidades que desconocía. Pero es que, además, nada extraño tendría —conociendo la catadura moral de su madre y de su amante, que encima se llamaba Claudio— que le hubieran liquidado gracias, por ejemplo, a un sutil envenenamiento que, por el motivo que fuera, la autopsia no había podido detectar.

Tenían pensado entre los dos, aunque al final no lo habían escrito, un texto de unos diez folios, un supuesto comienzo de esas memorias abreviadas de Lancastre, un texto que sirviera de sutil arma para poner en marcha el rumor de asesinato entre los socios interrumpidores. Y así, de las reacciones de los posibles culpables en las horas que seguirían —contaban con que algún socio del club Lancastre informara a los sospechosos— podría empezar a deducirse si Débora y él habían andado equivocados o no al dejar caer, a través de su *Ratonera* particular, las graves acusaciones contra la viuda y el horrible Claudio Arístides Maxwell.

Cabía, claro, la posibilidad de que Laura Verás y su socio fueran inocentes, pero tal eventualidad no les iba a hacer cambiar de planes a Vilnius y Débora porque a fin de cuentas y muy por encima de todo, más allá de si había un crimen que vengar o no, algo se había vuelto urgente y necesario: castigar a la horrible señora que había lanzado al fuego el manuscrito.

12

«La vida es una ratonera, lo real es sólo teatro, y nada somos sin la memoria que siempre inventa.» (Juan Lancastre)

13

Con su *Teatro de ratonera* les guiaba a los dos, a Débora y Vilnius, el convencimiento de que la ficción siempre servirá mucho mejor para decir o insinuar la verdad que otros medios que se han revelado ineficaces. Y les guiaba también otra convicción: la de que a la historia del género épico le viene faltando desde hace años un nuevo capítulo, quizás el último, uno que sería verdaderamente épico y que incluiría a todos aquellos narradores que lucharon con un esfuerzo titánico contra toda forma de fingimiento o de impostura y cuya lucha tuvo siempre un evidente acento paradójico, pues quienes así combatieron fueron escritores que vivieron anegados hasta el cuello en el mundo de la ficción: artistas que buscaron el modo de decir o de aproximarse a la verdad a través de ella, a través de la ficción, logrando que al menos de esa tensión estilística surgieran las mayores aproximaciones a la verdad que se conocen hasta ahora.

14

Se acordaba muy bien, dijo Vilnius, de cómo a la generación de su padre se le enseñó que la autenticidad no tenía sentido. Pero cuando pensaba en eso siempre se preguntaba cómo habría reaccionado su padre, observador escéptico de la autenticidad, si alguien le hubiera un día preguntado cómo asumir el hecho de que quizás para un artista el fracaso más profundo, *el más auténtico*, fuera el de la traición a uno mismo.

—¿Tiene o no tiene sentido la autenticidad? —preguntó de pronto Vilnius a los socios interrumpidores.

No hubo respuesta, sólo ciertos murmullos. Los lancastreianos quizás no estaban preparados para según qué preguntas y, ante esto, Vilnius hizo que derivara lentamente su discurso hacia *El Leviatán*, de Joseph Roth, su libro preferido y un relato que alguna vez había pensado incluir entero en su largometraje sobre el fracaso.

Les contó la historia que contaba Roth, ese cuento ejemplar en torno a Piczenik, comerciante de corales de la ciudad de Progrody que amaba los corales auténticos, criaturas del pez original Leviatán, y que sin embargo no sabía resistir el falso engaño de los falsos corales de celuloide. Sólo una nostalgia ocupaba su corazón: la nostalgia de la patria de los corales, del mar. Cuando apareció el diabólico Lakatos, un vendedor de corales falsos, Piczenik se avino a comprar algunos, mezclándolos con los suyos; entonces el destino le volvió la espalda. Todo el relato tenía la ejemplaridad de la parábola: Quien traiciona lo más auténtico de él mismo, está perdido.

15

Concentrado en *El Leviatán*, no vio cómo Débora entraba en la librería a través del cada vez más animado bar y se iba acercando a la sala del fondo, a esa sala donde antes estaban las cabinas del antiguo *sex shop* y donde ahora había una especie de sala aparte en la que aquella tarde tenía lugar la reunión del club.

Cuando por fin Vilnius la vio, se la encontró ya prácticamente encima y maldijo su miopía y todo lo que se puso a su alcance a pesar del poco alcance de su visión cegata. Sorprendido, reaccionó de forma no prevista en el guión teatral que a lo largo de algunas horas habían estudiado y ensayado. Nervioso de golpe y para no quedarse mudo, le preguntó lo primero que le vino a la mente.

—¿Me ves retrógrado esta tarde, verdad?

—Te veo retrógrado, sí, pero es que de hecho creo que lo eres bastante, así que no es tan extraño que te vea de esa forma —contestó Débora con un ligero brillo azul en la mirada—. Lo eres, aunque voy aquí a perdonarte la vida y a decir que no siempre. Sólo a veces eres reaccionario, único, inmóvil, picatoste, hiperegoísta, o joven viejo con voluntad de ser radicalmente hiperegoísta. Generalmente eres voluble, móvil, inventivo, osado, inestable, geométrico, indolente, errabundo, leve, volátil, miope, feo, y siempre, pero es que siempre, picatoste. Y auténtico, eso sí. De una pieza. ¡Muy auténtico, sí señor! ¡Te amo, Vilnius! Nadie es tan verdadero como tú.

—Yo también te amo —dijo Vilnius, embelesado.

Los socios se quedaron helados y quizás ahora sería difícil enumerar los tan diferentes motivos por los que sintieron cierta perplejidad ante lo que sucedía. Yo mismo me sentí desconcertado. Si en Vilnius el amor se veía auténtico (quizás porque era un amor casi idiota), en Débora parecía difícil saber lo que en verdad pensaba y sentía.

—Picatoste, esta palabra, pertenece a nuestra jerga de amor —aclaró Vilnius.

Su cursilería al proclamar su pasión confirmaba que había quedado atrapado por completo por la belleza, la enfermedad, la locura y las buenas y malas —porque cabía suponer que también las había malas— artes de la muchacha, que a mí no me recordaba para nada a Verónica Lake, sino más bien a Scarlett Johansson. Porque Débora no era la muchacha con un toque anticuado de la que Vilnius había hablado en su intervención en San Gallen.

—Llevamos unos días trabajando, sobre todo yo, en un libro del que tenemos ya bastantes páginas y que puede que os interese —proclamó Débora.

—He estado pensando —interrumpió la socia 11 en la que fue una verdadera interrupción en toda regla— que tú, Vilnius, quieres ser retrógrado porque eso en arte te asegura fracasar plenamente, que es lo único que en el fondo buscas, porque lo que más te interesa del mundo es fracasar y así evitas parecerte a tu padre y tener su éxito y de paso te salvas de tener que superar a Tolstoi.

—Oh, no es así exactamente —respondió Vilnius.

—Claro que no lo es —dijo la socia 11.

A esa socia parecía gustarle Vilnius, o el peinado de Vilnius. Como eso no le ocurría a él cada día, se dijo para sí mismo en ese momento: no hay como gustar a una mujer para que enseguida haya otra a la que también le gustes; lo difícil es gustar a la primera.

—Bueno, os explico —prosiguió Débora, agitando unos folios—, hemos reconstruido unas páginas, las diez primeras de las memorias abreviadas de Juan Lancastre. Creemos que no son muy distintas de las primeras de esa autobiografía premeditadamente sesgada que él escribía y que su viuda ha tenido la mala idea de destruir. Y lo creemos porque tuve la oportunidad de leer casi toda su autobiografía en marcha y me veo capaz de reconstruirla bastante bien. Bueno, de hecho ya he empezado a hacerlo, aunque para la tarea general cuento con la ayuda que habrá de prestarme Vilnius cuando se la pida.

—¿Y si la viuda no ha destruido esas memorias? —preguntó Montse.

—No hay nada en el mundo que la viuda no haya ya destruido, pero si algún día —contestó Débora— resulta que el manuscrito no fue quemado y reaparecen las memorias originales, podrá todo el mundo cotejar y comprobar ese parecido entre el manuscrito de Lancastre y el apócrifo. Mucha diferencia no va a haber entre nuestra versión y el original. Y si la hubiere, tampoco sería grave. Estoy segura de que a Juan Lancastre le encantaría una autobiografía apócrifa, quizás más rota incluso que la que él estaba haciendo.

En ese momento, Vilnius empezó a notar que «algo» se apoderaba de su voluntad y observó con pánico que el fenómeno iba en aumento. Sin poder evitarlo, a pesar de haber opuesto gran resistencia, terminó adentrándose mentalmente en la piel de un adolescente tan idéntico a su padre que éste no podía ser más que su padre, es decir que Vilnius estaba volviendo a tener un recuerdo que no era para nada suyo, sino de su maldito padre.

El jovencito que aparecía en el recuerdo, es decir, su padre a los dieciocho años, jugaba con una pelota de tenis que de pronto descubrió que era tanto su vida como su muerte. ¿Una pelota podía serlo todo? Sí. ¿Podía ser la muerte? En efecto, podía serlo. Cuando la dejó caer, no pudo moverse hasta que volvió a cogerla, pero a la vez tuvo la sensación de que la pelota lo iba a matar, era una asesina fría, glacial, terrible. Veía que peligraba tanto su vida que había que escapar como fuera. Y escapaba, escapaba como sólo lo hacemos en algunas pesadillas.

Podría tratarse de un recuerdo de su padre, pensó Vilnius, o bien de una pesadilla que su padre estaba padeciendo en aquel preciso y mismo instante en algún universo paralelo. Pero su padre estaba muerto y no podía tener pesadillas. Suficiente pesadilla era ser un difunto. Por tanto, quien realmente tenía que escapar de la pesadilla era sólo él, Vilnius, algo que al final consiguió cuando huyó casi literalmente por piernas y fue dejando atrás la pelota y el mal momento; huyó, justo para regresar al mundo real y oír que Montse en ese momento le estaba pidiendo a Débora más detalles acerca de cómo había sido que Lancastre le había permitido leer las memorias en las que trabajaba.

—El viejo —le explicó Débora— me daba a leer los

fragmentos a medida que los iba escribiendo y lo más interesante era la estructura que le estaba dando al recuento de su vida. El comienzo, por ejemplo, era de lo más sorprendente. Puedo leerlo, si queréis. Lo he reconstruido para vosotros. Es un inicio un tanto innovador para el género de las memorias.

Montse sonrió y con esa sonrisa quiso seguramente indicarle que le asombraba que tuviera escrito el comienzo de aquel manuscrito destruido por la viuda, pero, puesto que allí estaban los folios, haría bien en leerlos.

16

Antes de comenzar a leerles aquellas líneas, quería volver a advertirles a todos, dijo Débora, que la autobiografía que escribía Lancastre era muy atípica y la prueba estaba en que empezaba cuando el autor ya había muerto y no encontraba mejor diversión —llámese ocupación en su mundo de noches pseudoeternas— que dedicarse a molestar a su hijo para hacerle ver que, aun estando en el más allá, no pensaba dejarle en paz. ¿Y qué forma específica tenía de molestarle? Tampoco era tan difícil imaginarla. Se infiltraba en su mente y le obligaba a heredar su memoria e intentaba transmitirle su experiencia. Y para semejante osadía se hacía acompañar de frases raras, le decía, por ejemplo: «Estoy siempre de pie sobre el Cabo Pensamiento, con los ojos desmesuradamente abiertos hacia los límites de lo visible y lo imposible.»

Hubo un breve murmullo. Y Débora aprovechó para beber agua, bebió como si estuviera dando una conferencia, o fuera ella la gran invitada esa noche a la reunión del club Lancastre. Luego, prescindiendo de lo que quedaba del murmullo, prosiguió. Estaba previsto por el autobiografiado, dijo, que el autor fuera dando señales de perder fuelle a medida que avanzaba la narración, señales de estar volviéndose más muerto de lo muerto que ya de por sí estaba, como si desde la primera línea del libro hubiera decidido despedirse y hasta ceder, de forma muy deliberada, cierto protagonismo a su hijo y a quienes fueran adosándose a él en su travesía de luto prolongado: travesía en la que el duelo mismo iría engendrando para el muerto una nueva familia; una familia distinta de la que tuvo en vida, una apasionada y ligera comunidad engendrada por el propio ritmo creativo del duelo. En el caso que nos atañe, concluyó Débora, en el caso de la familia nueva de Lancastre, una familia con aire de Dylan.

17

Débora habló y habló de largos duelos que engendran en los muertos una familia distinta de la que de vivos tenían. Hasta que Montse ofició como interrumpidora.

—Perdona pero ¿cómo ha dicho Vilnius que te llamas? —le preguntó.

—Débora Zimmerman, al servicio del rey muerto y también del rey puesto. ¿Sabéis que Bob Dylan se llama en realidad Robert Allen Zimmerman? Quizás seamos parientes él y yo. Bueno, llamadme sólo Débora. O como queráis. Un nombre no da nunca ninguna pista importante sobre quien lo lleva.

Todo siguió allí en la Bernat su curso normal, como

si no pasara nada, aunque tuve la impresión de que algo sí que había ocurrido, porque me parecía que de alguna forma yo mismo había pasado a sentirme parte de la comitiva fúnebre y alegre que Débora había sugerido que se podía organizar o se estaba organizando en torno a la nueva familia del difunto Lancastre.

Montse acabó preguntando a los socios interrumpidores si veían algún problema en permitir que Débora leyera esos folios, ese inicio, esas primeras páginas de las memorias bajo sospecha de Juan Lancastre. Y Débora comentó que *Lancastre bajo sospecha* podría ser un buen título.

—Esa lectura habrá de quedar en la historia de esta librería y de este club tan entrañable como un gran acontecimiento —interrumpió el socio 17.

—Siempre que no creamos que estamos escuchando la voz del propio Lancastre —interrumpió el socio 12.

—Nadie os pide algo así —reaccionó Vilnius—. Si uno quiere ser desconfiado, puede escuchar esa voz del mismo modo en que se leen las memorias falsas de Laurence Sterne. ¿Habéis oído hablar de ellas?

Nadie había oído hablar de ellas.

—Se titulaban *Memorias de la vida y familia del difunto y Reverendo Mr. Laurence Sterne.*

Montse preguntó inmediatamente si existía de verdad el libro del reverendo y Vilnius empezó a contar la historia de esas *Memorias* no ahorrando detalles.

Yo conocía bien la historia y vi que no añadía invención alguna a ella. La creación de esas memorias póstumas arrancó el mismo día en que, a la muerte de Sterne, su cuñado John Botham, un mojigato párroco de Surrey, se apresuró a ir a la casa de la Old Bond Street para hacerse con los papeles del escritor, las cartas de amor de sus amantes, así como diversos manuscritos de contenido desconocido, que quemó de inmediato. La pérdida de gran parte de la herencia literaria de Sterne dejó a la viuda y a su hija Lidia en grandes dificultades económicas, lo que las llevó a poner todas sus esperanzas en unos papeles que Botham no había visto, o había salvado creyendo que no eran comprometedores. Viuda e hija los dieron al periodista Wilkes con la idea de que éste escribiera la biografía de Sterne. Sin embargo, el giro de los acontecimientos políticos llevó a la alcaldía de Londres a Wilkes y éste, con temores de todo tipo, se deshizo de muchos papeles que podían complicarle la vida, entre ellos los escritos póstumos de Sterne que fueron a parar al fuego de su hogar. Desesperada, la esposa de Sterne, sabiendo que Wilkes había leído aquellos papeles ahora destruidos, le pidió que los memorizara y que por favor escribiera algunas líneas con el estilo propio del autor de *Tristram Shandy*, todo con el fin de publicarlo y poder cobrar algo. Así es como años después apareció *Memorias de la vida y familia*, autobiografía que pasó por ser de Sterne, pero que contenía demasiadas imprecisiones y errores de bulto como para creer que alguien como el autor de *Tristram Shandy*, de quien se sabía que tenía una gran memoria personal, hubiera podido escribirlas.

—Lo que siempre ha estado claro —terminó diciendo Vilnius— es que a Sterne le habría divertido mucho ese libro apócrifo que se le atribuyó y cuya lectura le habría provocado una felicidad y risa grandiosas.

—Lo repito —interrumpió el socio 12—. Podemos oír a la amiga de Vilnius, pero no seremos tan idiotas de creer que escuchamos la voz del propio Lancastre.

—¡Pero nunca será de idiotas saber suspender la incredulidad! —interrumpió la socia 22.

—En todo caso, nunca ha habido buenas autobiografías de un buen novelista. No puede haberlas. Un novelista, si es muy bueno, siempre es demasiadas personas. Lancastre tenía muchas vidas en una sola. Si encima la autobiografía es breve, puede que no alcance ni para una persona —interrumpió la socia 20.

—¡Pero, señora, sepa que, por muy breve que sea la autobiografía, hemos tenido en cuenta todas las personalidades de Lancastre y, además, también nosotros somos buenos escribiendo, muy buenos! —dijo Débora.

18

Como no podía en modo alguno leer los folios porque allí no había nada escrito o, mejor dicho, los folios eran fotocopias de crónicas deportivas del diario *Sport*, Débora les dijo de pronto que prefería resumir de viva voz las primeras páginas de las memorias abreviadas de Lancastre. Y con toda su deslumbrante desfachatez las resumió diciendo que en ese inicio de sus memorias, tal como más o menos se había dicho o insinuado antes, el joven Vilnius descubría que, a causa de un golpe contra el suelo, había heredado los recuerdos y la experiencia personal de su padre, que acababa de morir. Por suerte, prosiguió Débora, el joven hijo del autor de la autobiografía no tardaba en comprender que tener doble mente concedía una lucidez que conducía a un hiperrealismo insoportable, antesala de la demencia. Porque contrariamente a lo que la gente ha pensado siempre, concluyó Débora, la locura es un puro exceso de realidad.

Siguió una pausa, pensada para repetir, para remarcar morosamente lo último que había dicho:

—Un puro exceso de realidad.

—¿Por qué puro y no exceso a secas? —interrumpió la socia 16 con ganas de incordiar seguramente.

Débora hizo como si no hubiera oído aquello y, recuperando el ritmo brevemente perdido, siguió contando el inicio de las memorias abreviadas de Lancastre, contando cómo el joven Vilnius sabía advertir a tiempo los riesgos de poseer una mente doble y eso le llevaba a rechazar, uno a uno, los inconstantes intentos del espectro por inocularle más memoria y experiencia, y si los rechazaba con tanta decisión era por considerar que ya tenía suficiente con el peso de su memoria personal y no quería ampliarla con la de ningún antepasado, por mucho que éste fuera su padre.

Luego se nos narraba, siguió diciendo Débora, cómo una noche Vilnius visitaba por sorpresa a su madre y descubría que ella y su amante habían provocado el ataque cardiaco letal de su padre, lo habían asesinado entre los dos. Le habían producido tal sobresalto por sorpresa que el pobre Lancastre había quedado fulminado en la terraza de su casa. Un crimen perfecto, porque no dejó huellas.

—Y hasta aquí, resumido, lo que había pensado hoy leerles —dijo Débora.

Siguiendo el plan previsto, acababa ella de arrojar la suave bomba tan bien planeada. Ya estaba dicho. Todo el mundo había podido enterarse de lo que había insinuado, o afirmado. A partir de aquel momento, las sospechas de asesinato caerían sobre Laura Verás y su amante y circularían por los ambientes literarios y a la larga por toda la ciudad. Podría ser incluso —de hecho, era deseable, aunque quizás sólo tibiamente— que la madre de Vilnius fuera inocente con respecto a la muerte de su marido, lo que en todo caso no quitaría que la repugnante destrucción del manuscrito merecería siempre ser vengada, algo que con *La ratonera* ya había empezado a suceder.

Como no tenían Vilnius y Débora prueba alguna del crimen, aquélla había sido la mejor forma de propagar el rumor, de lanzar el infundio que tal vez acabaría no teniendo nada de calumnia.

—Habéis escogido el mejor lugar del mundo para difundir esta sospecha —interrumpió la socia 2, que parecía la más rápida en reflejos de todos los socios.

—¿Le asesinaron? ¿Es eso lo que estás diciendo, Débora? ¿O es sólo algo que se inventó Lancastre para sus memorias? —preguntó Vilnius siguiendo el plan establecido.

—Eso iban a decir sus memorias narradas y eso dicen las que estoy restaurando yo y desde no hace mucho lo dice también el espectro —dijo Débora.

—¿Qué espectro? —interrumpió el socio 4.

—¿Qué espectro? —preguntó Montse.

—Y bueno, por favor, ¿no han visto ustedes nunca *Hamlet*? ¡Y qué espectro va a ser! —dijo Débora.

—Perdona, pero no acabo de entender nada, aunque si algo comprendo perfectamente es que este arranque de las memorias es difícil que sea el que había escrito o estaba escribiendo Lancastre —dijo Montse.

—¿Por qué no? Inventó que ya había muerto para crear, según me dijo, «unas memorias de ultratumba» que resultaran heterodoxas —respondió Débora.

—Parece extraño.

—Lo es. Pero es que deseaba que esas memorias resultaran raras. Lo deseaba tanto que en uno de los capítulos describía, de una forma extremadamente minuciosa, su vida privada, es decir, la vida que llevaba conmigo, especialmente las conversaciones que teníamos en la cama él y yo, conversaciones en torno a su carácter, siempre sobre él, después de todo era muy egocéntrico, era como esta reunión de hoy que gira en torno a su personalidad, seguro que le habría gustado estar aquí hoy con vosotros.

Murmullos, algún rostro atónito, aumento del desconcierto.

—Pero creo —dijo Montse— que lo más imposible de todo es que hubiera previsto lo que el propio Vilnius nos ha estado antes diciendo o insinuando, no sé, acerca de lo que su padre, después de muerto, está haciendo con él en estos últimos días.

—¿Y qué hace? —interrumpió la socia 10, que parecía en permanente inopia.

—¿Molestarle desde el más allá? ¿Es eso lo que hace? —interrumpió la socia 6.

—Adentrarse en su mente —interrumpió la socia 18—. ¿No lo oíste antes?

—Dices que es imposible, Montse —volvió a tomar la palabra Débora—, pero la verdad es que Lancastre sabía que su hijo estaba muy obsesionado con él y no debió costarle tanto intuir que esa obsesión, a su muerte, traería como consecuencia un duelo muy largo en su heredero.

—Bueno —interrumpió el socio 7—, es ridículo que discutamos no sé qué cuando lo realmente importante y grave es que hay una sospecha de asesinato y algo tendríamos que hacer al respecto. Y si no hay sospecha, en ese caso hay calumnia.

—¿Es usted policía? —interrumpió la socia 10.

Más cuchicheos, rostros intrigados, agobios mentales. Entre los agobios, los del propio Vilnius que empezó a recibir, cada dos por tres, el inoportuno embate repentino de la memoria paterna y resistió como pudo lo que ésta trataba de comunicarle con educada y contenida, pero notable gran irritación.

—Muy pocas cosas resisten un examen a esta hora —dijo Vilnius y nadie sabía si estaba dirigiéndose a los interrumpidores, a él mismo, o a su sombra.

En realidad la frase del joven Vilnius había sido sólo un guiño de cara a Débora y funcionaba exclusivamente como contraseña previamente pactada; sólo significaba que deberían ir ya bajando el imaginario telón.

—Lo siento, pero terminó todo esto —dijo Débora.

—¿Terminó qué? —interrumpió el socio 25.

—*La ratonera* —precisó Vilnius.

—¿Qué ratonera? —preguntó Montse.

Vilnius fue en busca de su gabardina. Débora recogió sus folios procurando que no se viera que contenían fotocopias de artículos del periódico *Sport*. Cuanto antes pisaran la calle, mejor. Aunque de forma muy veloz y a todas luces abrupta, se despidieron lo más educadamente posible de los socios, también de Montse.

Vilnius vino a estrecharme la mano y me dijo apresuradamente que lo comprendiera, pero que el asunto había terminado siendo tan teatral que andaba de pronto necesitado de un camerino, es decir, de un lugar para esconderse del público. Me pareció descubrir en él en ese momento una secreta satisfacción por haber cumplido con el objetivo que se había propuesto. Y también una necesidad de inmediata huida. Me sonrió y dijo que esperaba verme otro día. No llegó a presentarme a Débora, lo cual lamenté porque, por encima de todo, la había encontrado atractiva y sentía la necesidad de investigar sobre su encanto y misterio. Me parecía —hoy en día no encuentro motivos para pensar algo distinto— una mujer con un rostro verdaderamente interesante, pues emanaba de él una energía realmente mágica —no puedo decirlo con otras palabras—, quizás porque en ese rostro conjugaba de tal modo la dureza con la dulzura que uno tendía a imaginar que la primera era hermana de la segunda. Mirar a Débora equivalía para mí a estar oyendo una canción. Sí, era como si no la estuviera viendo únicamente, sino escuchando algo muy bello, extraño, nunca oído y, sin embargo, sumamente familiar.

Se fueron los dos, seguramente pensando: ahí queda esa acusación de asesinato en la corte de Elsinor, a ver qué pasa ahora. Sería formidable que los asesinos picaran en el anzuelo. Aunque cabía preguntarse si realmente tenía sentido creer que eran asesinos.

Justo cuando iba a salir de la Bernat, captó un mensaje (como una voz que en él fuera de adentro hacia afuera, aunque quizás fue al revés) que venía a decirle que era del todo insuficiente lo que ella y él habían puesto en escena. Vilnius llegó incluso a molestarse. ¿Qué se le pedía desde los vagos aires del más allá? ¿La venganza mediante espada? ¿No era más razonable dejarle dudar y que tuviera que elegir entre saber que su padre fue asesinado (y no poder hacer nada) o menospreciar el saber en favor de una rutinaria actividad moral: la venganza?

—Hamlet.

Siguió una frase ininteligible, dicha con voz pastosa. ¿Había entrado en una etapa en la que ya todos los mensajes iban a llegarle convertidos en ovillos? No era para preocuparse, pues a fin de cuentas había luchado para rechazar sus infiltraciones, sus desesperados intentos de legarle memoria y experiencia, pero daba pena oír esas transmisiones ya tan patéticas, transmisiones de difunto ya medio sordo en medio de una batalla totalmente perdida.

—Hamlet.

Insistente lo era. Parecía que hubiera acabado por convertirse en profesional de la venganza. ¿Podía ser saludable una eternidad alimentando tanto rencor? Lo más probable era que en el infinito la salud careciera del menor sentido.

VI

1

Dispongo de información digamos que confidencial sobre una noche que me parece la más tierna de la que tuve noticia nunca. Y digamos también que acabo de escribir esta frase porque en los momentos de desánimo como éste no hay nada que ame más insinuar que la presencia de la ternura en una noche sobre la que me contaron lo suficiente para que ahora pueda reconstruirla, contarla desde mi propio Hades, ese reino de los muertos privado que hay en cada uno de nosotros.

Aunque sin la misma intensidad con la que Lancastre mezclaba voces y recuerdos, trataré de acercarme, desde mi reino también poblado de sombras, al tono y la atmósfera que fue creando Vilnius cuando quiso comunicarme la complejidad del tejido sonámbulo de aquellas horas.

Noche que comenzó su andadura cuando, al salir de la Bernat, decidieron no ir a la Filmoteca, pues la tensión de su *Teatro de ratonera* les había dejado con necesidad de comentar lo que había ocurrido y las consecuencias que podía generar. A la salida de la Bernat, ligeramente asustados por lo que habían hecho, optaron por refugiarse en su cuarto de hotel. Bastaba cruzar la calle, ir de la Bernat al Littré, para escaparse del mundo. Además, el argumento de *Suave es la noche*, la película que proyectaban en la Filmoteca, se parecía demasiado peligrosamente a la historia de amor de Débora con el padre de Vilnius.

En el hall del Littré se encontraron con un Shekhar más dispuesto a conversar que nunca. Pero Débora y Vilnius tenían prisa. Deseaban retirarse cuanto antes a su cuarto. El hindú, implacable, empezó a retenerles diciéndoles que le atenazaba una incómoda melancolía. Se le había parado el reloj de pulsera, decía, y tendría que esperar al día siguiente para que le cambiaran la pila en Tempus Fugit, el taller de relojería de la calle Villarroel, a cuatro pasos del Littré. Nunca en la vida, decía Shekhar, se le había parado el reloj y quería convertir tan raro suceso en objeto de reflexión seria.

—¡No, por Dios! ¡Reflexión seria! Somos artistas jóvenes, no hay que maltratarnos —imploró Débora.

Vilnius oyó por primera vez a Débora hablar de artistas jóvenes. Y le gustó mucho. ¿No era lo que, en efecto, ellos dos eran? En honor a la verdad, eran también artistas de la desgana, sin olvidar que eran, además, jóvenes con ligeros y siempre pasajeros problemas mentales, problemas que se hacían presentes, tanto en él como en ella, en forma de ráfagas. En Débora eran breves pero agudas crisis nerviosas que surgían en el momento más imprevisto. En Vilnius, infiltraciones mentales paternas ya en descenso, pero que venían dándose desde que se inaugurara el tiempo de duelo. Pero a esos problemas los sabían exprimir creativamente, e incluso vivir de ellos, de las huellas interesantes que dejaban a veces en sus mentes.

Aparte de jóvenes artistas de la indolencia, tal vez

eran también o habían empezado a ser una especie de sociedad incipiente. Una sociedad artística de dos, pero que no les extrañaría que abriera caminos y no tardara en crecer. Recordaban vagamente a Marcel Duchamp, que a lo largo de su vida no hizo muchas cosas, pero de vez en cuando hizo alguna. En cierta ocasión, construyó una gota de cristal con aire de París y se la regaló a unos amigos de Nueva York.

Aire de París, la llamó.

«Como mis amigos tenían prácticamente de todo, les llevé cincuenta centímetros cúbicos de *Aire de París*», comentaría años después Duchamp.

Vilnius y Débora habían empezado a ser una sociedad que no se dedicaba a nada en concreto, quizás porque deseaba evitar cualquier posibilidad de fracaso y quizás porque, además, era una sociedad que se sentía atraída por lo infraleve, por todas esas cosas —pensemos en un jabón que resbala, por ejemplo— que son, por un lado, tan indeterminadas y, por otro, tan específicas; son todo al mismo tiempo, como la vida misma.

Lo infraleve era, para ellos, el roce de unos pantalones al caminar, un dibujo al vapor de agua, un vaho sobre el cristal de una ventana. Mientras Shekhar intentaba reflexionar sobre la desproporcionada tragedia y misterio de su reloj parado, a Vilnius le pareció que Débora y él, después de su paso por la Bernat, no sólo podían empezar a considerarse una sociedad infraleve, sino que, en homenaje a Duchamp, esa sociedad podía llamarse *Aire de Dylan*, lo que les permitiría imaginarse a sí mismos como una gota de cristal que contendría la esencia de su época, el aire de su tiempo, del nuestro, de un tiempo ligado en arte al mundo de Bob Dylan, creador escurridizo y hombre de tantos personajes y personalidades.

No faltarían en los días sucesivos aquellos que les preguntarían seguramente si es que no hacían nada y se pasaban el día con los brazos cruzados. Cuando les preguntaran, contestarían en plan infraleve, como Duchamp: «*Mais que voulez-vous?, je n'ai plus d'idées*» (¿Qué quiere?, ya no tengo ideas). Sólo que ellos lo dirían en plural y con energía propia:

—¿Y qué quiere usted que le digamos? No tenemos ideas.

—¿Ninguna?

—¡Oh, monsieur! Tenemos una al día. Es suficiente para nosotros, que somos infraleves, aire del tiempo, leve pasión grande, Aire de Dylan.

2

¿Tan importante es que se te haya parado el maldito reloj?, preguntó Vilnius a Shekhar. Trataron de driblar y dejar atrás al hombre del reloj parado, pero éste en lugar de apartarse se les fue echando cada vez más encima, al parecer una costumbre muy hindú. Nunca antes Débora había visto a Shekhar adosarse a ellos de aquella forma, quizás porque lo había tratado hasta entonces muy poco. Vilnius, en cambio, sabía perfectamente de qué iba todo aquello, sabía que Shekhar era peligroso si se veía alcanzado por una fuerte melancolía por la patria lejana y perdida; melancolía encima activada aquel día por el hecho de que le pareciera tan extraño que se le hubiera parado el reloj.

¿Pero tan anómalo te parece un reloj parado?, le decía Vilnius cada vez más irritado. En realidad, era peor hablarle, porque si se le decía algo Shekhar se echaba cada vez más encima de ellos. Mezclaba su aliento con el de Débora o con el de Vilnius y parecía que nunca creyera estar lo bastante cerca. Si a uno de los dos se le ocurría hablar, él se acercaba más todavía. Era horrible. Vilnius llegó a empujarle, todo fuera por calmar a Débora, y le exigió que no se acercara más, que dijera lo que tuviera que decir sobre su melancolía y el reloj de la patria parado, pero que no se arrimara de aquella forma por favor, que no se acercara por muy nostálgico y preocupado que estuviera.

¡Por Dios, apártate!, le gritó Débora. El hindú retrocedió por primera vez, por fin amedrentado. Dos pasos atrás y uno adelante. A los pocos segundos, su rostro había recuperado el aire melancólico y eso parecía haberle dado fuerzas para de nuevo adosarse a ellos, lo que llevó a Vilnius a actuar ya de forma contundente y coger por el brazo a Débora y marchar directo hacia el ascensor, pues no le cabía ninguna duda ya de que era más importante cualquier milésima parte de su flamante novia que toda la tristeza de su apátrida —por culpa del reloj inmóvil— amigo hindú.

En el ascensor, Vilnius estuvo a punto de comentar algo sobre la estupidez de relacionar reloj y patria y también comentar algo acerca de la lengua tamil, la que hablaba Shekhar en su país de origen: una lengua compuesta de palabras con un promedio de seis sílabas; muchas tenían catorce. Menos de cuatro sílabas no era palabra, sino un residuo. Las lenguas occidentales le parecían a Shekhar todas en ruinas; una vez se lo había comentado al propio Vilnius; se pasaba el día, le dijo, hablando lenguas arruinadas, pero vivía de esto, era hotelero de los occidentales que vivían en esas ruinas, qué remedio…

Finalmente, nada le contó a Débora de la lengua tamil. Se inclinó por evitar cualquier referencia al tema y,
en cambio, besarla apasionadamente en el ascensor. Una
hora después, en la penumbra del cuarto, ella le comentaría que era tan mal amante como su padre y él, al no
ser la primera vez que se lo oía, se contuvo, no protestó
como había hecho en ocasiones anteriores. Y no protestó porque había empezado a tener la sospecha de que
ella, tan inestable en su cordura, le amaba en gran parte
porque él era una continuidad del difunto.

¿Y ella, por su parte, era la continuidad de qué? Débora era la continuidad de la enferma y peligrosa rubia
de ojos azules que durante meses había sido la amante de
Lancastre y que, tal como se había encargado ella misma de contarle o de advertirle a Vilnius, había hecho
zozobrar plenamente la vida del escritor. ¿Y cómo había
conseguido semejante despropósito? Con sus breves
pero al parecer duras crisis nerviosas que hacían que se
tambaleara todo. Había que presenciar una para comprender qué era el verdadero horror. Eso le decía la propia Débora a Vilnius, y éste llevaba ya días a la espera de
la primera crisis, que —no sabía por qué— no llegaba
nunca.

3

¿Cómo decirlo? Débora era inteligente, habitual-
mente un ser muy lúcido, despierto. Era joven, pero
contaba ya con cierta experiencia como periodista. Se
sabía que escribía bien, aunque también que no escribía
nunca. Entonces, si no escribía ¿cómo podía saberse que
era tan buena en aquello que se suponía que hacía? Por-

que había escrito mucho en sus días de periodista debu-
tante —becaria que logró quedarse en una redacción de
periódico—, hasta que tuvo el primer ataque, la primera
crisis nerviosa, fugaz pero muy intensa (intentó nada menos que matar al director del rotativo en el que trabajaba), y ese trance indeseado, aparte de dejarla en la calle,
dejó en su vida una estela de exilio y desgracia por mucho
tiempo.

Débora estaba segura de que esos ataques minimales
no le venían de la nada, se habían originado en la mallorquina Campos, su pequeña ciudad natal, en los días de su
más extrema juventud, días trágicos en los que murieron
sus padres en un accidente de tráfico y en los que tomó
drogas fuertes, cuyos efectos regresaban con el tiempo,
era como si tuvieran capacidad de regenerarse; estaba segura de esto, a fin de cuentas se lo habían advertido la
primera vez que decidió tomar aquella dosis de ergolina
procedente directamente —le dijeron— del gabinete del
doctor Petrella. Tanto si la droga venía de un laboratorio
como de otro, lo cierto era que con el tiempo aquel fu-
nesto experimento fallido con ergolina la había dejado a
merced de imprevistas ráfagas nerviosas que, al parecer,
contenían siempre cierto instinto asesino.

No hay desgracia que por bien no venga. Tanto si la
droga venía de un laboratorio como de otro, lo cierto
era que ella se había vuelto más artista gracias a aquellas
dosis creadas por el doctor Petrella, muerto joven y en
circunstancias misteriosas. Se había vuelto más artista,
lo que no era objetivamente ni bueno ni malo pero, eso
sí, no evitaba que la amenaza siempre de una inminente
posible crisis nerviosa la alejara de muchas actividades,
sin ir más lejos de la acción de escribir, por mucho que
hubiera dicho que iba a hacerse cargo de la autobiogra-

fía de Lancastre. Y es que la propia amenaza a veces la dejaba inmóvil y muy feliz de estar quieta sabiendo que así no fracasaba en nada. En cualquier caso, los ataques breves que padecía nada tenían que ver con las arremetidas esquizoides que insinuara Max el día en que le habló a Vilnius de Débora. Ella no era esquizofrénica. Sus crisis eran de otro orden.

Pero sus crisis eran muy duras y nada parecía tan indudable como lo peligrosa que podía llegar a resultar Débora si era víctima de una de ellas. Para Vilnius, lo peor era que él no había tenido ocasión nunca de comprobar cómo eran exactamente esas crisis, lo que hacía que fantaseara en exceso y viera cómo iba aumentando su terror ante la posibilidad de una repentina aparición de una de esas ráfagas nerviosas en las que, al parecer, brotaba en ella un instinto asesino.

Ataques y miedo a lo desconocido aparte, Débora se comportaba de forma muy normal en la vida corriente —le complacía en grado máximo la perversión de hacerse pasar por un ser corriente, tirando incluso a vulgar, sabiendo que no lo era—, encantadora a veces, intratable en momentos muy puntuales. Cuando se volvía insociable, parecía que se hallara de golpe al inicio de uno de sus peligrosos ataques, pero no, Vilnius acababa comprobando siempre que ella, en aquel momento, estaba simplemente intratable. Así las cosas, él ya casi estaba deseando que tuviera en algún momento una de sus crisis agudas para por fin poder saber si eran tan temibles como se decía. Y también para tener una visión más completa de la personalidad de su novia, aunque sabía que no saberlo todo de ella, es decir, que tuviera aquel carácter tan inapresable, era por el momento lo que más le fascinaba de Débora. Seguro que al principio de la relación con ella, su padre pudo experimentar un hechizo parecido.

Hay cosas que se heredan de forma natural, sin infiltraciones mentales ni otros esfuerzos. Y al pobre Vilnius, en cuestión de amores, no le sucedía nada que antes no le hubiera ya ocurrido a su padre: sentía una pasión tan grande por aquella mujer artista y enferma que no le preocupaba que le pudiera arruinar la vida. Aun así, Vilnius confiaba en que esa vida no se la destrozaría entera, aunque tenía motivos para pensar que eso también podía ocurrir, y más cuando ella misma se había encargado de hacérselo saber: en los dos últimos años, sin quererlo, había hundido la vida de su padre, sobre todo cuando él intentó curarla como si fuera un psiquiatra (se empeñó en meterse de lleno en esa tarea) y lo único que logró fue que todo empeorara del lado menos pensado, del lado del propio sanador o improvisado enfermero, que, aunque trató de ocultarlo de puertas afuera, acabó desestabilizado, perdiendo incluso en ocasiones el control de sus nervios y teniendo que ser ella, al final, quien le hiciera a él de psiquiatra y le recomendara, por ejemplo, que bebiera con mesura, pero que bebiera, para alejar así la siempre molesta lente de la lucidez...

4

Nadie había sentido por Vilnius lo que parecía que sentía Débora. Y, dejando aparte lo excepcional que ya de por sí era esto para él, también era cierto que un milagro de aquel calibre Vilnius lo tenía que agradecer a ese irremisible aire a su padre que se apoderaba de su rostro cada vez que la sombra de la mente de su progenitor

—hecha un ovillo o no, daba lo mismo— irrumpía con sus deseos de inyectarle memoria y experiencia y le quitaba el aire desvalido para prestarle por momentos un aire más consistente.

Es admirable, la verdad es que no conozco a nadie que haya llevado un duelo tan intenso por su padre, le dijo Débora esa larga noche en que se retiraron al cuarto de hotel después de su *Teatro de ratonera*.

Llevaba toda la razón del mundo, creo yo, porque los pasos más recientes de Vilnius en la vida tenían algo de «trabajo de duelo», por emplear un término freudiano. Había sido tan intenso ese luto (luto exagerado si se tenía en cuenta que Vilnius siempre había odiado a su padre) que hasta parecía que el duelo hubiera empezado a engendrar sus propias lilas y sus propias historias, y hasta hubiera empezado a dibujar una sociedad que parecía en construcción y de la que, como mínimo, dos seres frágiles formaban ya parte de ella, aunque había que contar también con el espectro paterno y hasta con mi sombra, que se asomaba ya un poco a aquella sociedad infraleve, que era testimonio de la nada y por tanto espejo tímido del aire de nuestro tiempo: reflejo de una época en la que el drama de la sociedad moderna, su trágica inconsistencia y avance hacia el vacío, es ya un secreto a voces y un hecho brutal, al que ya nadie parece capaz de poner remedio.

5

Cierta intuición natural y el considerable empeño que ponía el espectro en sus intervenciones era todo el edificio en el que se sostenía la creencia de Vilnius de que su padre había sido asesinado. ¿De qué modo podía Laura Verás haberlo liquidado? ¿Mediante alguna pócima que no habría dejado rastro o, con la ayuda de su amante y por el viejo sistema de darle un susto tan grande que lo dejara seco? Quizás fuera un gran error sospechar todo eso donde quizás no hubiera nada, ni sombra de asesinato. Pero, si se estaban equivocando, no se hundiría el mundo por eso. Había, además, que pensar que no había estado nada mal probar, ensayar, lanzar el rumor de asesinato, incordiar. A fin de cuentas, ¿no era intolerable que las memorias abreviadas de Lancastre hubieran sido destruidas por el fuego y las cosas continuaran como si no pasara nada?

Débora, medio dormida en mitad de la noche más tierna, le miraba. Y Vilnius, a su lado, sin absolutamente nada de sueño, se dedicaba una y otra vez a pensar que se estaba bien en la penumbra, siempre y cuando uno estuviera enamorado. La noche parecía acogerles con una ternura excepcional, y tal vez con un sentimiento de piedad que, en caso de existir, los dos aceptarían sin duda de buen grado.

Pasando revista a lo que habían hecho, surgía una pregunta: ¿qué habían ocultado en su *Teatro de ratonera* a los interrumpidores? No mucho, pero algo sí había permanecido discretamente oculto. Era cierto, por ejemplo, que Débora había tenido la oportunidad de leer las páginas ya escritas de aquella autobiografía que Lancastre quería dedicarle, pero también no menos cierto que ella no había querido explicarles a los interrumpidores que eran unas memorias muy anodinas y pelmazas. Así que en realidad podía decirse que, fuera porque Laura Verás estaba borracha o fuera porque creía que aquél era un acto supremo de maldad, había sido toda una gran suerte para el difunto que su esposa hubiera arrojado el manuscrito a la chimenea.

En contrapartida, las memorias que Débora se proponía restaurar no se basarían en las anodinas páginas de Lancastre, sino en una autobiografía inventada en la que el padre de Vilnius, de un modo transversal y típicamente postmoderno, habría tenido la osadía de ser muy crítico con él mismo y serlo, además, de un modo harto despiadado.

«He aquí la esquinada, pero implacable autocrítica feroz que supo hacerse a sí mismo este escritor, amante de todo tipo de imposturas y de juegos vanguardistas, el hombre que logró reunir en su propia escritura los peores tics del penoso postmodernismo del siglo pasado», esperaba Débora que dijera la contracubierta de su libro apócrifo, todavía sin título.

Para Vilnius, que no había olvidado nunca las palabras de Scott Fitzgerald a Mankiewicz alias *Monkeybitch* («Cuando *yo* escriba un libro te convertiré en el ser más ridículo de este país»), esas memorias apócrifas podían ayudarle a ese limpio ajuste de cuentas con su padre, aunque pasaban las horas y le seguía faltando un pequeño detalle a todo aquel proyecto: que alguien quisiera molestarse en escribir la autobiografía inventada, y es que Débora no daba señales de estar del todo dispuesta a trabajar en ella.

En el caso de que el libro finalmente lo escribiera alguien, la venganza podía terminar siendo perfecta. Porque con el tiempo la única autobiografía que existiría de Lancastre (y que por tanto pasaría por ser un magnífico colofón de sus obras completas) sería aquella que Débora y Vilnius estaban proyectando y donde estaba previsto que Juan Lancastre quedara rematadamente mal y como notable ejemplo de escritor que supo reunir en sí mismo todos, absolutamente todos, los defectos de lo que durante un largo tiempo se dio en llamar la postmodernidad (suponiendo que esa palabra, postmodernidad, haya significado alguna vez algo realmente, más allá de su condición de etiqueta o de lugar común odioso).

Pésimo iba a quedar Lancastre en esas automemorias. Y Débora lo lamentaba, porque le había amado, pero estaba segura de que era preciso no dejarse ablandar y que debía apartar toda tentación de benevolencia hacia el viejo cabrón. Lancastre, en su autobiografía, iba a aparecer como el hombre que tuvo el extraño mérito de reunir en él mismo todos los tópicos de la vocación de innovación más recalcitrante. Como un hombre del pasado, como el paradigma del escritor de un tiempo de vanguardismos funestos. Como alguien que muy pronto pasó a la vitrina de las antiguallas para que el futuro pudiera ser diferente, para que el futuro pudiera pertenecer a gente como Débora y Vilnius, una pareja que parecía vivir en el feliz vértigo del fracaso que se ocultaba en cada uno de los muchos proyectos que tenían para el porvenir, proyectos básicamente pensados para acabar no haciendo nada, que era donde intuían que burlarían al fracaso, que llevaba ya demasiados años rondando a los dos (y al arte en general).

Se proponían pues en realidad no hacer nada, situarse en ese punto de mira escéptico en el que no ignoraban que habían terminado por instalarse en los últimos años los contados sabios de la generación de Lancastre. Tras el largo recorrido de toda una vida, éstos habían registrado que el mundo rodaba ya decididamente sin freno y sin sentido, perdido y sin futuro, más estúpido que nunca, en manos de unas élites políticas y económicas podridas de inmoralidad y de avaricia.

Se preguntaban Vilnius y Débora si por casualidad les obligaba alguien a tener que soportar, como los jóvenes de todas las generaciones anteriores, los agobios terrenales, de los que ya hablaba Hamlet en su célebre monólogo. ¿Acaso les obligaba alguien a tener que soportar «las injurias de este mundo, el desmán del tirano, la afrenta del soberbio, la tardanza de la ley, los insultos que sufre la paciencia»?

Ante esto, Débora y Vilnius se preguntaban qué sentido podía tener dedicarse toda la vida a mirar hacia otro lado para al final llegar a la misma conclusión a la que, de viejos, habían llegado los más lúcidos de todas las generaciones anteriores a la suya.

Pensaban que lo mejor sería adquirir de golpe el punto de vista de los que de viejos llegaron a sabios escépticos y ahorrarse falsas expectativas juveniles, pues cada día iba a hacerse más evidente en el mundo lo inútil que iba a ser esforzarse en mejorarlo cuando éste rodaba ya descerebrado hacia un final de copas envenenadas.

—Llámame Cero —imaginó Vilnius que le decía a Débora en mitad de la noche.

Era tal el desánimo que provocaba el caos del mundo que les parecía que lo mejor era apartarse, no colaborar en nada.

De vez en cuando, en la luz nocturna, Vilnius imaginaba monstruos de los que tenía que escapar y también futuros diálogos.

—¿Así que se pasan ustedes el día con los brazos cruzados?

—¿Y qué quiere que hagamos? No tenemos ideas.

—¿Ninguna, señor Cero?

De los libros que Vilnius había leído, uno le perseguía siempre, y a veces hasta creía oír la voz de Freddie

Montgomery, el protagonista de *El libro de las pruebas*, de John Banville: «Nunca me he acostumbrado a estar en esta tierra. Creo que nuestra presencia aquí es un error cósmico. Estábamos destinados a algún otro planeta lejano, al otro extremo de la galaxia.» Al igual que Montgomery, Vilnius se preguntaba a veces cómo se las estarían arreglando aquellos que estaban destinados a vivir en la Tierra, cómo les estaría yendo en ese otro planeta. Y se respondía: «Pero es que deben de haberse extinguido hace años, porque cómo sobrevivir en un planeta hecho para contenernos.»

Vilnius no hacía mucho que había empezado a dar por sentado que el exilio era lo que definía mejor el espíritu humano. Si algo nos definía a todos, pensaba Vilnius, era el destierro, la imposibilidad de volver a casa, el conflicto. Y Débora había sintonizado muy pronto con las mismas ideas y sensaciones. Instalados ya definitivamente en ese punto lúcido de su propio abismo, dejaron aquella noche que a cada minuto que pasaba se fuera reforzando en ellos la voluntad de no trabajar ya nunca.

Quizás ni siquiera trabajarían en la redacción de la autobiografía de Lancastre. Buscarían a alguien que la escribiera, alguien de la vieja escuela de la cultura del esfuerzo. Reforzarían, día a día, su voluntad negativa, pero sin prescindir de la alegría, de una euforia discreta que quizás les ayudara de vez en cuando a elevarse por encima de sus leves malestares graves, por encima de todos sus problemas psíquicos mínimos, por encima incluso de esa percepción de lo absurdo que le llega inexorablemente a uno cuando oscurece y recuerda que existió una vez un planeta lejano al que habíamos sido destinados…

6

A la una y cinco de la madrugada, Débora le pidió que le explicara, a ser posible de forma más diáfana que en días anteriores, cómo era ese proceso que le permitía percibir en ocasiones que su padre se comunicaba con él. Piensa que es exactamente igual, dijo Vilnius, que esa sensación de que alguien te vigila, te das la vuelta sin motivo y descubres a alguien mirándote con atención, con la diferencia de que yo no me doy la vuelta nunca. Sigo sin entenderte, dijo Débora, al igual que ayer y que anteayer sigo sin comprenderte nada, pero creo en ti. Entonces me creerás, le susurró Vilnius, si digo que en las últimas horas mi padre no está tan cerca de mí como venía siendo su costumbre, creo incluso que ya se va, que anda ya dando tumbos por un lugar extraño. ¿Qué lugar?, preguntó ella. Una especie de esfera desde la que a veces trata de enfocar desesperadamente el mundo real, que cada día intuyo que ve más borroso.

Hay cosas que uno debería saber ahorrarse, pensó Vilnius cuando poco después de aquellas palabras notó que el espectro paterno parecía moverse en lo más hondo de un rencor acumulado por multitud de voces y recuerdos de distintos vivos y muertos. En los segundos que siguieron tuvo que resignarse a aceptar en silencio la violenta intervención mental de su padre, que trataba de decirle que llevaba rato en el centro del cuarto y seguía en forma y es más, se sentía poderoso y como un blues que no se apagaba, y también como un viento que soplaba sobre campos oscuros, muy negros...

Repito, vino a decirle su padre, soy tanto una canción de Chicago como alguien que planea sobre los campos del mundo entero y lo observa todo sin haber perdido potencia alguna, de modo que soy la canción misma y soy un blues del norte al caer la tarde, un blues que no va a irse de aquí tan fácilmente porque soy el último raro en lugares donde ya no hay brújulas y soy también un incesto y un insecto, y no estoy infecto y no pienso ser el único interfecto...

Es probable, pensó Vilnius, que mi padre haya caído en un estado feliz, de vibrante y violento humor. Si no, no me lo explico.

Un breve silencio, y luego un rumor que trajo el viento, con el fondo sonoro de un blues del norte. Y luego un mensaje muy medido de su padre diciéndole que la venganza era mejor si se servía fría, pero que consideraba que era de idiotas pensar demasiado en la temperatura de la misma. Porque en realidad ésta no importaba tanto, qué más daba si la represalia era un plato frío o caliente. Si uno podía vengarse, mejor que no lo pensara dos veces. Le recomendaba matar al Rey.

Le recomendó esto y luego, en medio de aquella deliciosa noche, oyó Vilnius unas carcajadas terribles que a cada segundo parecían cambiar de tonalidad. Y para no azorarse demasiado ni asustar a Débora, que seguía tan tranquila, se dedicó a ahuyentar las risotadas pensando en las distintas naturalezas de las mismas: quedas, íntimas, desviadas, espectrales, sonoras, afónicas. Era indudable que más allá de su muerte, su padre conservaba la afición de ser muchos personajes al mismo tiempo y que sólo Bob Dylan le imitaba bien en la Tierra. Se había ganado a pulso pertenecer a su nueva propia familia, la que precisamente había engendrado su propio duelo.

Fue una alegría para Vilnius descubrir que Débora parecía leerle el pensamiento. A la una y veinte de la madrugada, cuando la noche estaba más tierna que nunca,

Débora, sin venir a cuento, le advirtió a Vilnius que la presencia, física o imaginaria, de una tercera persona siempre les iba bien a los enamorados.

Vilnius le dijo que no entendía de qué le hablaba. Es una presencia, dijo ella, que a los enamorados les hace sentirse más satisfactoriamente solos. ¿Dices que más satisfactoriamente?, preguntó él. Las historias de amor, dijo Débora, tienen cualidades triangulares, es más, oí comentar alguna vez que para que haya dos amantes es necesario un tercer elemento, y ese tercer elemento podría ser la propia idea de encontrarse enamorado.

—¿Es posible enamorarse sin esta tercera presencia, sin ese testigo del amor? Sin ese tercer elemento no creo que pueda haber amor entre dos —concluyó Débora.

7

No parecían sentir nada que no estuviera relacionado con su mundo indolente y con su amor (amor de tres, para Débora). Todo en la noche lo veían de un color intenso, de un rosa muy exagerado y fuerte que no era de este mundo. Sabían que su optimismo era bien iluso, pues no se les escapaba la sensación de que se movía por el ambiente la idea de que algo podría en cualquier momento quebrarse y, a pesar de su amor, en unos segundos irse todo al infierno, y hasta el propio cuarto perfecto viajar perfectamente hacia los suburbios de los últimos confines del firmamento.

De pronto, llamaron a la puerta, sólo podía ser el plúmbeo vecino de habitación, el representante de yogures, el joven de todos los días, que venía a pedirles que hablaran en voz más baja a aquellas horas, a decirles como cada noche que les había oído cuando hacían el amor y les había respetado porque amaba el amor —solía repetirlo varias veces, como en la peor de las pesadillas: amaba el amor—, pero no estaba dispuesto a que los cuchicheos inacabables y banales le dejaran desvelado todas las madrugadas.

¿Por qué banales? Aquel desgraciado consideraba banales sus cuchicheos. Le habían advertido que no repitiera más aquello y sin embargo seguía insistiendo, con regularidad diaria, en el carácter trivial de todo lo que ellos murmuraban en la soledad de la noche.

Para no perder la costumbre, Vilnius no abrió la puerta, pero le prometió a aquel testigo —sin duda competidor con Lancastre a la hora de ser testimonio de su amor— que hablarían más bajo, o quizás ni siquiera hablarían y también que al día siguiente por fin tratarían de que por fin les cambiaran de habitación.

Aquella interrupción del vecino y las promesas que posteriormente había que darle parecían haberse convertido ya en un rito. Pero aquella noche, al rito le relevó una especie de eco en sordina, algo que sonaba sin duda en la lejanía pero que sonaba parecido a lo que podría ser un blues del norte, en el caso de que existieran los blues del norte. Ahora mismo, dijo Vilnius, creo que le noto revolotear. No sé de qué me hablas, dijo Débora. De un viento, pensó Vilnius, de un viento que sopla sobre campos negros de lluvia. Cuando sopla de esa forma, se hace evidente que al gran maestro de la interrupción le gusta interrumpir.

—Hamlet.

Vilnius paró el oído. Y el viento creó poco después un leve rumor de palabras, de ritmo idéntico al compás de *Where The Sun Don't Shine*, de J. J. Cale:

—Bailar no sé. Nadar no sé. Beber sí sé. Coche no tengo. Prefiero la noche. Y el crujido del universo.

Sin duda, el espectro estaba de un inmejorable buen humor. Quizás alejarse cada día más de la Tierra le ayudaba a estarlo.

8

¿Y si en sus últimos minutos de vida mi padre prefirió la noche y el silencio y se concentró en imágenes que podían estar más allá de lo que alcanzaba a ver allí sentado al lado de la ventana principal de su casa?, comenzó a pensar Vilnius. ¿Y si se concentró mi padre en lo que podía estar más allá del horizonte de su conciencia? ¿Y si se preguntó si no sería verdad que el hombre es el sueño de una sombra? ¿Y si al escrutar el cosmos se le hizo evidente lo nimio de la existencia humana? El hombre, ser levísimo, es soñado por una figura incierta, y el estado del mundo indica que, más que la creación de un ser superior, somos el pasatiempo de uno cargado de defectos, un pobre tipo, en todo caso capaz todavía de bosquejar horizontes.

Cuando uno medita acerca de cosas tan enrevesadas, fácilmente queda embobado, absorto, presa fácil de un posible susto grande. Fue lo que le pasó a Vilnius, que quedó de pronto ensimismado haciéndose cada vez más preguntas. ¿Y si en la casa de la calle Provenza la muerte le encontró a su padre concentrado en un horizonte sólo escrutado por él, una perspectiva tensada por las manos que oculta todo cerebro maquinador, un panorama pensado para revolucionar su vida y abandonar a Laura Verás? ¿Y si lo que sucedió fue que dio un salto raro e hizo un movimiento grande, casi de ansia corporal, y entonces, sólo entonces, reparó en la presencia de personas que no imaginaba allí, en la casa a aquella hora? ¿Y si el sobresalto resultó mortal de necesidad, idéntico a un final, fríamente letal?

9

Se diría que el acecho a la vida de mi hijo —imaginó Vilnius que pensaba en plena noche su padre— ha absorbido toda mi atención en los últimos tiempos y, sin embargo, no puede decirse que las cosas hayan ido así exactamente, porque he andado en muchos otros espionajes, he examinado y controlado miles de asuntos y lugares distintos. Sólo que la vida de Vilnius me produce hasta morbo y me atrae, no puedo evitarlo, y más desde que sale con Débora. Pero cuando él volvió de Hollywood, por ejemplo, me moví por todas partes, menos por su vida, de la que me ausenté. Creía que, inmerso cada día más en la rutina de mi personal descalabro, me iría alejando de él para siempre, pero al ver que se acostaba con Débora, volví a acercarme, de algún modo me asocié a esta pareja de jóvenes enfermizos.

En cualquier caso, las escenas de ese discontinuo acecho a Vilnius no son nada al lado de las que últimamente, a lo largo y ancho de una multitud de mundos y realidades infinitas, me he dedicado a observar y vigilar, muy de cerca. De cerca he visto mi sombra en la mañana, al sur de Manhattan, junto a multitudes de vendedores de bonos que comían salchichas de cerdo, puré de patata y café en oscuros restaurantes abarrotados de Wall Street. Y de cerca he visto mi silueta, de madrugada en

Tokio, en la desembocadura del río Sumida, con miles de toneladas de pescados llegando hasta el mercado de Tsukiji, el más grande del mundo, poblado de atunes sin cola sobre un suelo de ensueño, de tono rojizo y ocre mojado, con un olor a mar intenso. De cerca pude ver cómo caían copos de nieve desde la materia oscura del gran espacio invisible que se extendía encima mismo de mi gran ventanal sin límites. Y de cerca, en Hong Kong, en la soledad de un crepúsculo, vi a una muchacha ofreciéndome su torneada nuca mientras se abotonaba una sandalia, con la rada al fondo, con sus juncos, sus sampanes, los modernos edificios de Kowloon.

No sé cuántas vueltas he podido dar al mundo en estas semanas sin horas, náufrago de un horario desnortado que me recuerda a cuando estaba enfermo en la infancia y el aire era inmortal entonces, aquellos días que de pronto han vuelto para mí porque quizás nunca se fueron del todo, estuvieron ahí siempre, como un valioso tesoro enterrado en lo más hondo de la última gruta del desierto.

Así que no he parado de pasearme por infinidad de sitios, por los oscuros espacios de mi infancia incluida —abierta para mí ya para siempre, sin obstáculos—, no he parado de ver a seres humanos en los más grandes y en los más pequeños lugares de la Tierra, pero no he terminado de perder de vista a Vilnius, tal vez movido yo por cierta inercia hacia mi mundo de antes y porque seguramente pertenezco a la tribu de ese tipo de tontos a los que, llegándoles un día la oportunidad de visitar todos los lugares de la Tierra y del espacio (porque éste ya no es nada para ellos), se abren por fin a todo y se dejan llevar y se desplazan a los lugares más impresionantes, pero les queda siempre una tendencia a volver de vez en cuando a sus ámbitos familiares, a sus estrechos territorios egoístas y caducos, a aquellos aburguesados lugares cerrados que tanto tiempo les oprimieron y les redujeron a la condición de personajes de pobres melodramas y les alejaron del gran mundo abierto y libre: aquellos lugares cerrados donde precisamente peor lo pasaron y donde para colmo, si insisten en ese error de querer regresar a sus más íntimos espacios de la desgracia, peor aún lo pueden volver a pasar.

10

Débora aparentemente ya dormía y Vilnius, para aplacar su insomnio, se dedicó a recordar la mañana en la que vio por última vez a su padre. Reconstruyó bien ese último encuentro, pero siempre con el temor de que se infiltrara en un momento determinado la mente de su padre en sus recuerdos y lo tergiversara todo. En la memoria de un día como aquél, la versión compartida con su padre (con lo confusa, además, que podía ser en ese caso concreto la aportación paterna), podía resultarle nefasta a Vilnius. Pero en momento alguno apareció Lancastre, ni sombra de su shakesperiano fantasma. Como si a su padre no le quedara la menor memoria de aquel último encuentro con su hijo, quizás ya no le quedaba ningún tipo de memoria ni experiencia que transmitir.

Poco a poco, recordando aquella última comida en un restaurante cercano al Littré, Vilnius fue adormeciéndose y el recuerdo de aquel último día que vio a su padre fue convirtiéndose dulcemente en una imagen de cristales sucios de ventanas en los que finas marañas de polvo cubrían el filo de las celosías. Cada vez soporto menos —imaginó que pensaba en aquel momento su padre, como hablando desde una de aquellas ventanas— lo que sucede en interiores egoístas y caducos, y ya no puedo soportar lo que pasa en todos esos pudientes lugares de la Tierra, abiertos o cerrados, lugares que durante tiempo me oprimieron bestialmente. Por cuantas más lluvias atravieso, menos afín me siento a todas esas vidas que parecen novelas y a todas esas novelas que parecen vidas. Porque nada de lo que se agita en ellas me exalta ya. Todos esos enredos, llantos con mocos, pobres mensajes cibernéticos, amores siempre truncados, efusiones enfermizas, grandes escenas ridículas, gente que es colérica y otra que es dulce y simpática, leves pasiones gruesas, momentos trágicos y otros tan risibles, siempre igual, la humanidad no cambia, todo se repite de mil modos distintos, ratos tan severos y otros tan fútiles, desconsuelos pasajeros y otros tan eternos, todas esas historias de siempre que cada día me llegan más ya sólo en forma de destellos miserables, estados rudimentarios donde todas las estupideces andan sueltas, donde el ser —como en todas las novelas burguesas— se simplifica hasta la tontería y se ahoga en vez de nadar adaptándose a las condiciones del agua.

Un largo silencio nocturno, dominado por el rumor del viento afuera en la calle, fue abriendo paso al lento e inesperado despertar falso de Débora, falso porque no despertó exactamente, sino que habló en sueños, habló para sí misma. Habló y dijo que había pensado en aquella autenticidad de la que tan orgulloso Vilnius se sentía y de la que a ella sólo se le ocurría decir lo siguiente: estaba ligada al llanto.

Nada tan frustrante como hablar a una persona que habla dormida, porque es la antesala de hablarle a una persona muerta. Vilnius zarandeó a Débora para que le explicara por qué su autenticidad tenía que estar ligada al llanto, pero ella permaneció callada. Vilnius sintió que se había quedado más solo en el mundo que nunca, quedaba la esperanza de que todo aquello fuera provisional. Por unos momentos, oyó hasta el crujido de la rueda del universo, e incluso hasta el ruido del tiempo, el tiempo que fluía incansable en mitad de la noche, de la noche tierna, de la noche suave, tan terrible.

Vilnius se quedó recordando cuando dos días antes Débora le había cuestionado esa autenticidad de la que él, en oposición a las múltiples identidades de su padre, tanto alardeaba. Y recordó que ella le había hablado de que nuestro cerebro estaba en constante cambio y en realidad lo que considerábamos nuestra identidad era un espejismo, pues nunca somos iguales a nosotros mismos, porque nuestro cerebro, que no es más que el núcleo de nuestro yo, siempre está mutando.

Se durmió luego Vilnius y creyó encontrarse en un palco de teatro que en realidad, si se miraba bien, se veía con toda claridad que no era un palco, sino un escenario en el que cabía toda la humanidad, un escenario universal que se desfondaba hacia un espacio vacío, sin límites. Alrededor del falso palco, de los costados y de lo alto caían rayos de luz: una luz blanca y sin embargo suave desvelaba literalmente el primer plano del falso palco que se desfondaba, mientras que su fondo, detrás de un terciopelo rojo que se plegaba con muchos matices, parecía un vacío oscuro de resplandores rojizos: resplandores que sólo era posible ver, le decía su padre, en el gran Teatro de Oklahoma, el mayor teatro del mundo, constantemente anunciado por trompetas incansables que al tiempo que buscaban captar espectadores para la nueva función, también convocaban para el día del gran Juicio Final, que iba a tener como escenario aquel falso palco, al que nadie era capaz de verle límite alguno.

Le despertó el pequeño transistor del vecino vengativo y creyó reconocer *I Got a Right to Sing the Blues*, cantado por Billie Holiday. Aquel blues era más suave incluso que la noche y Vilnius fue atrapando el sueño en brazos de esa música mientras recordaba la mañana en la que se colocaron él y su madre y los hermanos de su padre alrededor del féretro del gran Lancastre, en los puestos de honor allí en aquella vieja capilla barcelonesa y a él le tocó abordar el discurso fúnebre, que enfocó en torno a cómo su padre había construido su vida alrededor de una inquietud máxima por su legado, por el qué dirían de él cuando llegara la hora de enterrarlo.

A causa del poco tiempo del que pudo disponer para preparar su discurso, leyó unas palabras que sonaron falsas, no suyas, como si se hubiera plegado a lo que deseaba el difunto que se dijera de él en la última ceremonia. Es más, improvisó de pronto y comenzó a elogiar la originalidad de los juegos literarios del fallecido, así como el mérito de sus constantes ficciones presentadas a veces con tanta solvencia a la hora de hacer creer a todo el mundo que eran hechos reales, la grandeza de su huida del clasicismo al proponer la interrupción como sistema, su exquisita corrección al ejercer de maravilloso padre severo y, finalmente, su no menos maravilloso servilismo con la sociedad del espectáculo...

Ya en el camposanto, creyéndose perseguido por su padre a causa de aquella referencia final al servilismo, se había dedicado a cerrar todo el rato los ojos y a no querer ver nada de lo que ocurría a su alrededor hasta que, moviéndose por supuesto tan sólo en el terreno de su imaginación, agarró mentalmente una gigantesca pala y, dando por hecho que su padre no pesaba tanto como en la vida real, lo recogió con una especie de gran cuchara y lo lanzó con precisión —creyó ingenuamente en aquel momento que de forma definitiva— al profundo hueco abierto en la tierra.

Después de haber creído tanto en aquel hueco no resultó extraño que en los días siguientes quedara literalmente preso de ese recuerdo de lo imaginado en el camposanto, de ese recuerdo de los ojos cerrados y también del no menos penoso o turbulento recuerdo de cuando los abrió y vio que los enterradores estaban colocando el ataúd sobre las cintas de lona del mecanismo eléctrico que lo bajaría al padre hacia la fosa en la que había abundancia de catafalcos.

Los muertos, pensó Vilnius aquel día, son involuntariamente promiscuos. Le era del todo imposible en ese momento imaginar hasta qué punto podían llegar a serlo.

VII

UNDER THE MANGO TREE

1

A la mañana siguiente, bajaron muy tarde a recepción y comentaron con Shekhar la urgente necesidad de un cambio de cuarto para que su vecino quejica pudiera dormir de noche y sentirse luego más en forma a la hora de vender sus yogures.

Después, cuando los dos jóvenes ya salían del hotel con la idea de ir a tomar el aperitivo en algún bar del barrio, se acordó Shekhar del mensaje que para ellos habían dejado por teléfono dos individuos extraños, que dijeron llamarse... El hindú titubeó y buceó lentamente en su memoria sin dar con lo que buscaba, por lo que acabó recurriendo al papel donde había anotado los nombres: Rosencrá y Guildestén.

Extraño que nos llame alguien, opinó Débora. Se negaron a dejar mensaje, sólo sus nombres, dijo Shekhar. Me suenan, dijo Vilnius. Lo único que sé, dijo Shekhar, es que Rosencrá, o fue quizás Guildestén, insistió en que os dijéramos que habían llamado temprano y que hiciéramos hincapié en eso, en que habían llamado muy temprano, y se empeñaron, con muy malas pulgas, en que me aprendiera de memoria sus nombres. ¿Para qué demonios querrían que me aprendiera sus apellidos raros?

Desde luego hay gente para todo. Y para desear el mal también, apostilló Débora.

Se despidieron de Shekhar y fueron a tomar el aperitivo a la terraza de la cervecería Hamelin, un lugar de la calle Urgel con Londres regentado por unas mujeres chinas muy activas, trabajadoras natas. Allí decidieron que, a partir de aquel día, saludarían a la escasa gente que les caía bien arrimándose de repente a ella al estilo Shekhar, es decir, avecinándose mucho, para poco después simular teatralmente una pérdida de equilibrio y un conato de desmayo y acabar apoyando la cabeza sobre el hombro del saludado. Todo muy rápido. Un saludo que mejoraría la parafernalia de la sociedad infraleve que andaban creando y un saludo que en todo caso no preveían prodigar demasiado, ya que intuían difícil encontrar muchas almas gemelas por las calles de este mundo.

Después fueron al bar de enfrente, al Mokarico, que cuarenta años antes había sido la pizzería Mario, el primer restaurante italiano abierto en Barcelona, un lugar muy frecuentado en su tiempo por el joven Lancastre, obcecado cliente que pasaba tantas horas allí que por aquellos días mucha gente llegó a creer que él era el hijo de Mario, el dueño. Por momentos, especularon Débora y Vilnius con la posibilidad de incluir en las memorias apócrifas de Lancastre episodios juveniles que tuvieron lugar en esa pizzería que fue centro de la bohemia artística barcelonesa a finales de los sesenta. Enredos creados por el equívoco de que el joven Lancastre era el hijo de Mario, por ejemplo. Quién lo diría, dijo Débora, que este lugar llegó a ser centro de algo, hoy en día parece el hueco más irrelevante de la Tierra.

Cuando el camarero del Mokarico se acercó para

preguntarles qué iban a tomar, le dijeron si sabía dónde había estado en otro tiempo una pizzería que se llamaba Mario. Ni idea, se limitó a contestarles. Le pidieron dos gin-tonic y, cuando se fue, Vilnius le preguntó a Débora si se había fijado en cómo les había mirado. Sé a lo que te refieres, dijo ella, tiene que haber algo que hace que uno mire donde mira cuando mira. ¿Podrías repetirme eso?, pidió Vilnius. Ella no lo repitió y acabaron hablando del temor que les inspiraba Laura Verás. Hablaron también de ese miedo mientras comían en Il Commendatore, donde también volvieron a conversar sobre lo interesante que sería no hacer nunca nada en la vida, pues el ejemplo de una trayectoria de trabajo y sudor como la del padre de Vilnius no alentaba a ningún tipo de imitación. ¿Para qué tanto esfuerzo si a fin de cuentas, como decía Voltaire, «nadie ha encontrado ni encontrará jamás»? ¿No sería mejor tratar de vivir en un «estado poético»?

Vilnius evocó el recuerdo de un grafiti que parecía que hubiera acabado de escribirlo Guy Debord con su propia mano: *Ne travaillez jamais* (No trabajéis nunca). Y Débora dijo que en una época de crisis como la que les había tocado vivir, quizás lo más alto a lo que ellos podían aspirar fuera a encarnar el espíritu de la crisis. Obrarían siempre de forma tal que, en cuanto tuvieran una idea, se resistirían a llevarla a la práctica. No habría nadie en el mundo tan consciente de la desilusión que sigue a toda obra humana, y eso haría que se ahorraran cualquier acción para evitar el fracaso. Puesto que había crisis, ser la crisis misma les podía salvar de ella. Pero ya me dirás, dijo Vilnius, cómo hace uno para convertirse en la crisis. Débora le miró con severidad y estuvieron sin hablarse hasta que tras los postres dinamizaron o dinamitaron la situación pidiendo cuatro *grappas*, dos por cabeza.

Ese pedido algo salvaje les catapultó hacia sensaciones nuevas, y poco después, notablemente eufóricos, salieron disparados hacia la vecina Filmoteca, donde a las cuatro de la tarde proyectaban otra película del ciclo *Francis Scott Fitzgerald y el cine*. En la sesión nocturna del día anterior se habían perdido *Suave es la noche*, adaptación de Henry King de aquella triste y elegante novela que hablaba de los amores de un psiquiatra con su paciente. Pero esperaban no perderse por nada del mundo la que estaba anunciada para dos días después, *Tres camaradas*, de Frank Borzage. Ése era un film que Vilnius, sin decírselo a Débora, deseaba a toda costa que ella viera, pues tenía un oculto y tierno plan: al salir del cine, sabiendo que ella no había oído hablar nunca de aquel «Cuando oscurece, siempre necesitamos a alguien» y, por tanto, no sabía que le había servido a él de procedimiento formal para adentrarse en zonas oscuras de la realidad, pensaba averiguar si de verdad Débora le amaba y, de paso, averiguar también si aquel método de la frase-motor que utilizaba con fines detectivescos le ayudaba realmente a saber más de lo que sabía acerca de una serie de cosas sobre las que daba demasiado por hecho que lo sabía todo y sobre las que intuía que en el fondo no sabía nada, pero es que nada.

2

Vieron en la primera sesión de la tarde *El último magnate* (*The Last Tycoon*), aunque Vilnius no se fijó mucho en lo que aparecía en la pantalla porque encontró ampulosa aquella película y prefirió pensar en las obras de arte que podía inventar, ensayar con Débora en los siguientes días: obras infraleves, prácticamente aéreas, y casi invisibles; si bien estaban de acuerdo los dos en que lo mejor sería no aspirar a nada, estaba claro que a algún lugar tendría que ir a parar diariamente esa única idea creativa que pensaban tener por día.

Teniendo en cuenta que ellos eran dos jóvenes artistas enfermos, Vilnius pensó que, a nivel creativo, quizás el tipo de obra maestra más a su alcance sería alguna que perteneciera a ese tipo de género que Truffaut había bautizado como el de *les grand films malades* (grandes películas enfermas), expresión que aplicó por primera vez cuando vio *Marnie* de Hitchcock, film que, a pesar de sus numerosos errores, admiró, porque sus grandes defectos acababan por hacerlo misteriosamente apasionante, una obra artística con padecimientos internos.

Ellos, siguiendo su plan de una sola idea (secreta) al día, podían crear diariamente obras maestras de este estilo (obras que no llegarían a ser o que nacerían ya muy enfermas), y así se lo dijo a Débora a la salida de la Filmoteca, después de ver la terrible película ampulosa.

¿Grandes películas enfermas?, le preguntó con cara de extrañeza Débora. ¿Por qué no?, dijo él, obras además no visibles, «indispuestas». Creo que sí, dijo Débora, creo que has tenido una buena idea, ya no es necesario que hoy tengas ninguna otra, pero ahora me gustaría saber qué padecimiento interno podríamos insertar en las memorias abreviadas de tu padre. Vilnius quedó pensativo. Ninguno, dijo finalmente, porque he pensado que, dado que te mueves dominada por tu espíritu infraleve y no te decides ni a comenzar esas memorias, será mejor que haga ese libro alguien por nosotros y que quien lo haga ya se encargue de poner ahí su propio tormento, padecimiento y carencias. ¿Estás diciendo que le encargaremos a alguien ese manuscrito, que también puede acabar siendo una gran autobiografía enferma?, preguntó ella. Algo así, dijo él. ¿Y en quién has pensado?, preguntó Débora, que parecía encantada de no tener que escribir el libro. He pensado en alguien que no esté indispuesto, se limitó a decir él. Está claro, dijo ella, que ese padecimiento interno no se va a parecer al que habríamos puesto nosotros... No, dijo Vilnius, sobre todo si escribe el manuscrito quién ahora mismo acaba de ocurrírseme que lo escriba, porque entonces será un padecimiento propio de un escritor de la generación de mi padre, un hombre de finales de los años cuarenta, como él. ¿De finales de los cuarenta?, preguntó Débora. Sí, dijo Vilnius, un tipo de esos que todavía cree en los valores burgueses del esfuerzo y del trabajo y cree también todavía en lo esencial de tener un discurso propio y en todas esas cosas tan admirables que las *grappas* y las mejores barras de los bares de hoy convierten en nada, en ridículas aspiraciones de pobres diablos.

Se oyó una gran carcajada, inédita en Débora, que solía reír de otra manera. Ya sé en quién piensas, dijo ella. Le habían hecho feliz como nunca aquellas palabras de Vilnius, tanto que puso de pronto una cara de inexpresividad absoluta y luego se echó encima de él y, con su habitual agilidad, apoyó la cabeza en su hombro izquierdo y simuló un desvanecimiento para casi inmediatamente después, con asombroso arte, recuperar la posición vertical que tenía antes de aquel breve impulso.

3

Mientras volvían hacia el Littré y Vilnius iba pensando en cómo, a medida que se acercaba el atardecer, el mundo parecía oscurecerse de un modo que daba miedo, el joven Sánchez, su vecino de habitación en el hotel, se disponía a efectuar su traslado de cuarto y, según contaría dos horas después a la policía, oyó que llamaban a la puerta y, creyendo que venían a ayudarle a trasladar su equipaje, abrió confiado. Se llevó una buena sorpresa. En el umbral había un tipo muy alto con gabardina a la moda, barba postiza y sombrero tirolés, armado con un bastón. Y el joven Sánchez ya no pudo apartar más la mirada de aquel bastón. No pasaron de siete los golpes, pero todos fueron dados con extraordinaria destreza. Tiene que haber algún malentendido, fue lo que Sánchez acertó a repetir más veces entre bastonazo y bastonazo. Y fue también lo que más le dijo a la policía, poco antes de que ésta decidiera hospitalizarlo.

Se discutió en el hall del hotel acerca de lo ocurrido y se llegó a la conclusión de que para entrar sin ser visto el bastoneador había tenido que aprovechar los minutos en los que Shekhar dejó sin nadie la recepción para llevar a Tempus Fugit el reloj que el día anterior se le había parado y tanto trastorno había terminado por causarle, por causarle a él y ya no digamos al pobre bastoneado, víctima indirecta de aquel abrupto cese de funciones del reloj del recepcionista y después del recepcionista. Porque sólo unos minutos se había ausentado Shekhar del hall, pero fueron suficientes para el bastoneador, que entró sin ser visto. Al salir, en cambio, le vio un botones y le vio el propio Shekhar, ya de vuelta de Tempus Fugit, pero no sospechó, no sospecharon nada, quizás a aquella hora de la tarde estaban todos medio lelos, el caso es que ni siquiera les sorprendió la evidente barba postiza.

Todo comenzó a teñirse de perplejidad y absurdo pero también de temor cuando, al caer la tarde, ya cuando se había ido la policía, Vilnius descubrió con horror en el buscador de Google que la voz Rosencrá y Guildestén conducía irremediablemente a otra voz, ésta con los nombres escritos correctamente, «Rosencrantz y Guildenstern», los amigos de infancia de Hamlet que la reina de Dinamarca envío a Elsinor para que averiguaran qué mal aquejaba a su hijo. Eran dos personajes secundarios, cortesanos algo bobos, que en la obra de Shakespeare funcionaban como una especie de resorte para la decisión del príncipe de llevar a cabo su venganza. En un momento determinado, Hamlet descubría que habían sido enviados por su madre y por el rey Claudio y no dudaba en acabar con ellos. Y al hacerlo —Hamlet había matado ya, sin premeditación, a Polonio y no se había arrepentido del crimen—, comenzaba a cogerle gusto al asesinato y dejaba de contemplar con dudas y extrañeza la posibilidad de vengar violentamente la muerte de su padre.

Vilnius terminó preguntándole a Débora si no sospechaba, al igual que él, que al bastoneador Rosencrantz (o Guildenstern) lo había enviado Laura Verás y simplemente se había equivocado de puerta y confundido de víctima. Débora reaccionó de forma inesperada y preguntó si el bastoneador se llamaba Rosencrantz o era un señor que golpeaba y no se llamaba ni Rosencrantz ni Guildenstern. Por favor, le dijo Vilnius, no te desvíes de lo que digo, tiendo a pensar que lo ha enviado mi madre. ¿Es que no lo ves? El vendedor de yogures, salvando todas las distancias insalvables, siempre se ha parecido bastante a mí.

Fue decir esto y ver cómo a Débora le mudaba la expresión apacible de su rostro y hasta se modificaba su voz. De pronto, tenía todo el aspecto de haber entrado en trance. Se le enrojeció la cara, se fue dejando dominar por una furia extraña, como si estuviera entrando en el preámbulo de la tan temida crisis nerviosa. Le llegó la hora a tu señora madre, dijo. ¿Qué?, preguntó Vilnius, que oyó muy bien aquello, pero estuvo torpe a la hora de reaccionar y cuando se disponía a preguntarle de qué le estaba hablando, descubrió que Débora había cerrado una puerta y después otra y se había esfumado. Salió detrás de su novia, pero perdió un tiempo precioso abriendo puertas y también lo perdió cuando Shekhar se abalanzó sobre él para echarle el aliento y contarle una idiotez. Cuando alcanzó la calle, no había ya ni rastro de Débora. En la Bernat le dijeron que la habían visto parar un taxi y que parecía rara, más nerviosa de lo habitual. Desde luego iba más que acelerada, hasta dentro del taxi parecía que corriera, le dijo Montse.

4

Tenemos a Débora, le decía por teléfono, una hora después, Laura Verás a su hijo. Por cierto, sin mucha ropa, añadió. ¿Tenemos? Vilnius ya sabía adónde ir y salió disparado. Cuando llegó al piso de la calle Provenza, encontró la puerta entreabierta y un gran silencio por toda la casa. Avanzó por el pasillo y, al pasar por el que fuera el despacho de su padre, lo vio cambiado, con extraños cubos de agua jabonosa tintada de rojo y latas de pintura sobre la mesa de escritorio y pinceles encima de las latas. Aquello tenía visos de ser una profanación gratuita del santuario de Lancastre. Siguió su camino, siempre acompañado por el inquietante silencio, hasta que llegó al salón donde vio a Débora en sostén y sin bragas y de rodillas sobre una silla a la que la habían atado con gruesas cuerdas, jirones de su vestido rosa por el suelo, la boca tapada con un paño rojo de cocina, el culo en posición idónea para ser de inmediato penetrado.

—*Under The Mango Tree* —dijo su madre.

5

¡Cómo se contraponía aquella escena desgraciada a su imagen idílica de la felicidad bajo un árbol del mango! Vilnius trataba todo el rato de despertar, como si aquello no pudiera ser la realidad. Pero lo era. Y era curioso ver cómo el hecho de que pareciera una escena teatral aún le daba un aire más real. Al lado de Débora, se hallaban Laura Verás y Claudio Arístides Maxwell, de pie, radiantes de poder posar junto su presa. Cogidos amorosamente del brazo y mirando a una supuesta cámara que sería el propio Vilnius, parecían parodiar a conciencia la pose de las parejas matrimoniales ante los fotógrafos de bodas. Sólo faltaba el pastel.

No es una bonita forma de invitarnos a cenar, dijo Vilnius, creyendo que en la vida real este tipo de frases ingeniosas funcionan igual de bien que lo hacían en las películas de los años dorados de Hollywood. Pero la frase cayó simplemente como un débil petardo en medio de los crueles juegos artificiales que habían montado aquellos dos monstruos. Vilnius le quitó como pudo la mordaza a Débora y luego le dijo a su madre que le gustaría saber qué clase exactamente de pervertida era ella, al tiempo que, perdiendo los nervios, se abalanzaba sobre Max para tratar de darle un puñetazo, no logrando más que recibir un golpe importante, brutal, que le dejó tumbado sobre el sofá y le hizo ver las estrellas literalmente; vio las estrellas, pero también un limonero en un paisaje tibetano, imagen esta última poco pertinente y que le pareció una infiltración mental paterna fuera de lugar en momento tan dramático como aquél, aunque —todo era posible— quizás fuera una venganza por haberle quitado la novia, un obsequio tibetano cargado de intencionada bilis.

Mientras Débora aullaba —literalmente aullaba de rabia y de dolor por todo lo que le había ocurrido en la última hora—, aún le quedaron arrestos a Vilnius para pedir, de una forma un tanto estrambótica, explicaciones de por qué estaba Débora atada de aquella forma.

—Lo hemos intentado todo para calmarla, pero ni dándole por el culo se aplaca tu novia —dijo Max.

6

Vilnius pasó un largo rato tratando de contenerse para no abalanzarse sobre el amante de su madre y acabar recibiendo nuevos golpes. Pero, a los pocos segundos, entró en su mente la imagen de un taxi que iba por el Londres de finales de los sesenta, un taxi que ya empezaba a serle familiar porque se había infiltrado en su cabeza ya en otra ocasión. Dentro del taxi iba su padre, joven gamberro, provisto de una dentadura postiza que se había insertado entre las nalgas para arrancar los botones de los asientos de atrás de los coches. En cuanto su padre joven logró arrancar uno de esos botones, el gesto de erradicarlo hizo a Vilnius saltar hacia adelante como si fuera el propio botón. Sin duda, su padre esta vez se había infiltrado con tan insana habilidad que le empujó materialmente hacia adelante, como si su culo saltara, y el pobre Vilnius, convertido de golpe en una especie de botón enfurecido, saltó encima de Max, que paró con sencillez el golpe y tras un soberbio manotazo le hizo encajar a Vilnius un gancho de izquierda que le dejó noqueado por un rato.

Le rodó la cabeza a Vilnius y vio primero ataúdes flotantes y luego a su padre sentado en un banco de la estación de Portbou preguntándole por qué le interesaban las historias ajenas y si también era él uno de esos seres que eran incapaces de rellenar los vacíos entre las cosas.

¿No te bastan tus propios sueños?, terminó preguntándole su padre, dueño cada vez más de un humor enervante que iba en aumento, como si a medida que se alejaba de la Tierra y de su propia muerte le fuera entrando una risa que crecía en proporción opuesta a la fuerza, antaño sólida, de sus ideas más serias, aquellas que parecían ya haber quedado sepultadas para siempre bajo botes de pintura en su profanado despacho.

—Y dime, bonitito, pequeñito, ¿no te basta con tu propio casquito?

7

Una hora después, en una estampa tan rara como adorablemente familiar, tomaban el té juntos, como si no hubiera pasado nada. Allí estaban los cuatro, a primera vista tan tranquilos. Débora, Max, Vilnius y su maravillosa madre. Los cuatro tratando de olvidar la violencia que una hora antes había allí explotado, en parte obligados a olvidarla porque Max había anunciado que Débora y Vilnius no saldrían libres de allí si no fumaban la pipa de la paz. Pero fumarla no significaba sellar un acuerdo de tregua en la lucha, sino quedarse allí a oír con paz de espíritu lo que quería contarles Max y que no era otra cosa que la historia de cómo, por encargo de Laura, él había asesinado a Juan Lancastre. Le había ejecutado, les dijo, con un sistema infalible, copiado de Graham Greene, aquel escritor inglés que él tanto admiraba y que, dicho fuera de paso, en cuestiones criminales se las sabía todas.

Max utilizó el sistema perfecto, dijo Laura, el «sistema Brighton Rock», que no deja huellas y parece un infarto cuando no lo ha sido.

Vilnius no podía salir de su asombro. Los dos monstruos hablaban como si recitaran sus papeles en una obra de teatro, pero estaban diciendo la verdad, la pura verdad. Y disfrutaban, seguramente se corrían de gusto, contándola impunemente a la pobre parejita retenida en aquella casa. Débora, por su parte, más que tratar de salir de su asombro, lloraba, sin duda porque comprendía que aquello que le estaban contando era totalmente verdad, pero fuera de aquel escenario íntimo, familiar, siempre los asesinos lo negarían.

Vilnius hizo un amago de querer marcharse. Como mínimo, irse de allí, pensó. Irse y luego seguir propagando por todas partes —aunque no tuvieran pruebas— que el gran Lancastre había sido asesinado por su mujer y su repugnante amante. Pero Max le miró como diciéndole que aún no podía irse. Fue también como si le hubiera dicho que deseaba seguir disfrutando con aquella confesión que jamás volvería a oírse fuera de aquellas cuatro paredes.

Puedo imaginar a tu padre en los últimos segundos de su asfixia, le dijo Laura a Vilnius, puedo casi percibirle viéndose caminar por el otro mundo, por una arena ardiente en dirección a una ola azul, azul. Qué felicidad da ese color, debió de pensar. Nunca creí que había un azul tan azul. ¡Qué gran embrollo ha sido mi vida! ¡Y qué final tan poco desahogado! Ahora lo sé todo, llega para mí solo una ola azul, muy azul, que viene a ahogarme. Ahí está, ya no respiro.

Siguió una carcajada terrorífica de Laura Verás. Se había hecho gracia a sí misma imaginando el asesinato de su marido y jugando quizás con el azul de los ojos de Débora. Su risotada pretendía parecer despiadada, pero a Vilnius le sonó impostada, como salida, por decirlo de algún modo, de la serie *La familia Monster*, aquellas criaturas de películas de terror cómico de la televisión. A aquellos dos monstruos asesinos se les notaba que hacían un notable y cómico esfuerzo por parecer más monstruosos de lo que eran, lo cual era un esfuerzo totalmente ridículo, porque monstruos lo eran en tan sumo grado que era imposible que pudieran serlo más.

Max interrumpió la risotada para comenzar a detallar mejor la forma en la que había matado a Lancastre sin dejar huella alguna. Le había asesinado metiéndole por la garganta un palo de un caramelo duro de color muy azul conocido como Brighton Rock, un bloque de hielo de sabor dulce pero mortal, que no dejaba huellas en el cuerpo, porque era a fin de cuentas pura agua que se derretía en la boca, de tal forma que si alguien hacía la autopsia llegaba a la conclusión de que el difunto había muerto de un infarto.

Más claro el agua o, mejor dicho, Brighton Rock, dijo Laura y se quedó esperando a que le rieran la nueva gracia. Lo que menos esperaba Vilnius en ese momento era que a su padre, desde sus lejanos dominios fuera del universo, le diera por añadirse a la sesión de té y tratara de infiltrarse en la mente de su hijo a base de risas absurdas, pues pretendían reírse de lo que pasaba allí sin saber para nada lo que estaba pasando. El caso es que Vilnius se empeñó en sofocar la sin duda inoportuna intromisión paterna y al final fue sometido por las carcajadas sin brújula de su padre, lo que le sacó tanto de su órbita pacífica que provocó que de nuevo él —humano como era y, como tal, proclive a repetir tenazmente sus propios errores— terminara por abalanzarse sobre el gigante Claudio alias Max, cuya cara se iluminó nada más ver que le llegaba una oportunidad con la que no contaba, una nueva posibilidad de seguir probando variantes distintas del siempre clásico ejercicio del sobrio y eficaz guantazo seco.

Fue un gancho de izquierda irreprochable, pues le sobraban al agresor motivos para ejecutarlo. Por si fuera poco, Max se dedicó a justificarlo después de haberlo dado: defensa propia y la certeza de que sólo de aquella manera se podía mantener a raya a dos jóvenes que en su locura iban diciendo por Barcelona que Laura Verás y él eran unos asesinos.

—Pero ¿no acabas de confesar tu crimen? —le preguntaba un noqueado Vilnius a Max minutos después.

—Sí, claro. Pero ¿no te han enseñado todavía a distinguir entre ficción y realidad? ¿Y tú quieres hacer cine? Parece que tengas menos de diez años y eso da verdadera pena, muchacho.

VIII

1

Algunos días después, volviendo a evocar las dolorosas escenas de humillación de aquella tarde en casa de su
madre, pensando en el carácter ya irreversible de aquellos
hechos tan viles, entre los que destacaba la confesión de
un asesinato, pero a los que había que añadir, por ejemplo, la insoportable imagen de los botes de pintura roja en
el santuario profanado de su padre, Vilnius reflexionó
acerca de la vida. En ella, en la famosa vida, pensó, todo
acaba pareciéndonos tan denigrante que tenemos la impresión de que no puede ser que sea todo verdadero. Y, sin
embargo, todo aquello que hemos vivido creyendo que
alucinábamos, pues parecía improbable tanta ignominia
y degradación juntas, es precisamente lo que constituye
el núcleo duro de nuestra única realidad. Vivimos para
comprender que la vida repite siempre un mismo guión,
traza siempre la misma historia: el relato incombustible
de cómo somos educados para ir con el tiempo resignán-
donos a aceptar que todo eso que se sitúa por debajo de
nuestra dignidad, todo eso que tanto nos horroriza, no es
más que la única realidad que existe, lo único que la vida
nos tenía reservado, el ingrato teatro de nuestro destino.

2

Una tarde especialmente oscura y lluviosa, con mucho viento, unas dos semanas después de su *Teatro de ratonera*, me crucé con Débora y Vilnius en el minúsculo taller de relojería Tempus Fugit, en la calle Buenos Aires, esquina Villarroel. Me encantó coincidir allí con ellos. Habían ido a cambiar la pila de un Tissot y yo, siguiendo las tiránicas instrucciones de mi horóscopo, había ido a comprar un reloj casi arcaico que debía regalar a mi mujer en el treinta aniversario de nuestra boda.

En realidad, aquel reloj era el primer paso de una calculada sucesión de maniobras con las que pretendía acercarme cariñosamente a mi mujer para que comprendiera que no tenía nada contra ella, todo lo contrario, pero me proponía ya no escribir en mi vida un solo libro más y lo que quizás resultaría más difícil: entrar muy pronto, en cuanto me atreviera a hacerlo, en una especie de mudez radical que me llevara a hablar sólo lo más estrictamente indispensable. Esperaba que mi mujer no llorara el día en que comprendiera que no le había estado hablando en broma y esperaba que supiera comprender que era una elección de vida muy respetable: ya había escrito y hablado mucho a lo largo de tantos años y ahora deseaba mostrarme consciente ante la gente de estar solo en el mundo, eso que los demás también saben, pero se niegan a admitir del todo.

Sería la nueva vía que emprendería en mi vida y esperaba ser más feliz que cuando escribía y hablaba por los codos.

Pero faltaba que mi mujer comprendiera mi ilusionante nueva etapa. Por eso aquel día había entrado en

Tempus Fugit para comprarle un reloj en el treinta aniversario de nuestra boda.

Me sorprendió un poco notar que, a pesar de mis planes futuros de silencio, me alegraba tanto encontrarme con Vilnius y Débora. Pero es que uno no cambia de la noche a la mañana y yo soy indiscreto, rasgo de carácter bien habitual en los que se dedican al oficio de narrar y rasgo —vi ese día con toda claridad— que permanece en uno aun cuando haya decidido secretamente no volver a escribir ningún otro libro más.

Pero es curioso: de niño no tenía ni mucho menos la curiosidad de ahora, lo que me ha llevado siempre a pensar que la mía es una curiosidad que fui adquiriendo con el tiempo, casi sin darme cuenta, arrastrado tal vez por mi temprana decisión de escribir y por el no menos temprano descubrimiento de que a mí no parecía que fuera a ocurrirme nunca nada lo suficientemente interesante para que valiera la pena poder contarlo. Una contrariedad para alguien que habría preferido que su vida le ofreciera la oportunidad de tener algo atractivo que narrar. Quizás eso explique que muy pronto, de forma tan desesperada, me lanzara a la observación de la vida cotidiana de los otros, en busca maniática de historias que pudiera hacer mías. No es que encontrara muchas, pero me fui convirtiendo en alguien a quien se le fue adhiriendo, al modo de una lapa obsesiva, una notable y falsamente innata curiosidad por todo, un tic irrefrenable que todavía hoy, quizás por pura inercia, observo que sigue perdurando en mí.

El caso es que, movido quizás todavía por esa inercia de buscar historias narrables en la vida real, encontré muy oportuno ese encuentro en Tempus Fugit, que me permitió saciar, además, cierta curiosidad por lo que les había ocurrido a ellos desde que concluyera tan abruptamente su *Teatro de ratonera* y les perdiera de vista. No se me escapaba, por otra parte, que desde que Vilnius escenificó su *Teatro de realidad* en San Gallen, había tenido la impresión de que la vida real había empezado a desplegar ante mis ojos —como si me hubiera elegido a mí como espectador privilegiado— una historia que parecía seguir ciertas pautas dramáticas.

A veces llegaba incluso a preguntarme si no sería que había ido a parar a un lugar que algunos creen imaginario y otros lo contrario, pero que todos llaman el gran teatro del mundo. Quizás había llegado a ese lugar, pero sólo para descubrir que en realidad era un teatrillo en el que podía yo cambiar de lugar y de escenario cuando quisiera, pero en modo alguno salir de él, pues nada había tan evidente como que fuera de ese teatro no había nada, ninguna vida alternativa a la que pudiera incorporarme. Por decirlo de otro modo, ese teatrillo relacionado con mi vida era el único espectáculo que había en la cartelera.

¿No sería que, por una vez, la vida real quería obsequiarme por fin con una historia que parecía interesante y, justo cuando quería no publicar más novelas y hasta quedarme incluso mudo, darme la oportunidad de vivir algo digno de ser narrado?

Fue quizás por eso por lo que en aquella tarde lluviosa miré de una forma muy especial (en el fondo con una ilusión desbordante) a Débora y Vilnius cuando los encontré en Tempus Fugit. Les interrogué, eso sí, con disimulo, aunque es posible que notaran mi ansiedad. De entre todo lo que me contaron, me impresionó especialmente la descripción fría y obscena de la gran humillación recibida en la casa de Laura Verás y su sensación de impotencia cuando denunciaron a los monstruos por asesinato y la policía archivó pronto el caso «por absoluta falta de pruebas». Naturalmente, todo esto no me lo contaron en Tempus Fugit, local de reducidas dimensiones y donde el relojero habría tenido forzosamente que enterarse de todo, sino en la cafetería Pepper's, situada frente a la relojería y lugar mucho más propicio para hablar de estas cosas, y más si, encima, como empezamos a hacer nosotros, enloquecidamente se le encargaban tequilas al camarero de la barra.

Qué felicidad. Mientras me contaban sus alegrías, el crecimiento (con mi ayuda) de su sociedad aérea e infraleve y otras escaramuzas —tardaron en coger confianza y abordar el relato de sus desgracias—, me dedicaba yo a preguntarme si lo que a ellos les pasaba no estaba misteriosamente relacionado con mi destino. Y para mí esto era como preguntarme si, desde el día del inesperado teatro de mi mujer con la carta suiza en la terraza de casa, no se habría puesto en marcha en algún lugar del universo la representación de una obra dramática particularmente apegada, adherida a la verdad más oculta de mi realidad.

3

Fuimos al Pepper's, pero no crean que fue fácil salir de Tempus Fugit. No sabría explicar por qué, pero lo cierto es que me pareció que en aquel local el tiempo se detenía literalmente, como los relojes parados que llevaba la gente a reparar allí.

De ese tiempo parado que transcurrió en la quietud de la relojería me ha quedado el recuerdo de mi alegría secreta al sentirme ante la perspectiva de quizás poder averiguar pronto cómo había evolucionado aquel raro psicodrama de Elsinor en el que los dos jóvenes parecían tan involucrados, aquel enredo en el que tan a fondo se había metido la voluble y joven, enferma y algo desquiciada, quizás chiflada, maravillosa pareja. Y recuerdo que no conseguía apartar de mi cabeza la frase que Vilnius había visto inscrita en la viga del techo de aquel despacho raro del señor Pechmann de Culver City, y que si no la estaba evocando mal decía así: «A nadie le gusta salir de Elsinor con tanto viento fuera.»

Quise impedir que entrevieran que estaba contento de haberlos localizado, pero conseguí el efecto contrario, se me notaba la alegría por aquel encuentro. Días antes, incluso había ido a comprarle libros a Montse en la Bernat y, aun a costa de que pensara de mí que era un perfecto chismoso, había aprovechado para preguntarle —Montse confirmaba siempre que era el latido y corazón auténtico del barrio, de aquel barrio nuevo al que ella muy particularmente me había facilitado la integración— si sabía algo de la desquiciada pareja del Littré.

Nada sabía de ellos, me había dicho Montse, nada absolutamente porque desde aquella noche hamletiana no había vuelto a verlos, ni siquiera lograba —era extraño, dijo— verles salir del Littré, tal vez porque elegían las horas de comer para salir a la calle, o porque salían disfrazados para no ser reconocidos, o porque quizás se habían ido «con la música a otra parte»... No les había vuelto a ver, me dijo Montse, pero sabía que la policía había tenido que investigar una agresión a un cliente del Littré y todo se había enrarecido mucho en el hotel de enfrente de su librería, también incluso en el local de al lado de la librería, en la peluquería de Harry Chong, donde al parecer, como si de una nueva moda se tratara, habían empezado a ir a cortarse allí el pelo individuos con aspecto de asesinos a sueldo.

—¿Y cómo se sabe que un cliente es un asesino a sueldo?

—Se sabe si poco después uno de ellos entra en el Littré y le da una paliza a un cliente del hotel. ¿Me comprendes? ¿O no has oído hablar del bastoneador del barrio?

—¿Del qué?

—Del bastoneador. Al pobre Chong, que por lo visto le cortó el pelo a ese matón y podía convertirse en testigo contra él, intentaron el otro día darle un gran susto. Para que no testificara, se supone. Así andan las cosas ahora por este barrio, antes tan sosegado, y ahora mucho menos desde que llegaste tú.

—¿Cómo? ¿Yo? ¿Y qué culpa puedo tener de esto? ¿De qué me culpas?

—De nada. Pero a mí no me engañas —sonrió—. Preguntas como las tuyas sólo las pueden hacer los culpables.

4

Humor, perdición y poesía. En ese triángulo parecía apoyarse la desactividad diaria de la joven pareja, que pronto adoptó la frase que me oyeron decirles al poco de encontrarnos allí en Tempus Fugit.

—No hacemos nada, pero somos indispensables —dijeron de pronto los dos casi al unísono.

—Es más, sois una sociedad de Oblomovs —añadí. Rieron entonces como descosidos y hubo un momento en que hasta me pareció que no pararían de reír ya nunca.

Nada más apoyarnos en la barra del Pepper's, Vilnius, más serio ya, se interesó por saber cómo iban mis cosas con el horóscopo. También si andaba tan desocupado todavía. Y si me estaba adaptando bien al barrio. ¿Y su mujer?, preguntó. Quería saber también si mi señora estaba conectando sin dificultades con el nuevo entorno. No la llames señora que suena antiguo, le dije. Tiene razón, contestó, hábleme pues sólo del horóscopo. Le dije cuál era mi oráculo del día: «Tienden a agilizarse problemas que afectan a la familia. No tome decisiones personales.»

Leído hoy, con mi perspectiva actual, descubro que la familia a la que se refería no era exactamente la mía, sino la que estaba engendrando el duelo por la muerte del padre de Vilnius, la comitiva digamos fúnebre que en aquel momento, algunas semanas después de su muerte, habían empezado a componer ya su hijo, Débora, el propio fantasma del difunto, y pronto yo mismo.

Lo desconocía casi todo sobre Vilnius y Débora y quería saber sobre ellos, y por eso les pregunté, aun a riesgo de parecer entrometido, qué habían estado haciendo inmediatamente antes de ir a Tempus Fugit. Enseguida me di cuenta de que empezaba a demostrar excesivo interés por saber todo lo que hacían y que semejante ansia oscilaba entre lo ridículo y lo sospechoso.

¿Qué habían hecho antes de entrar en la relojería? Nada, contestó de inmediato Débora. Porque no había nada, añadió, que les gustara más que no hacer nada. Ah, muy bien, dije por seguirle la corriente. Pedimos más tequilas y aproveché para bromear, pero sin duda con muy poco acierto, al preguntarle a Vilnius cuándo pensaba «cortarse el cuello» en Harry Chong. De nada sirvió que rectificara y dijera que lo que había querido decirle era «cortarse el pelo». Eso aún sonaba peor, me hizo saber Vilnius, porque le recordaba la manía que tenía su padre de querer llevarle a aquella barbería para que dejara de una vez por todas de parecerse a Bob Dylan.

—No hacemos ya nada —insistió Débora tomándose un vaso de tequila de golpe—, aunque eso sí, no paramos de tener proyectos y por tanto somos imprescindibles. Hoy, por ejemplo, esta mañana hemos organizado un congreso entre los dos, con ponencias de todo tipo, hemos imaginado diez o doce ponencias cada uno. ¿Y de qué hablábamos en ellas? ¿No se está preguntando usted eso? En todas de lo mismo, como corresponde a un congreso. En todas hemos hablado de «la fecundidad de cancelar», que es un bonito tema de discusión central para un congreso.

—¿De cancelar?

—Sí, eso es lo que usted ha oído. Hemos meditado acerca de lo que se inscribe y de lo que se oculta, de lo que es ilegible y de la creatividad de borrar... ¿Le interesa?

—Claro. ¡Un congreso entero en una sola mañana! Eso sí que es bueno. Pero para eso hay que tener mucha capacidad de trabajo —ironicé suavemente.

—Mire —dijo Débora cayendo en tópicos que la afeaban ligeramente—, todo es bueno si detrás hay una idea y hay creación, y usted, si quiere, ya puede reírse ahora de lo que le digo, porque yo voy a seguir igual de tranquila. Hacer no hacemos nada, pero hacemos mucho. Y eso que, créame, no sabemos casi nada del mundo y cada día nos gusta más dormir y no enterarnos demasiado de lo que ocurre por ahí. Nada queremos saber de corrupción, finanzas, poder, abusos. Y al mismo tiempo todo lo sabemos sobre eso. Jamás el mundo había alcanzado tanta estupidez como en nuestros días. Nosotros, ante esto, tratamos de sobrevivir con nuestra idea secreta de cada día.

—Hacéis bien —dije, y me arrepentí enseguida porque me salió voz de flauta, no sé por qué, quizás porque quería aligerar demasiado mi voz y parecer más joven.

—Pero eso no quita que no podamos evitar tener proyectos nuevos cada mañana y que vayamos casi todos los días al cine. Vivir en este barrio y tener tan cerca la Filmoteca es una de nuestras bendiciones. Y luego está el amor. Nos queremos. No sabemos. Nada sabemos, tampoco de amor. Pero nos queremos.

Esos últimos tópicos no la afearon. Fue curioso. Hablando de amor y a pesar de las cursiladas que decía, parecía que creciera su figura, su innegable encanto. Por otra parte, no supe qué decir, pues jamás hasta entonces había visto a una persona oscilar tanto entre su esfuerzo por parecer indolente y genial y la confesión casi explícita de que la dominaba a veces plenamente la tontería más descomunal. Pero Débora era tan atractiva, que podía perdonársele todo. No es que hubiera caído enamorado, pero no quiero negar —después de todo, ella ya lo sabe, nunca se lo he ocultado— que andaba bastante encandilado con su manera de hablar y de moverse, anduve encandilado sobre todo en aquellos días; no paraba de apreciar en sus rasgos principales lo que todavía hoy sigo valorando tanto: el aire infraleve de su carácter, por ejemplo, y esa mezcla perfecta de dureza con dulzura. Era formidable, además, mirarla y creer a veces estar oyendo una canción, una melodía que me era enigmáticamente familiar, como si todos mis antepasados estuvieran relacionados con ella. Un fenómeno extraño, pero muy bello. Esa especie de parentesco misterioso no sólo la convertía a ella en una persona aún más cercana y arrebatadora, sino que agrandaba mis deseos de estar a su lado, consciente como empezaba a ser yo de que valía la pena hasta encontrar interesantes aquellos congresos de un solo día de los que ella hablaba: aquellos congresos sobre lo ilegible y la creatividad de borrar, todos aquellos ensayos de poesía enferma.

La recuerdo aquella tarde en el Pepper's moviéndose todo el rato como si estuviera a punto de perder el equilibrio, exhibiendo una fragilidad incesante, siempre encogiéndose de hombros y al borde de caerse encima de la persona que tenía enfrente, aunque luego supe que eran sólo deseos de abalanzarse sobre un nuevo integrante de su sociedad de aire, yo mismo sin ir más lejos.

Recuerdo también el silencio que se hizo allí de pronto en el Pepper's, como si una pausa fuera necesaria para empezar a entrar en lo que acabó convirtiéndose en una conversación sobre la vida de Lancastre después de la muerte. Sin saberlo, yo mismo propicié que entráramos en esas cuestiones al preguntarle algo a Vilnius, que le permitió contar que la herencia mental paterna estaba dejando de ser tan liosa, pues el gran Lancastre cada día parecía estar más lejos de la Tierra y cada vez se mostraba más extraño y más poseído por su propia risa.

Todo indica, me dijo Vilnius, que a medida que se va distanciando de las pequeñas tragedias de este mundo, le brota una risa cada vez más intensa. Y al decirme esto, el propio Vilnius rió de una forma extraña, como si quisiera imitar al muerto. Se notaba ya mucho el efecto de los tequilas y Débora, con mucho brillo y luz en sus ojos, transformándose para mí de vez en cuando en una canción, nos miraba a los dos de forma muy divertida, quizás porque Vilnius hablaba de la pérdida de intensidad de las interferencias mentales paternas con una sorprendente naturalidad arrolladora, como si sus relaciones con el difunto fueran ya el hecho más normal del mundo.

—Sobre herencias quería hablar —intervino Débora a punto de perder totalmente su posición vertical sobre la barra—. Ayer le estuve dando vueltas a todo eso. Cada generación espera que la siguiente tenga más suerte que ella y consiga que todo sea mejor y hasta parezca que puede existir una segunda oportunidad. Lo que ocurre es que, desde hace ya unos días, Vilnius y yo no estamos interesados en esa segunda oportunidad.

—Comprendo —dije sin saber de qué me hablaba—, aunque no sé si comprendo bien. ¿Estáis quizás interesados en la tercera oportunidad?

—No. Más bien en la tercera edad —terció Vilnius con muy mal gusto porque no había duda de que se estaba refiriendo a mí.

Entonces, herido mi orgullo y más molesto de lo que hubiera querido estarlo, me decidí a preguntarle por su cara magullada, por su mentón morado y por el maldito esparadrapo de la mejilla. Son restos de un desastre, dijo. Y fue cuando me relató la alucinante visita a la casa de los Monster y me explicó, con meticulosidad casi obscena, hasta qué punto habían sido allí los dos tan duramente humillados, sobre todo cuando, con una desvergüenza inenarrable, les fue relatado el asesinato de Lancastre.

Me dejó pasmado oír todo aquello y varias veces traté de escapar del horror, traté de huir del espanto pensando en cosas que fueran más agradables, pero sin lograrlo en momento alguno, tal vez sólo escapé algo cuando me dediqué a imaginar a la mujer de Shekhar (a la que no había visto nunca) diciendo repetidas veces algo que, sacado de contexto, era difícil de comprender y con contexto también; decía la hindú, una y otra vez: los neuróticos van mejorando, pero los psicóticos empeoran... ¿Serían esos psicóticos la familia Monster? ¿O era yo el verdadero Monster? También a mí los tequilas me estaban haciendo efecto. Y mucho, yo creo, porque me parecía que mis dos jóvenes amigos se habían acostado en el suelo del local y decían que no pensaban hacer nada más y ni tan siquiera levantarse hasta el día siguiente...

Cuando regresé a la realidad más absoluta, volví a encontrarme con la risa extraña de Vilnius, lo que me llevó a corroborar que, con tequila o sin él, la realidad tiene, por lo general, carácter circular y estructura de pesadilla.

Luego, me di cuenta de que Débora y Vilnius —los Oblomov— parecían llevar ya cierto tiempo queriendo decirme algo. ¿Decirme algo aún más tremendo de lo que acababan de contarme y que había traído incluso incorporado un crimen? No, tan tremendo no. De hecho, habían comenzado ya a decírmelo. Hacía días que deseaban hablar conmigo porque habían pensado proponerme que escribiera las memorias abreviadas de Juan Lancastre.

Ellos lo habían pensado bien y no tenían tiempo ni querían pertenecer a la cultura del esfuerzo de la que había surgido el autor de *La interrupción*. Preferían tener una idea por día y ser infraleves como el aire y vivir tranquilos y cambiar todo el rato de pensamientos en medio de la atmósfera cultural vacía de su país, balancearse en la nada y no cometer el error de encadenarse durante meses o años a la elaboración de un libro, de una sinfonía, de una película. Querían tener una idea por día y normalmente ni siquiera llevarla a la práctica, tenerla y dejarla abandonada, catalogarla como un fracaso más en el Archivo General de Vilnius.

¿Y qué pensaba yo de todo esto? No me lo preguntaron ellos, me lo preguntaba yo. La verdad es que estaba de acuerdo en algunas cosas; por ejemplo, en que mis jóvenes amigos vivían en medio de una atmósfera cultural vacía (jamás había existido tanta banalidad en la cultura catalana y española y eso a la larga se contagiaba) y me parecía hasta lógico que buscaran no hacer nada y no creer en nada a modo de salida posible a su asfixiante situación. En una tierra, en un país en el que a nadie le interesaba nada, lo mejor que podían hacer era no interesarse por nada y menos aún por sus imbéciles compatriotas. Lo mejor era que miraran hacia lados verdaderamente vacíos y descreídos.

Por un lado, comprendía que se hubieran contagiado del vacío general. Y, por el otro, no quería resignarme a que se contagiaran tanto del mismo y pensé que, pese a mi miedo a que me dieran la espalda, tenía que decirles algo al respecto. Encontré en una pregunta que de pronto dejó caer Débora allí en el Pepper's Bar la oportunidad de informarles sutilmente de mis discrepancias.

—¿Y no te cansa la sola idea de tener que hacer literatura todos los días? —me preguntó ella.

Quedé, en un primer momento, pensativo. Débora esperaba con especial atención la respuesta, así que la medité bien. No era cuestión de decirles que hacía días ya que en secreto había abandonado la literatura. Y no lo era porque hacía tan sólo unos momentos había decidido que, según se fueran desarrollando los hechos, podía prorrogar por un tiempo mi decisión de pasarme al mutismo radical en todos los terrenos, abriéndome así a la posibilidad de que aquel que me proponían pudiera llegar a ser mi último libro.

Quizás valiera la pena tomar esa nueva decisión también secreta. A fin de cuentas, por increíble que pudiera parecer, estaba ante la verdadera primera gran oportunidad de mi gris vida de escritor. ¿No me había pasado años escribiendo novelas en las que trataba siempre de hacer pasar por reales mis historias de ficción? Pues ahora estaba ante la posibilidad contraria, siempre tan buscada por mí: una historia de la vida real de la que yo estaba siendo privilegiado testigo iba a tener que contarla en clave de memorias abreviadas de un escritor muerto, porque ésa era mi callada intención: transformar lo que yo había vivido en las últimas semanas en la autobiografía del difunto Lancastre. ¿O acaso no tenían que ser unas memorias sesgadas? No debía dejar pasar una oportunidad como aquélla.

—Se sabe desde siempre que el carácter de un joven se forja en los rigores del combate —le contesté finalmente a Débora algo enigmático, pero esperando que se me entendiera todo.

Ella y él, los dos callaron, y me quedó la duda de si habían comprendido algo de aquella respuesta difícil. Se trataba de que vieran que desde hacía días estaba con ellos, pero no compartía plenamente sus ideas, pues consideraba que en la vida había que «pisar la arena del ruedo» y más si uno era joven. Y si uno no lo era, pero circunstancias tan especiales como aquéllas lo demandaban, también tenía que bajar, pues la única forma de sentirse joven era no perder el contacto con los rigores de la lucha. Eso quise decirles, aunque seguramente de lo que quise darles a entender no comprendieron nada.

Sois demasiado vagos e inadaptados y acabaréis encamados para toda la eternidad, quise añadir con un deje entre simpático y compasivo. Pero por fortuna me di cuenta a tiempo de que sobre todo aquel adjetivo —inadaptados— se había quedado anticuado y quizás ya ni se empleaba, porque en los últimos tiempos ya toda la humanidad se había vuelto, en bloque, inadaptada. Entonces opté por reconciliarme. Después de todo, quería ser su amigo. Opté por preguntarles si se consideraban adaptados al aire de nuestro tiempo, y en parte esto lo pregunté por hablar del aire y por parecer algo chiflado y banal y joven como ellos y sin que me interesara mucho lo que pudieran contestarme.

—No sabemos —me respondió Débora encogiéndose de hombros y cerrando los ojos para volver a abrirlos, poner luego una cara de inexpresividad absoluta, tocarse después el mentón dos veces a gran velocidad y depositar su cabeza casi encima de mi espalda y, en el siguiente movimiento, simular que se desmayaba, volviendo poco después a recuperar la posición vertical perdida y encogerse de nuevo de hombros.

Supuse que «No sabemos» era la contraseña esencial de un código secreto. Y respecto a todos aquellos gestos, pensé que iban directamente asociados a la contraseña. Así que los hice yo también. Me encogí de hombros, cerré los ojos, puse cara de inexpresividad total, dos toques fulminantes de mentón y luego deposité mi cabeza casi en la espalda de Débora y simulé desmayarme encima de ella.

—No sabemos —dije recuperando mi posición vertical y volviendo a encogerme de hombros.

—Exacto. Usted tampoco —dijo Vilnius.

—Usted menos —dijo Débora.

Aquello había funcionado, o al menos lo parecía. Pero muy pronto sentí que había hecho el ridículo. De hecho, me miraban con mucha pena —como pensando: pobre viejo— y me costó recuperarme de la sensación de que se estaban riendo de mí, especialmente ella.

Tardé bastante en recobrar el ánimo y recuperarme del trance, y lo logré hablando de Fran Lebowitz, persona acerca de la cual nunca antes había hablado una palabra con nadie. El nombre lo sacó Débora y desde el primer momento pensé que me sonaba a personaje de Nueva York, aunque no sabía decir dónde o cuándo había oído aquel nombre y, además, ni tan siquiera podía decir si era hombre o mujer. Era, me aclaró Vilnius, la autora de una frase digna al menos de Marcel Duchamp: «No tengo ningún interés en trabajar. Soy muy vaga y perezosa.» Pero sobre todo Lebowitz había acuñado esta otra frase, completamente perfecta: «Comprendí que no escribir no sólo era divertido, sino que podía ser rentable.» Por lo visto, Lebowitz llevaba años viviendo de anticipos de libros que luego no escribía. Para Débora era un magnífico ejemplo a seguir, aunque asunto bien distinto era que pudiera ella seguir algún día la estela de aquella profesional de la nada.

Con razón, dije, me sonaba su nombre, Fran, sí, Fran Lebowitz, me sonaba, pero al mismo tiempo estaba seguro de que no había leído nada de ella. Ya, dijo Vilnius. Y, cambiándome la conversación, quiso saber si estaba claro el asunto del tratamiento transversal de las memorias abreviadas. Era, dijo, el tratamiento que le estaba dando Lancastre a la autobiografía que la muerte dejó truncada: trabajaba con una estructura sesgada, pretendidamente moderna (o postmoderna, como decían algunos), y lo más recomendable era pues ser fiel a ella.

Se trataba de que yo tomara como modelo esa estructura y de que, asesorado por Débora (que había podido leer el manuscrito perdido), me dedicara a restaurar el texto. Lo ideal, teniendo en cuenta que estaba desocupado, sería que hiciera el libro pronto y no tardara demasiado en terminarlo; urgía dejar en evidencia a Laura Verás, que había creído que lanzando el original al fuego destruiría esas memorias para siempre.

Será nuestra venganza por la pérdida del manuscrito y por el asesinato, dijo Débora, al tiempo que Vilnius volvía a preguntarme si estaba todo claro. Para no complicarme la vida, iba a decirle que, en efecto, estaba perfectamente claro el asunto de las memorias. Iba a decirle esto y de paso bromear y decirle con ironía infraleve que en todo caso preferiría que fuera el propio difunto (puesto que aún mantenía cierta comunicación con su hijo) quien me dictara esas memorias abreviadas.

Iba a decirle esto para sacarme la espina del ridículo que creía haber hecho momentos antes con mi simulación de desmayo, pero al final no me pude contener y dije que en verdad estaba todo claro, clarísimo: se trataba de que yo, representante de una generación forjada en la cultura del esfuerzo, una generación apaleada y acostumbrada a fatigarse, trabajara como un idiota para ellos.

—Pero al mismo tiempo usted se convertirá ya del todo en uno de los nuestros —dijo Débora.

Y dijo esto con un entusiasmo tal que parecía que entrar a formar parte de su tribu, de la comitiva que había ido creando el largo duelo por Lancastre, fuera lo máximo a lo que uno podía aspirar en la vida y contuviera, además, la imagen de la felicidad misma, es decir, fuera lo más parecido a descansar bajo un árbol de mango en la cumbre del Kilimanjaro. Y quizás sí que era así. ¿O no deseaba seguir disfrutando, durante los siguientes meses, de la compañía de Débora? Además, ¿no tenía ante mí la posibilidad de despedirme de la literatura con mi libro más interesante? Luego, una vez escrita esa autobiografía del difunto Lancastre, ya me quedaría seguramente tiempo de sobras para permanecer mudo e impasible, callado de por vida, hombre sin palabras, grave e impasible, látigo de los charlatanes, conocido por todos por el sobrenombre de El Arrepentido.

5

Tres días después, mientras ella buscaba una peluquería (la primera que se cruzara en su camino, siempre y cuando no fuera la de Harry Chong), fui a comer con el joven Vilnius a un lugar enfrente de mi casa, la *trattoria* I Buoni Amici, cocina friulana.

Vilnius me comentó allí que la noche anterior había visto con Débora *Tres camaradas*, la película de Frank Borzage. Y también me contó que, tras interrogarla utilizando el método tan eficaz de aquella frase-motor de la que se valía para averiguar los misterios del mundo y que tantos réditos le había dado hasta entonces («Cuando oscurece, siempre necesitamos a alguien»), había sufrido un serio contratiempo, un revés ciertamente inesperado, aunque después había terminado por descubrir cosas interesantes acerca de las emociones ocultas de la vida.

Y también me contó Vilnius, entre plato y plato friulano, la larga secuencia delirante del día en que vio por última vez a su padre, relato que escuché con particular atención, pues para entonces ya había aceptado, sin más reparos irónicos, hacerme cargo de la autobiografía de Lancastre y por tanto todo aquello que sonara a información sobre éste lo consideraba un material potencialmente utilizable.

Escribir esa autobiografía apócrifa no sólo me permitiría seguir en contacto con mis jóvenes camaradas de la sociedad del aire, sino que me situaría ante un reto literario interesante. Tenía, además, la impresión de que ponerme en la piel de otro me iba a ayudar a relajarme. «Nada tranquiliza tanto como una máscara», me había dicho la noche anterior mi mujer, siempre tan comprensiva con mis problemas y con mis angustias y con mis intentos de aplazar la llegada rotunda de la vejez.

Además, no se me escapaba que el tono autocrítico que emplearía para todo el libro podría secretamente dirigirlo también contra mí mismo. Sería un modo de castigarme por la cantidad de cobardías de mi vida de escritor. En fin, que en lugar de consultar horóscopos, me haría mucho bien ponerme a escribir con una máscara y azotarme con saña, con el placer añadido de destrozar de paso a un escritor superior a mí y antiguo competidor en el oficio de las letras. Y aquí creo que habría que añadir que destruir a los colegas es un ejercicio muy beneficioso para la salud de resentidos como yo. Recomiendo ese ejercicio a todos. Y cuando digo a todos, sé bien lo que me digo. No creo que haya un solo escritor ambicioso que, en mayor o menor proporción, no sea un resentido y al que destruir a un colega no vaya a hacerle mucho bien.

En el fondo, me decía a mí mismo, si esas memorias tenían que ser tan postmodernas y tener un tratamiento transversal, no tardaría tanto en hacerlas, quizás ni siquiera sería necesario que me ayudara nadie. No tenía por qué ser tan difícil restaurar aquel libro perdido, pues seguramente bastaría con ser fiel al inicio que para esas memorias Débora había trazado —se había inventado— en la Bernat y empezar con el pobre Vilnius descubriendo que, a causa de un golpe contra el suelo, había heredado los recuerdos y la experiencia personal de Lancastre, recién fallecido. Una vez situados en ese punto sin retorno, no iba a tener nada de extraordinario que todo aquello lo contara el muerto. O, mejor dicho, alguien que se colocaba en el lugar del muerto para poder crear así sus memorias de ultratumba.

A fin de cuentas, ¿no había estado, antes de decidir en secreto que me retiraba, deseando siempre dar cualquier día con una buena justificación para poder escribir mi obra más desequilibrada y libre? Oportunidades como ésas, comencé a pensar, no pasan dos veces por delante de la puerta de la casa de uno. Además, nada admiro tanto como ese día en la vida de Bob Dylan, en Newport, en 1965, cuando todo el mundo le consideraba un cantante de folk y se presentó con una ruidosa banda eléctrica que ninguno de sus adoradores comprendió, por poco lo matan. Pero el arte es también escapar de lo que creen que eres o de lo que esperan de ti.

Vi pues que, con la excusa de reparar el daño causado por Laura Verás, podía intentar escribir mi libro más libre: un viaje crítico, satírico, no exento de humor y de compasión, al corazón mismo de la tan dudosa grandeza del arte contemporáneo. Porque, destruida la autobiografía de Lancastre por su monstruosa esposa, se me brindaba la oportunidad de *restituir* al mundo unas memorias que, con su patética poética de lo ausente, podían dejar bien retratado el pálido fuego de todo lo postmoderno.

Mientras hablaba con Vilnius en I Buoni Amici, iba imaginando episodios que inventaría sobre la vida de Lancastre, sucesos basados en historias que en realidad habían ocurrido a otras personas. El día en que cruzó la frontera de las dos Coreas, la felicidad alcanzada en la vieja ciudad libia de Gadamis, el asesinato traumático de su tatarabuela...

Hablaría siempre el muerto infiltrado en la mente de su hijo y contaría grandezas y estupideces. Empecé a planear un libro que pudiera contener aquella contracubierta tan soñada por Débora: «He aquí la autocrítica feroz que supo hacerse a sí mismo este desdichado escritor, amante de todo tipo de imposturas y de juegos vanguardistas...»

Iba a divertirme criticando, a través de Lancastre, a toda la literatura de mi propia generación, incluido desde luego yo mismo. Aniquilaría todo tipo de esperanzas sobre nosotros, los escritores nacidos entre los años cuarenta y sesenta del siglo pasado. Tal como quería Débora, Lancastre iba a aparecer como el hombre que bien pronto pasó a la vitrina de las antiguallas para que el futuro de la escritura pudiera ser diferente, para que el futuro pudiera pertenecer a gente como Débora y Vilnius, que se decantaban más por la idea de no hacer nada y no tener futuro, sólo encogerse de hombros y no moverse de un camastro ruso, aunque no descartaban escribir de vez en cuando en la vida, en la vida de las personas, también en la mía seguramente.

6

El día en que iba a morirse, ajeno a la sorpresa fatal que le reservaba por la noche el destino, Lancastre fue por la mañana al hotel Littré a molestar a su hijo Vilnius. Sólo eso, su apestosa voluntad de molestar, explica que desde el teléfono de recepción le hiciera saber a su hijo que estaba allí porque «como máxima autoridad de su vida cómoda de heredero» quería comprobar que todo estaba «verdaderamente en desorden»; incluido, dijo, «la caspa dylanesca».

Fue una llamada extravagante y de alto e injustificado tono agresivo, lo que puso inmediatamente en guardia a Vilnius, que pensó que o bien su padre se había vuelto loco o bien había bebido mucho. Y acertó plenamente en lo segundo. Sabía Vilnius que su padre llevaba un tiempo algo descentrado, pero, como se rehuían mutuamente, no lo había visto en mucho tiempo y no había acabado de enterarse de su recaída en ciertos horrores etílicos que parecían ya superados.

Desde su habitación, Vilnius preguntó a su padre qué quería decir con aquello de «verdaderamente en desorden». Nada, que ahora subo, le respondió éste. Poco después, oía Vilnius unos fuertes golpes en la puerta. Abrió. Era su padre, sí. Allí estaba el último gran moderno. Despeinado, un tanto fuera de sí. Extraño, esquinado, absurdo. Reía sin que hubiera motivo para ello.

—¿Sigues sin mujer? —terminó preguntando su padre al entrar en el cuarto.

Vilnius no pudo soportar que entrara en aquella habitación que era precisamente el último reducto de su independencia. Y, por si esto fuera poco, tuvo que escuchar la impertinente recomendación de cortarse cuanto antes el pelo y, sobre todo, quitarse de encima el «bronco aire dylanesco».

Tan innovador y avanzado como imaginaba ser su padre y sin embargo había que ver lo reaccionario que se mostraba en todo lo que concernía a su vida familiar.

—Sin esa cabellera —siguió diciéndole Lancastre— y con más ganas de trabajar y sin tanto miedo a competir, porque no me vas a engañar, tú tienes un miedo horrible a la competitividad... Sin tanta tontería y menos complejo de padre, podrías aspirar por fin a ser alguien en la vida. Te lo he dicho muchas veces, pero tú sigues en plan *Blowin' in the Wind*.

—Pero dejaría de ser yo mismo —se limitó a decir Vilnius.

—¿Es que no lo ves? ¡Si ni siquiera eres tú mismo, sólo un plagio de la armónica de Bob Dylan! Porque pareces simplemente su armónica. ¿Adónde quieres ir así? Disfrazado de artista te harán caso, pero no más del que le hacen a un payaso. Por Dios, ¿adónde crees que vas?

—Me gustaría que supieras que no voy. No voy ni de artista. Soy así.

—Así de tonto.

Tras una breve discusión, su padre se empeñó en llevarle a comer a un restaurante de la calle Londres, el Buongiorno, al lado mismo del Hamelin. Y volvieron a discutir, aunque finalmente logró arrastrarlo hasta allí. Nada más entrar en el local llamó la atención de toda la clientela, primero haciendo un gesto raro, como si se sacara de su cabeza un sombrero y lo dejara en un colgador imaginario, y después preguntando en italiano, en voz bien alta si podía tomar *due cocktail americani, forti, forti, molto gin*. No hablo italiano, le contestó la camarera. Armó allí diversos escándalos su padre, hasta que por fin, hacia el final del segundo plato, después de haberla pellizcado, la joven camarera montó en cólera y le dijo que le daría el cóctel que con tanta insistencia pedía si reconocía que era un desgraciado, lo que no tuvo inconveniente Lancastre en reconocer y, además, lo hizo de rodillas. Vilnius jamás había visto a su padre en una situación tan penosa y ridícula. Sin duda el gran Lancastre atravesaba una crisis, tal como había oído decir, pero no había imaginado que pudiera tratarse de una de tan largo alcance.

¿Qué problema tienes?, le preguntó a su padre. El de dos viajeros, le respondió. ¿Qué viajeros?, preguntó Vilnius. Uno nació en el 48 y el otro en el 81, ¿cómo podrían hacerlo para encontrarse en el 47?, dijo su padre. ¿Es un problema matemático?, preguntó Vilnius. Tengo un hijo imbécil, le contestó su padre. Vilnius encajó el golpe y cometió entonces la imprudencia de intentar cambiar de tema, pero fue tan iluso que creyó que podría hacerle ver a su enajenado padre que tenía un hijo que en el arte iba sólo en busca de la verdad que se ocultaba detrás de la emoción original. Fue un error grandísimo y su padre, a partir de aquellas palabras, comenzó a mirarle con un odio sobrenatural. No había para tanto. Lo que Vilnius había querido decirle era que pretendía huir de todas las máscaras modernas y ser «lo más auténtico posible», pues él pensaba que quizás siendo muy auténtico y diciendo siempre la verdad en todo acabaría viajando «hacia esa primitiva gran primera emoción», que era lo que más deseaba encontrar.

Pero su padre había oído sólo que tenía un hijo que iba en busca de la verdad que se ocultaba detrás de la emoción original. Y le miraba con grandísima rabia. Descuidé tu educación, se lamentaba. Y fue tal el escándalo que acabó Lancastre montando en el Buongiorno que apareció de pronto un camarero viejo sustituyendo a la camarera; era alguien que parecía cargado de paciencia y dispuesto a templar los ánimos. Oiga, le dijo Lancastre nada más verle, sepa que pienso llamarle todo el rato con un silbato. Creo que será mejor que se vayan al carajo, dijo inesperadamente el camarero viejo. Parecía que lo hubieran entrenado durante siglos para decir aquella frase. Al carajo más carajero, añadió, por si no había quedado claro. ¿Carajero?, dijo Vilnius. Hubo un silencio aterrador. Todo el restaurante se había puesto de parte del camarero viejo. Podía uno estallar en una carcajada por una palabra jamás oída como carajero, pero todo aquello no iba en broma. No tardaron padre e hijo en darse cuenta de que, por mucho que estuvieran a medio comer, debían abandonar cuanto antes el local. Una situación bochornosa. Salieron con la cabeza baja, más Vilnius que su padre, y no fueron lejos, se quedaron en el bar de al lado, en la terraza del Hamelin, donde se dedicaron a disimular muy bien su condición de exilados del Buongiorno. Allí, su padre hasta pareció calmarse, quizás impresionado por el hecho de que, por primera vez en la vida, le hubieran expulsado de un sitio. ¿Por primera vez? De pronto, recordó que de niño le habían expulsado de la escuela tras un conflicto de largo espectro, provocado porque en el juego de parodiar en el patio colegial la caza de la avestruz en Patagonia, utilizaban bolas ligeras, no de plomo como las de los gauchos, pero peligrosas al fin y al cabo, pues acabaron accidentando a un niño que era hijo de un señor muy importante, que en modo alguno quiso aceptar las cínicas aunque respetuosas excusas gauchas.

La calma en el Hamelin duró poco porque a Vilnius,

con una torpeza fuera de lo corriente, no se le ocurrió nada mejor que aprovechar el momento tranquilo para recriminarle que tanto él como su madre fueran alcohólicos, lo que, dijo, le había marcado y condicionado toda la vida y a la larga le había llevado a él también a la bebida, aunque por suerte con mucha menor adicción.

Podría haber sido aún más trágico todo si Vilnius hubiera dicho —finalmente calló— todo lo que tenía pensado decir a continuación. Porque deseaba como un niño explicarle, entre otras cosas, que, aparte de detestar su autoritarismo insoportable, estaba además, en contra de toda su obra literaria: en contra de sus heterónimos y de sus modernos cambios constantes de piel y de personalidad, y también muy en contra de sus juegos literarios y de sus persistentes ficciones presentadas con solvencia como hechos reales, y también muy en contra de que se ufanara tanto de haber debilitado las barreras entre los géneros, así como muy en contra de que presumiera todo el rato del uso insistente de citas de otros autores en sus textos, y ya no digamos lo en contra que estaba de su humor de pandilla juvenil y de su impresentable huida del clasicismo al proponer la *interrupción* —actividad siempre hosca— como sistema.

Eran inacabables las cosas de las que deseaba quejarse, pero al final no dijo ninguna, ni siquiera le enumeró los siete motivos —habría sido lo más suicida de todo— por los que le gustaba un autor que era barcelonés y había nacido también, como su padre, a finales de los años cuarenta y, por tanto, era de la generación que tenía veinte años cuando el famoso mayo del 68...

Las causas por las que a Vilnius le gustaba aquel casi rival de su padre eran, entre otras (algunas de ellas, francamente baladíes), su tendencia a ser muy cerebral en la escritura, no tener hijos, dedicarle a su mujer todos los libros, su elección decidida de aproximarse siempre a la verdad a través de la ficción y, finalmente, su insistencia en tratar de ser como el alumno castigado en la parte trasera del salón, el alumno que tiene que escribir lo mismo siempre a la espera de que por fin un día le salga correctamente la novela que busca.

También en este caso, por suerte, Vilnius se dio cuenta a tiempo de que era mejor el silencio y no le habló a Lancastre de aquel casi rival y menos aún de las fútiles causas por las que le consideraba superior a él. Se quedó Vilnius, pues, sin formular muchas de sus quejas, y sin duda le fue mejor así. En contrapartida, tuvo que oír las quejas de Lancastre contra la vida. A medida que las señoras chinas del Hamelin le iban sirviendo más copas, su padre se fue atreviendo a lamentarse ya de más y de más cosas y al final estuvo a punto de lamentarse absolutamente de todo, salvo de que en realidad la mayor parte de sus problemas procedían exclusivamente de sus inestables relaciones con Débora, de cuya existencia Vilnius no tenía ni iba a tener ese día ni la menor noticia.

Al final, entró su padre en una deriva alcohólica extraña, a la que se añadió una repentina y profunda nostalgia de los días del pasado. Vilnius, sentado ante él, no sabía ni dónde ponerse; estaba, además, acostumbrado a un padre fuerte, no a un ser de repente tan endeble. Su padre comenzó a hablar, casi con errancia total, de los días en los que, a principios de los dorados años sesenta, iba por las mañanas al colegio y era feliz en su radical soledad, caminando en dirección al mar, desde lo alto de la calle Enrique Granados hasta la plaza Letamendi, donde estaba el instituto en el que estudió tantos años. Un día de mayo de 1963, continuó diciéndole su padre, un día que no olvidaría nunca, cuando él tenía catorce años, vio con toda claridad que a lo largo de toda la calle se habían producido cambios casi imperceptibles, pero cambios sin lugar a dudas; para empezar, no estaba tocada la calle Enrique Granados de su grisura habitual; estaba cambiada, no sabía qué era lo que hacía que pareciera distinta, pero el hecho era que...

Aquí se detuvo Lancastre, como si dudara en contarlo. El autor de *La interrupción* se interrumpe, no pudo evitar pensar Vilnius. Muy poco después, sin embargo, se animaba a proseguir y decía que se acordaba bien de los diferentes grupos de personas que se fueron formando aquel día en las esquinas de la oscura vía que le llevaba al colegio. Azotada por el viento, la calle Enrique Granados iba viendo cómo se levantaba en ella un polvo espeso que iba cubriendo y encubriéndolo todo y logrando que los grupos de transeúntes sólo pudieran parecer figuras de barro con aire de conspiradores inmóviles. De pronto, vio cómo algunas de esas reuniones de conjurados quietos se ponían en movimiento y comenzaban a concentrarse todas en la esquina con la calle Mallorca, donde terminaron quedándose largo rato en silencio, hasta que oyó la voz de alguien a quien no vio, pero al que le escuchó decir que no sería hasta la tarde cuando sonarían las trompetas.

¿Las trompetas? Le dejó muy impresionado aquella palabra, sólo había visto trompetas en el circo.... Aquí volvió a detenerse Lancastre y se veía que contenía a duras penas la emoción, borracho ya casi delirante, pero emocionado, quizás porque estaba en puertas de contar su secreto tal vez más íntimo, más próximo al menos a los días sagrados de la primera juventud.

Entendí, continuó poco después diciendo su padre,

que por la tarde tendría lugar el Juicio Final, y yo creo que todo lo que ocurrió después ocurrió como en una de esas canciones infantiles en las que es muy poderoso el nexo entre sueño y suspensión del tiempo.

Vilnius no sabía qué decirle. Esto que cuentas no puede ser verdad, era lo único que le parecía que debía comentarle, pero prefería dejarle hablar, que siguiera, si quería, con sus recuerdos de aquel polvo y aquellas sombras de la Barcelona de 1963. Extraño recuerdo, en todo caso.

Había aprendido a notar, dijo el padre, que el tiempo quedaba suspendido a veces en el colegio, y ese día en la calle, con el viento levantando tanta ceniza, tuvo la impresión extraña de que la realidad se paralizaba y que entraba en los dominios de algo parecido a un sueño, un sueño largo, infinito, cuya esencia era la propia ceniza y quizás un infierno remoto que ardía. Tal vez por eso, siempre que evocaba para sí mismo aquellos preparativos del Juicio Universal que tenía la impresión de haber presenciado, tendía a enlazarlos con el recuerdo de la prolongación del tedio eterno del patio cuadrangular de la escuela: aquel hastío que se hacía más perceptible que nunca cuando, al caer la tarde, dejaban abandonado el patio hasta el día siguiente; lo dejaban en la compañía única de su propio tedio cuadrangular.

De todas las imágenes que de pronto se le agolpaban en su regreso del colegio a casa iba a quedarse para siempre, le dijo, con una de todas ellas: un grupo de gente que, a causa de la ceniza que se había levantado como si fuera viento (quizás era viento que se había transformado en ceniza), parecía protegerse de ella e iba completamente embozada. Le quedó, imborrable ya para siempre, esa imagen. Junto a ella y perfectamente adosada a esa imagen triste y potente, la gran sospecha de que el día del Juicio Final tuvo lugar en aquella calle de Barcelona aquel día de mayo del 63.

Dijo esto y después lloró, prorrumpió en sollozos, abundantes, sonoros y emocionados más allá de todo control; tan fuera de control que acabó llorando en el pecho de un Vilnius desconcertado. En realidad lloraba, especuló Vilnius, por los días perdidos de su infancia, los días en los que él todavía era un ser auténtico, desprovisto de cualquier idea de engaño y hasta era capaz de ver el Juicio Final en las calles de su ciudad. Y lloraba porque, por difícil que fuera creerlo, quizás fuera verdad que había asistido a un espectáculo singular aquel día de mayo del 63, tal vez el único de todos los días de su vida en el que estuvo cerca de esa gran emoción que llega bajo el manto de una revelación.

De pronto, su padre dejó de sollozar en el pecho del desconcertado Vilnius y recompuso su figura. Si crees que lloro por la emoción de haber sido joven y auténtico, no puedes estar más equivocado, le dijo. Yo no creo nada, mintió Vilnius. Lloro en realidad, dijo su padre, porque un día tú dirás las últimas palabras sobre mí, tu juicio final sobre mi personalidad y mi paso por la vida será el que quedará para toda la eternidad. Vilnius sintió miedo al oír esto, no había pensado nunca que él podía tener la última palabra sobre su padre. No sabía qué decir, estaba medio paralizado por un cierto terror, mezclado con la angustia que su padre había sembrado en el ambiente.

Las últimas palabras las dirás tú, cabrón, dijo muy excitado su padre, y Vilnius lo vio tan fuera de sí que pensó que aquél iba a comenzar a perseguirle con un hacha y con instinto criminal por la calle y él, como si fuera el niño de *El resplandor*, la película de Kubrick, tendría que huir y en un momento determinado cancelar la traza de sus huellas en la nieve y regresar sobre sus propios pasos para desorientar a su perseguidor y así poder volver al hotel y pensar que su padre no le había visitado, no le había dicho nada, no había visto nunca ningún Juicio Final, no esperaba que su hijo le juzgara al final de sus días. Pero no, no había hacha, ni Lancastre mostró signos más alarmantes de furia. Y después de un largo silencio, sólo roto por los ridículos hipidos paternos, se fueron separando. Lancastre, recuperando ciertas formas, dijo que no pasaba nada, que le prometía que ya no seguiría bebiendo y que debía marcharse a toda prisa y que todo era horrible, sin especificar qué era lo más y lo menos horrible de todo. Vilnius quiso decirle algo, pero no supo bien qué era lo que quería decirle, pues se sentía demasiado superado por lo acontecido. Y su padre terminó marchándose. Se largó con pasos lentos, casi indecisos, como si precisamente caminara sobre la nieve. Y Vilnius intuyó que en cualquier momento la poderosa figura paterna, envuelta circunstancialmente en llanto, se giraría para volver a mirarle y decirle algo más, como así fue. Lancastre dio unos diez, quizás doce pasos, hasta que se volvió hacia su hijo y deshizo el camino recorrido y, acercándose en son de paz, le recomendó que huyera de lo auténtico, pues si algún placer había en el cine o en cualquier otro arte, ése no era otro que el placer de poder andar por ahí disfrazado.

—Interpretar un personaje —concluyó su padre—. Hacerte pasar por lo que no eres. Fingir. El irónico y taimado carnaval. La gran fiesta de la astucia y de la mascarada. Algún día lo comprenderás.

Vilnius, poco flexible en aquel instante, no varió absolutamente nada sus convicciones y fue bien seco en la respuesta:

—Prefiero el brillo de lo auténtico.

—Claro que sí, hijo. Que Dios te ampare.

Fue lo último que le dijo su padre. Después, Vilnius regresó a su hotel con la esperanza de tardar mucho en volver a ver a aquella fiera. De modo que si alguien en aquel momento le hubiera dicho que sólo unos pocos días después Lancastre, difunto ya y camino de ser ceniza eterna, se adosaría a él con la insistencia más tenaz del fantasma más obsesivo y tal vez con la idea de hacerle perder literalmente el juicio, no habría podido de ningún modo llegar a creérselo.

IX

TEATRO DE LA MEMORIA

1

Días antes, Débora había hablado dormida para decir que aquella autenticidad de la que tan orgulloso se sentía Vilnius estaba ligada al llanto. Un misterio. Al salir a la avenida de Sarrià después de ver en la Filmoteca *Tres camaradas*, de Franz Borzage, Vilnius le preguntó a Débora qué había querido decir ella aquel día con la frase sonámbula.

Ni idea, estaba dormida, contestó. ¿Ni idea? Vilnius se acordó entonces de la frase-motor con la que averiguaba cosas que a primera vista no estaba destinado a saber nunca y pensó que aquella frase podía servirle para saber si Débora estaba enamorada verdaderamente de él y de paso también servirle para descifrar las palabras sonámbulas que tanto le intrigaban, porque eran todo un misterio aquellas palabras que pretendían aunar autenticidad con llanto.

Sabiendo que ella no había oído hablar jamás antes de aquel «Cuando oscurece, siempre necesitamos a alguien», le preguntó si se había fijado en unas palabras que eran lo más típicamente fitzgeraldiano del film que acababan de ver. Había tantas que no podía decirle una, le contestó Débora. Yo te la diré, dijo Vilnius. Y le soltó la frase-motor: «Cuando oscurece...»

Débora le miró con estupor y se arrimó a él con cara de inexpresividad total y simulando un desmayo. Ni le sonaba esa frase, no creía ni haberla oído en la película, le dijo volviendo a recuperar su posición vertical perdida. Pero, además, dijo Débora, no le parecía en modo alguno una buena frase, tenía todo el aspecto de haber sido escrita por un alma simple, por un corazón sencillo, por una mente de algarrobo más que por un escritor como Scott Fitzgerald. Ante semejantes palabras, Vilnius quedó inesperadamente atascado, había quizás confiado demasiado en los poderes investigadores de su frase. Sólo decirte, añadió Débora, que todo eso de que cuando oscurece siempre necesitamos a alguien no es más que la clásica majadería que diría un tipo, ¿cómo te diría yo?, grande, obeso, reluciente, con cara de huevo invertido, de risa jadeante y mirada bovina, añadió Débora.

Fueron a tomar algo al nuevo bar de tapas que habían inaugurado en la esquina de Buenos Aires con Urgel, frente a las oficinas centrales del partido de derechas más popular en España. Vilnius iba todo el rato con la cabeza baja, pensativo, confundido. Tenía tanto éxito el nuevo bar que no había sitio en la terraza y tuvieron que acomodarse en el cálido interior. El tiempo tempestuoso de los últimos días se había calmado, se anunciaban ya —luego se vio que no, que una vez más se habían equivocado los meteorólogos— grandes mejoras en el tiempo. Eres un chico inteligente, le dijo Débora a Vilnius, alguien capaz de leer deprisa cualquier texto por enrevesado que sea y tienes muy buena memoria y talento para las ideas, una al menos por día, pero a veces el gusto te falla, porque no encuentro otra explicación a que hayas podido creer que Scott Fitzgerald fue capaz de escribir algo tan sentimentaloide como esa frase del «cuando oscurece», siempre necesitamos no sé qué...

Vilnius se sentía confundido y avergonzado y decidió que intentaría recuperar su moral y remontar el mal momento o, mejor dicho, intentaría algo más que remontar esa situación, directamente se la jugaría. A cara o cruz. La cruz representaría quedarse sin su amor. Pero tenía que arriesgar. Viendo que la frase del guionista Harlem había mostrado su inesperado lado inútil, se lanzó a buscar por otro camino la verdad en torno a la cuestión, tan trascendental para él, de si Débora estaba o no realmente enamorada.

Se la jugó realmente porque decidió preguntarle algo que en otra ocasión y con otra mujer, con su antigua novia Mariona, le había ido tan mal que hasta había sido la causa directa de su separación, pues a ella le había irritado profundamente la pregunta y le había parecido la gota que colmaba el vaso de su paciencia. Aun así, sabiendo las consecuencias que podía traer la molesta pregunta, se atrevió a formulársela a Débora. Le dijo, con una vocecita inocente, si estaba enterada de que el gran teatro en el que vivimos no es otra cosa que un gigantesco programa ejecutándose en un ordenador sideral. ¿Cómo?, le preguntó ella. Que si sabía, siguió diciéndole imperturbable Vilnius, que en ese ordenador había programadas una serie de leyes básicas, incluyendo una gravedad cuántica que sostenía un vacío capaz de fluctuar en múltiples universos.

Dijo esto y se tapó la cara en previsión de lo que ella pudiera decirle, consciente de que toda su historia de amor con Débora pendía de un hilo, exactamente de lo que a continuación pudiera decirle ella.

Creo, dijo tranquilamente Débora, que me has hablado de ese programador teatral y de los múltiples universos para que no piense que eres tan tonto como los que dicen que necesitan a alguien cuando oscurece, ¿no es así? No exactamente, dijo Vilnius. Era curioso, pensó él, ver cómo le había cambiado a Débora la conversación y la había hecho viajar al espacio sideral y al mundo de un programador teatral y, sin embargo, permanecía latente ahí, ancestral, latía en el fondo mismo de lo que hablaban, el tema de la oscuridad y de la cuestión de necesitar o no a alguien cuando anochece.

La frase del guionista había sido bien volteada por ella, pero continuaba ahí, como si su motor, descubridor de otros mundos, no se hubiera detenido... Quizás no había que hacer nada, ni nombrarla, porque tal vez la frase era como una máquina y trabajaba sola. Pronto Vilnius comprobó que, en efecto, era lo mejor que podía hacer, permitir que la propia frase se abriera paso por su cuenta.

El que escribió esa memez sobre la caída de la tarde, dijo Débora, estaría sólo pensando que cuando oscurece todos necesitamos a alguien para que nos prepare un buen plato de *pudding*. Vilnius se contuvo, se reprimió fuertemente, y dejó que la frase de *Tres camaradas* siguiera en todo caso trabajando. Esta noche, continuó ella, no te extrañe que hable sola en sueños y diga que voy a prepararte un *pudding*. Siguió un silencio, hasta que Débora, con voz más suave que de costumbre, comenzó a contarle que lo primero que robó en su vida fue un pastel de manzana que había en la nevera de la casa de unos amigos de sus padres en Sa Ràpita, la playa de Campos. La reprimenda de su madre era uno de los pocos recuerdos que tenía de ella, aunque era consciente de que su memoria había fabulado sobre lo ocurrido y había terminado por transformarlo todo. El teatro de la memoria, precisó. Y sonrió con tristeza para luego explicar que precisamente había vuelto a recordar aquel robo y aquella reprimenda la última vez que fue a Campos y, al pasar por la escuela municipal, junto a la puerta de la vieja aula de párvulos, se había quedado paralizada al oír voces infantiles cantando en el mismo lugar donde, veinte años antes, ella también había cantado la misma canción. En el gran teatro de la memoria, dijo Débora, las voces infantiles desafinadas sonaban bellas en la brisa.

Se detuvo después de la frase e inició un largo silencio. Después, recuperándose por momentos, reanudó su historia y contó cómo, al entrar en un aula de la vieja escuela, la misma en la que de niña había pasado cinco años de su vida, oyó que la misma maestra de entonces, con el mismo tono de voz de aquellos días, reñía a los niños de la misma forma de entonces y les decía las mismas palabras para evitar que, cuando sonara la campana, se lanzaran en gran estampida hacia el patio.

Débora, en aquel día de su regreso a Campos, con el recuerdo de fondo de sus padres muertos, quedó paralizada ante la vuelta imprevista del pasado, y una hora más tarde, al volver a alcanzar la calle y pasar por delante de su casa natal y oír una música que había sonado en el verano más lejano de su vida, observó conmovida cómo de pronto regresaba a su memoria la escena de una hora antes, la escena que había detenido el fluir de las cosas y le había hecho ver que el tiempo jamás se había ido de su lado, siempre había estado allí con ella, el tiempo no sabía lo que era el tiempo...

Y fue entonces cuando, al volver a oír a lo lejos las voces desafinadas y, habiéndose acumulado de golpe todas las emociones de la mañana, ya no pudo más y se derrumbó, cayó en un llanto convulsivo, imparable, hondo, el llanto de lo auténtico, el que nos recuerda, le dijo ella, cuál es la verdadera esencia del mundo, todo aquello que sólo registramos en su plenitud cuando recuperamos de forma imprevista, de golpe, lo más sagrado y emotivo de nuestra existencia, los primeros años de nuestra vida, lo único que a la larga acaba pareciéndonos verdaderamente nuestro, e intransferible.

2

No emito señales, no mando ya mensajes a mi hijo —imaginó Vilnius que pensaba su padre— porque me dedico a ser feliz gracias a pensar exclusivamente en mi propia felicidad, no salgo de ahí, de pensar en lo bien que estoy, dedicado a observar, escudriñar, acechar, espiar, envidiar. Juro que esto es la felicidad. Es una sensación inmejorable contemplarme a mí mismo y saber que soy ya invulnerable y que, además, puedo hacer lo que me venga en gana y si quiero seguir a la sombra del dios Hermes la puedo seguir, y si quiero pensar en Débora, en sus vestidos, en sus orgasmos, en sus ojos inyectados de azul, pienso en ella sin más problema y sin que mi hijo pueda llegar ni a intuirlo, por eso ya prefiero a Vilnius no mandarle ni señales, no quiero que padezca, ni que sepa que pienso en las sedas y en las lanas y en las bragas que acumula ella en su armario, por cuyo interior me paseo con libertad mientras me embriago en ceremonia de constante posesión de la que sigue siendo mi mujer, en triunfo sin fisuras de mi autoridad y de mi amor, juro que esto es la felicidad.

3

Los viajes discurren siempre por dentro de uno mismo, suele decir Eduardo Lago, un amigo. Se atraviesa el universo, dice, efectuando un recorrido en el que coinciden el punto de partida y el de llegada; cuando se cierra el anillo, uno ha cambiado de manera tan intensa que resulta difícil reconocerse, pero en el anciano Odiseo sigue vivo el adolescente.

Me acuerdo de esto y de la noche que comprendí que, por muy transversal y hasta superficial que fuera el tratamiento que pensara darle a las memorias del difunto Lancastre, éstas debían incluir una incursión en sus años de adolescencia. Porque un asunto era que desde el primer momento esas memorias abreviadas las hubiera concebido sesgadas —tal como me decían que las estaba escribiendo Lancastre cuando le sorprendió la muerte— y otra bien distinta que acabaran resultando demasiado transversales y al final el libro quedara incluso cojo. Y porque, además, era fácil intuir que unas páginas sobre aquellos años a los que alguna vez el propio Lancastre se había referido en términos de hastío escolar olvidado («el patio quedó abandonado como una eternidad cuadrangular») podían ser una nada desdeñable aproximación a los días en que el autobiografiado aún no tenía tantos rostros ni había publicado libros tan distintos entre ellos y quizás era alguien triste y maravillosamente *único*.

Y recuerdo también que esa noche me acordé de mi «agenda americana» de principios del 63. De adolescente, al igual que Lancastre, yo también había sido víctima del implacable tedio general que envolvía mi ciudad. Ahora bien, hubo un día en que sospecho que no debí de aburrirme tanto, y ese día sólo pudo ser el 24 de mayo, fecha en la que no escribí nada en la agenda y la interrumpí para siempre.

¿Qué pudo suceder para que la interrumpiera tan abruptamente? Llevaba años ojeando de vez en cuando aquella «agenda americana» de cuatro meses y tres días y jamás me había hecho esa pregunta, jamás había reparado en el enigma del radical silencio de ese día en el que sospecho que debí de pasar a otro estado de conocimiento de las cosas del mundo y desinteresarme de golpe de mi vida de pobre escolar, siempre suspendido en la eternidad cuadrangular del tedio de las horas.

Sabiendo ya lo del Juicio Final que en mayo del 63 y con edad bien parecida a la mía decía Lancastre haber entrevisto de adolescente, no fue raro que me preguntara si no sería exactamente el 24 de mayo de aquel año el día en el que él creyó presenciar aquellas escenas. Y eso me sirvió de pretexto para llamar a Vilnius y preguntarle si conocía la fecha exacta del día en que su padre tuvo sus extrañas visiones bíblicas en la calle Enrique Granados. Si me decía que fue el 24 de mayo, no sería una coincidencia desdeñable y me resultaría, además, quizás más fácil imaginar —por mucho que Débora opinara que los recuerdos de esos días son intransferibles— que los dos, Lancastre y yo, en la Barcelona tan borrada en aquellos años de todos los mapas, habíamos presenciado la misma escena, el mismo y trascendente final del mundo.

Así que llamé a Vilnius para preguntarle acerca de la fecha, pero se encontraba en cama, con fiebre alta, con un virus estomacal, y no podía articular palabra. Hablé con Débora, que me preguntó si estaba ya escribiendo la autobiografía. Por ahora la preparo, que ya es mucho, le dije. Ella quiso entonces saber por qué zona de las memorias abreviadas me estaba paseando en aquel momento. Bueno, le dije, aún estoy esperando que me cuentes qué contaba Lancastre en el manuscrito quemado, pero mientras tanto imagino posibles capítulos y ahora, por ejemplo, estoy merodeando por el Juicio Final de mayo del 63 en Barcelona. Interesante, comentó Débora, y preguntó si sabía que el filósofo sueco Swedenborg, a finales del XVIII, escribió que el Día del Juicio Final realmente había ya ocurrido el 9 de enero de 1757. Lo sabía, dije. Swedenborg fue el primer hombre en avisarnos a todos de que ese Juicio ya había tenido lugar, dijo ella. Sí, le contesté, también yo creo que ese Juicio, en efecto, ya tuvo lugar; es curioso cómo los informativos de televisión, por ejemplo, jamás tienen en cuenta ese dato, es como si informaran sin saber que, por ejemplo, la Revolución francesa ya hace años que tuvo lugar.

—La humanidad —seguí diciéndole— ya ha tenido su Juicio Final y los condenados ya han sido condenados, pero todo el mundo hace como si no se hubiera enterado de esto. En cuanto al otro juicio, el que decía haber visto Lancastre, tengo muchas dudas, creo que estaba muy borracho cuando se emocionó contándole todo aquello a Vilnius. Aun así, lo voy a considerar un recuerdo auténtico de sus años de adolescencia y lo incluiré en su autobiografía. De hecho, creo recordar que también yo presencié esa escena barcelonesa de fin de mundo…

No se oía nada al otro lado del hilo telefónico. Y pregunté si había todavía alguien a la escucha. Débora acabó reapareciendo cuando menos ya lo esperaba.

—No le estaba siguiendo, usted perdone. Y bien, no quisiera que su cabeza se volviera un bombo más grande todavía, pero quiero darle noticias de nuestra sociedad. Los últimos viernes de cada mes, y eso va también por usted que ya es de los nuestros, vestiremos trajes de tallas superiores a las que tenemos. Serán vestimentas que no podremos quitarnos en todo el día, pues habremos mandado a la lavandería el resto de nuestras ropas.

Le pedí que hablara más despacio, ya que apenas entendía lo que me decía. En realidad, le mentí, pero es algo que a veces hago para no perder la práctica de hablar y no decir la verdad, práctica no siempre necesaria para la creación de ficciones, pero que tampoco es conveniente perder de vista.

—No poder vestir de otra forma —continuó ella— facilitaría que marcáramos la distancia entre el traje y nosotros; es decir, que tomáramos distancia frente a una cultura que nos viene grande y nos incordia y nos sobra, una cultura con la que simplemente no conectamos.

—¿Es la idea del día? —pregunté.

—Es mi idea —respondió—, sólo mi idea, porque Vilnius no tendrá hoy ninguna; únicamente fiebre y ansia de venganza, lanza improperios todo el rato contra los asesinos y también contra Rosencrantz y Guildenstern, ya me dirá usted, creo que la fiebre es alta. A este paso, de tanto invocarlos, acabarán Rosencrantz y Guildenstern viniendo a visitarnos.

4

Nada más colgar, me puse a imaginar un capítulo entero de la autobiografía de Lancastre, montado alrededor de unas palabras que supuestamente habría él escrito, palabras sobre la imposibilidad de llevar un traje ajustado a nuestra verdadera manera de entender el estilo: «Extraña forma de vida la que nos obliga a llevar esta podrida cultura que nos han impuesto. Me gustaría algún día alcanzar una mayor libertad de palabra y escapar de algún modo de esta cultura en la que el escritor malo no puede decir nada porque es malo y el bueno tampoco puede decir algo porque es bueno, esclavo de su nivel y de su estilo.»

Imaginé el capítulo entero, y eso me hizo sentirme más que satisfecho, aunque al mismo tiempo me coloqué en situación de alarma. Cada vez tenía pensados más capítulos de la autobiografía, pero no había empezado a escribir ni uno. A ese paso, terminaría desnudo, sin traje —de una talla más grande o no— que ponerme. Siendo preocupante, más lo era el estado de mi mente, pues me sentía demasiado cargado de capítulos no escritos, de modo que decidí que lo mejor sería salir a dar una vuelta por el barrio. En otra época, la zona de la avenida de Sarrià colindante con la calle Buenos Aires estuvo atestada de bares llamados «de alterne». Hoy quedan en pie sólo algunos de esos bares, últimos bastiones de un antiguo esplendor. Al lado mismo del Littré, está el Newport, un bar en el que las mujeres de la barra comunican alegría, muy especialmente Victoria, joven argentina, de ojos vidriosos y pelo corto, cara de porcelana y boca siempre pintada de color escarlata. Fui al Newport a pasar un rato, no era la primera vez que iba. Es más, consideraba aquel local ya como un segundo hogar dentro de mi nuevo barrio, con la ventaja añadida de que desde la puerta se podía espiar a la perfección todo lo que sucedía en Harry Chong y en la Bernat, esos lugares donde sólo aparentemente no pasaba nada.

Al día siguiente, volví a llamar esperando que Vilnius hubiera ya mejorado y me dijera la fecha exacta del día en que su padre vio el Juicio Final en Barcelona. Pero seguía sin poder ponerse al teléfono, y de nuevo hablé con Débora. Continuaba ella con la idea de los trajes de tallas superiores que teníamos que vestir en una fecha fija. Por primera vez en mucho tiempo, una idea te dura dos días, le dije. Se enfureció y comenzó a hablarme de una cajita de pastillas y de una boca que las tragaría todas y, como no entendí nada, decidí interrumpirla para decir que ya llamaría al día siguiente. Se ha vuelto usted un buen interrumpidor y creo que le falta poco para convertirse en Lancastre, bromeó. Quise decirle que me tuteara, pero me pareció que era dar un paso peligroso, incluso dar una pista innecesaria acerca de lo que podía estar sintiendo por ella.

Cuando por la noche me llamó Vilnius, tenía él una voz nada enferma, pero hablaba con espantoso tono de ultratumba. No me daba miedo aquella voz porque reconocía en todo momento siempre a Vilnius, pero sí imponía un cierto respeto comprobar lo mucho que parecía saber acerca de la vida que su difunto señor padre llevaba después de la muerte. Al parecer, Lancastre se había ido calmando en los últimos días y, como si también estuviera tocado por alguna rara fiebre, ya no le apretaba nada a la hora de querer infiltrarse en su mente, pues felizmente parecía haber comenzado a borrarse, a perderse para siempre, siguiendo de lejos a una sombra, la del dios Hermes.

—Tiene usted que creerme, no le alcanza el alma a mi padre para seguir al dueño de la sombra, pero sí para seguir a ésta, lo sé porque él todavía está ahí —me dijo.

Al preguntarle dónde podía yo situar más o menos ese *ahí*, pude percibir que la fiebre potenciaba seguramente la imaginación o las supersticiones de Vilnius, tal vez —con este tipo de cosas nunca se sabe— su más lúcido sentido de la realidad. El pasado, dijo, mi propio pasado, el pasado de todos los demás, todavía está ahí, una cámara secreta de mi interior, como una de esas salas selladas que hay tras una falsa pared, donde toda una familia podría vivir oculta durante años; nuestra familia, por ejemplo.

¿Nuestra familia? Entendí que se refería a nuestra sociedad, a la familia que habíamos formado a partir del «trabajo de duelo» que había originado la muerte de Lancastre. La muerte de una persona cierra muchos espacios, pero puede abrir otros. Nuestra sociedad le debía mucho al trabajo de duelo que en su momento había puesto en marcha Vilnius, el hijo aparentemente no afligido. Pensé en esto y luego en el dios Hermes y en su eterno sombrero, llamado —si no me equivocaba— pétaso, palabra rara. Con ese pétaso, Hermes se protegía del sol y acompañaba las almas de los muertos, su mayor especialidad. Pensé todo el rato en ese sombrero mientras Vilnius me contaba que Hermes era polítropo, es decir, hombre de multiforme ingenio, como Odiseo, y poseedor de los más astutos pensamientos. Su ciencia, oí que me decía Vilnius, era la politropía, don que sólo se recibía al nacer. La mente de Hermes tenía muchas formas, pliegues y distintos aspectos. Era muy flexible. Se transformaba incesantemente. Si la realidad era múltiple y casual, él la hacía todavía más multiforme y casual. Tenía, además, una mente de muchas gamas diferentes y la extraña propiedad de exhibir todas las edades y las etapas por las que habían pasado todos los Hermes, todos los Hamlet, todos los Dylan.

Quizás por eso, siguió diciéndome Vilnius, personificaba el espíritu de la frontera que se manifestaba en cualquier tipo de intercambio, transición, tránsito o travesía. Siempre estuvo conectado con actividades que requerían algún tipo de cruce, lo que explicaría su relación con las mutaciones del propio destino, con los intercambios de bienes, con las palabras enredadas en el comercio, con la interpretación, la oratoria y la escritura, y también con la forma en la que el viento puede transportar vidas y mundos y también cenizas de un lugar a otro. Y por tanto, por supuesto, relacionado con la transición al otro mundo.

¿Podía dar por hecho que esa sombra hermética era un nuevo elemento de aquella familia o comitiva en creativo duelo por la muerte de Lancastre? Opté por preguntarle algo más urgente a Vilnius, preguntarle en qué día de mayo dijo su padre haber visto el Juicio Final. A Vilnius le cambió la voz de golpe, como si hubiera vuelto al mundo de los vivos. No le había hablado su padre de ningún día de mayo en concreto. Le pedí que me dijera si estaba del todo seguro. Tanto como que Cass Cleave estaba loca, contestó. Preferí no preguntar quién era Cass Cleave. Pero además poco importa el día, dijo, ¿o de verdad cree usted que presenció el Juicio Final? No, pero quien lo presenció fui yo, contesté. No le entiendo, dijo. Pues tan sencillo como que voy a inventarme algunos de los hechos autobiográficos de tu padre, le expliqué. Ah, en ese caso, dijo Vilnius, podría también usted decir que la identidad del sujeto contemporáneo, por mucho que lo parezca, no fue una de sus obsesiones centrales, lo fue de su pobre hijo Vilnius, enemigo de cualquier máscara. Podría decirlo, le contesté, pero no trabajo exactamente para ti, Vilnius y, además, tienes una fiebre que has de vigilar mucho.

6

En los días que siguieron a aquella noche de viaje por el gran espacio desamparado de los muertos, se fue haciendo patente el intercambio de papeles que había empezado a producirse entre Vilnius y Lancastre.

Lancastre vagaba ya, efectivamente, por el otro mundo, convertido en lo opuesto de lo que había sido en sus últimos años de vida, pues se había ido transformando en un alma única que por vez primera en mucho tiempo exhibía, al modo de una estrella perdida en el firmamento, el brillo de lo auténtico.

Vilnius, en cambio, ante la desaparición de las incursiones mentales de su padre, se había ido volviendo polítropo e iniciado un viraje hacia una personalidad mucho menos compacta, menos rígida y menos única. Seguía siendo *él mismo*, pero en realidad estaba ya más abierto al infraleve arte de ser muchos. Un alegre e inesperado espíritu de frontera había potenciado su imaginación y había empezado a comunicarle cada día más con Hermes y con lo multiforme, con aquel dios de quien su padre ya sólo podía perseguir la sombra, es decir, que Vilnius, en cuanto había comenzado a percibir la imposibilidad de afirmarse como sujeto unitario, compacto y perfectamente perfilado, había abierto el juego por completo y pasado a hermanarse de verdad con nosotros, sociedad de distintas aunque muy conectadas identidades (Débora, Vilnius, yo mismo, Lancastre, y la sombra hermética que éste perseguía), todos conscientes de que, como decía Débora, ninguno de nosotros era una isla, ninguno era algo completo en sí mismo, sino un fragmento del continente, una parte del conjunto de nuestra sociedad de aire.

7

¿No será que los duelos por la muerte de alguien, si los prolongamos en exceso nos acaban convirtiendo en la persona cuya ausencia penamos? Pienso en el caso del joven Vilnius y sus largas exequias —como mínimo mentales— por su padre. Éstas las prolongó de un modo quizás arriesgado porque mientras tanto el mundo fue girando y la idea de huir de todas las máscaras modernas para viajar hacia lo auténtico y hacia la emoción original también fue girando, hasta dejar a Vilnius doblemente girado y en un lugar inédito y bien raro, un lugar nunca hollado por nadie, cargado de ruidos leves pero extraños, donde parecía imposible que pudiera llegar en algún momento a oír voces y palabras amigas, aunque sin embargo las oyó. No tardó entonces en comprender que ya nunca más volvería a ser íntegramente *él mismo*. Empezaba, además, a parecerse a su padre, justo cuando éste, en medio de las risas más desatadas, se estaba alejando ya del todo, viajando hipnotizado tras la estela más hermética del ruido eterno.

8

Débora, yo mismo, Vilnius, su padre y la sombra inescrutable. El quinteto mortal nos llamó un día Débora y no quiso explicar por qué y eso me obligó a dar demasiadas vueltas al asunto. ¿Nos veía a todos muertos al final de la obra? Sólo una vez me contestó y su respuesta clarificó las cosas. Somos como Míster Gusano, dijo. Reí educadamente, y cuando acabé de aplaudirle la frase, le pedí que ampliara su respuesta y entonces citó a

Hamlet. Estamos sin mandíbulas, dijo, y con la crisma sacudida por el sepulturero, ¿tan difícil de ver es esto?

9

Uno siempre desea mejorar escribiendo, imaginé que me decía Lancastre. Era por la mañana, y yo estaba en ese momento lavándome la cara, y me sorprendió que mi imaginación le diera la palabra a Lancastre de aquella forma tan abrupta y, además, a una hora tan temprana. Eran las siete de la mañana y desde la cocina mi mujer me estaba comunicando que ya estaba preparado el desayuno. Las dos voces, la de ella y la de Lancastre se mezclaron en mi cerebro, justo en el momento en que, en plena ceremonia, siempre peligrosa de contemplar mi rostro en el espejo, reparaba en mis húmedos párpados inferiores inflamados y colgando flácidos de los globos oculares. Me dije, una vez más, que no hay nada en el rostro humano que resista una prolongada observación. Y decidí dejar de observarme. Todas las mañanas resolvía lo mismo, pero esta vez iba en serio, me dije. Fui a la cocina, besé a mi mujer. ¿Qué me cuentas?, le pregunté así a bocajarro. Ella estaba también algo dormida todavía. Nada, me dijo, sigo observando a los vecinos de al lado y ya empiezo a conocer sus costumbres y la vida que llevan y, aunque sean estudiantes, creo que no hay que temer que organicen grandes saraos, llevan realmente una vida monacal.

También mi mujer, pensé, se dedicaba al espionaje o estudio de las gentes del barrio. En este sentido, llevábamos vidas paralelas. Tomé más cafés de la cuenta y luego fui a la habitación a vestirme. Uno siempre desea mejorar escribiendo, imaginé que me decía Lancastre, esas ganas de mejorar aparecen cuando ya empiezas a estar viejo, ¿sabes? Entonces entiendes que las cosas que haces deberían ir volviéndose más rigurosas. Siempre he tratado de mejorar progresando. Pero es inevitable, los temas son siempre los mismos, claro está, y aún más claro está todo cuando el escritor es un neurótico, como yo. Cada uno sólo tiene sus propios temas, y se mueve dentro de ellos, y en el fondo es lo mejor que puede hacer, volverse monótono. No sé quién decía que los grandes escritores son estupendamente monótonos. Ahora, eso sí, siempre se piensa en cómo hacer para ser otro, para convertirse de la noche a la mañana en un escritor distinto del que has sido siempre y evitar que los jóvenes digan que no sales nunca de los mismos temas. Uno piensa en retirarse a un convento y hacerse monje, o dedicarse a ser camionero y hacer vida de tal, o bien en cursar tardíamente la carrera de ingeniero aeronáutico y cambiar las inquietudes filosóficas por las científicas... Pero tratar de ser monje, camionero, ingeniero aeronáutico, es un error, porque uno no pertenece a esa clase de gente en el fondo más sencilla y porque, cuando uno es como yo soy, no es capaz de relacionarse demasiado con camioneros o ingenieros, y tampoco con mineros, banqueros, críticos desbocados, maquinistas de tren, exploradores famosos...

En qué piensas, me preguntó mi mujer. Bueno, reaccioné muy rápido, pienso en que hay escritores que se preocupan por cambiar de temas y no repetirse y se atormentan con eso y hasta para cambiar están dispuestos a convertirse en camioneros cuando en realidad es todo más sencillo, basta ver mi caso: me ha sido suficiente con cambiar de barrio para encontrar otros temas.

10

Nevó sorprendentemente sobre Barcelona y todo quedó colapsado, pero no quise perderme el estreno en el Tívoli de *Un tranvía llamado deseo*, de Tennessee Williams, dirigida por Mario Gas. Hacía treinta años que no iba al teatro, aunque al teatro en sí no lo había olvidado precisamente.

Nevaba tanto que no hubo modo de encontrar taxi y acabé compartiendo uno con un desconocido que dijo ser poeta y al que dejé en el viejo Perturbado, aquel bar de mi juventud, para luego continuar el trayecto hasta el Tívoli. Durante el breve viaje, el poeta no paró de hablar. Sin haberse ni tan siquiera presentado, empezó diciéndome que en el mundo todo iba mal y que iría aún mucho peor en las siguientes semanas, meses y años. Todo fatal, apostilló. Y después no paró de pedirme opiniones. Qué pensaba sobre esto y aquello, sobre la reciente reconstrucción del *big bang* original en Ginebra, sobre el gran retraso cultural español, sobre la infinita estirpe de los necios y finalmente sobre el alquiler de tumbas por un mes.

Frenó de pronto unos segundos la intensidad de sus preguntas, pero sólo para poder regresar con más fuerza y decirme que el arte tenía algo que ver con lograr la quietud en medio del caos. La quietud intrínseca a la plegaria y también al ojo de la tempestad, concluyó rotundo. Y luego se quedó ya completamente callado. Fue un momento poético digno de aplauso de teatro lleno porque consiguió que me concentrara y pensara en el ojo mismo de aquella tempestad de nieve que asolaba Barcelona. Pero también es cierto que sólo conocí la verdadera quietud cuando por fin él se bajó del taxi.

Había ya recuperado la calma cuando el taxista me preguntó si me había dado cuenta de lo bien que hablaba el joven. Me pareció una escena ya vivida, pero no sabía dónde ni cuándo. A mí también me gusta preguntar, dijo el taxista. Y quiso saber si no pensaba que raramente tratamos con personas razonables, y después no sé cuantas otras cosas más quiso saber, y muy pronto se fue haciendo palpable que se le había adherido el tono del poeta desconocido.

Está naciendo un sentido, pensé, y quién sabe, tal vez el primer sentido también surgió así: alguien, en la noche de los tiempos, se contagió del tono narrativo de otra persona y en medio del caos nació un sentido, tal como lo he visto hoy nacer también aquí en este taxi...

A la altura de la calle Aragón, descubrí por qué aquella escena de contagio me parecía vivida anteriormente. Un día de hacía ya años, un escritor mexicano me había contado en Barcelona un viaje de noche en taxi con un escritor colombiano por la ciudad de México. En esa ciudad el más corto trayecto puede durar una hora, y ese día, acompañando al colombiano a su casa, el viaje para el escritor mexicano se fue haciendo interminable mientras su amigo, tocado por el excesivo alcohol, trataba de contarle cómo era la novela en la que trabajaba y con la que rompería su silencio literario de tantos años. A medida que la contaba, la futura novela colombiana se iba volviendo cada vez más y más extraña y caótica y hasta cambiaba de argumento y mudaba de piel y de estilo.

Tras hora y media de viaje y de novela enredada, el escritor mexicano dejó finalmente en la puerta de su casa al colombiano. Creyó que llegaba a partir de entonces la paz. Pero al volver al taxi y cuando más convencido estaba de haberse merecido el reposo de un regreso tranquilo, se encontró con la voz del taxista que le decía que aquel extranjero que habían dejado en su casa contaba las historias maravillosamente bien. Lo más alarmante fue constatar que el tono de voz del taxista, en su sentido incluso caótico, era un calco del tono de voz del escritor colombiano. El conductor había quedado tocado por el encanto de un relato adhesivo.

Era verdad, pensé al llegar al Tívoli, que existía la modalidad de los relatos adhesivos. El taxista mexicano y el barcelonés eran buena prueba de esto, por no hablar de Vilnius, verdadero experto en mentes adosadas.

11

La representación de *Un tranvía llamado deseo* constaba de dos actos, uno de hora y media, y otro de cuarenta minutos. En el entreacto de un estricto y escaso cuarto de hora —recordaba que en mis tiempos, cuando iba al teatro, los intervalos duraban mucho más—, me pareció distinguir entre el numeroso público a Laura Verás, acompañada de una amiga. Me acerqué para asegurarme de que no me equivocaba y, al confirmar que era ella, decidí que no debía permanecer indiferente ante tan casual encuentro y, sin pensarlo dos veces, fui a saludarla dando por hecho, como así fue, que me conocía de las noches de Bikini y del Perturbado y también me conocía como escritor.

Contando con esto y actuando con naturalidad, como si no supiera nada de sus más recientes fechorías, le dije que quería darle el pésame por su marido. Mientras le decía esto, no podía apartar de mi cabeza el dicho

«Laura Verás, irás y no volverás» y temía que la palabra «pésame» rebotara en mí con tal fuerza que terminara por estrellarme contra el suelo.

Pero Laura Verás reaccionó con naturalidad y como si no hubiera roto nunca un plato, y se mostró simpática conmigo y acogedora y hasta alabó lo que yo había escrito a lo largo de mi vida, aunque se notaba a la legua que nada había leído de todo aquello que elogiaba con tan refinados tópicos.

Le di las gracias, también yo muy educado, y de repente, todo cambió. Le comentó algo a su amiga y ésta le respondió algo también al oído, y poco después pasaba a mostrarse desagradable en sumo grado, lo que observé que la mejoraba físicamente de una forma asombrosa —tal vez era el secreto de su encanto, necesitaba volverse inmunda— y la fue convirtiendo en una mujer que a cada segundo ganaba en belleza y parecía que no alcanzaría un límite para tanto esplendor repentino, tampoco para tanto ladrido en la voz.

Lo que vino a decirme con muy malas palabras fue que no se le escapaba que me había acercado a ella con el propósito de pedirle algo. No era en modo alguno así, pero eso facilitó todo. En efecto, me animé a decirle, vine aquí para pedirle que me permitiera averiguar si es verdad que su marido trabajaba en unas memorias cuando le alcanzó la muerte. Ya estaba dicho aquello y me quedé bien desahogado, a la espera de lo que ella pudiera aportar a aquella escena de entreacto. Sí, pero esas memorias eran pésimas y las destruí nada más terminar de leerlas, contestó rápida e imperturbable. Entonces, armándome aún más de valor, dije que había oído decir que una muchacha tenía una copia de las mismas y pensaba publicar pronto esas memorias incompletas. Laura Verás, con sus ojos verdes perfectos, me atravesó con la mirada y luego estalló en una carcajada descomunal. Tan atronadora fue su risotada que he llegado a pensar que tenía potencia más que sobrada para derribar por sí sola cualquier gran decorado del caserón de los Monster.

¿No sabía usted que una muchacha tiene una copia de las memorias y piensa publicarlas pronto?, acerté a preguntarle, y me sorprendió haber sabido reaccionar con tanta astucia y calma. Pero algo iba a sorprenderme todavía más y fue el modo de responderme de ella, su manera de contestar cuando aún estaba todo el mundo mirándonos. Asintió a lo que le había preguntado con un enérgico y repentino, muy retumbante *sí-sí-sí-sí-sí*. Nunca había oído algo tan sonoro en un entreacto. La tan temible Laura Verás, tal como había detectado su hijo, tenía un componente muy cómico en su monstruosidad de astracán. Después, la calma. La gente prefirió mirar a otro lado y volvieron a sus conversaciones.

Creo recordar que fuimos novios tú y yo, susurró entonces ella tuteándome de pronto. No lo recuerdo, dije de inmediato, tratando de que no creyera que me había sorprendido. Sin embargo, estoy segura de que lo fuimos y una noche hicimos un trío con la hija del doctor Garrul. Ni idea, dije. Es mi recuerdo contra el tuyo, dijo. En efecto, pero ni siquiera sé quién es el doctor Garrul. Pues su hija se acuerda mucho de ti, dijo. Te confundes o, mejor dicho, creo que usted se ha enredado en algo que no pasó. Seguro, dijo, que te acordarás de todo cuando veas cómo a esa muchacha con copia de las memorias le cae encima todo el peso de mi ley. ¿No podría volver a su risotada espantosa? Purifica el ambiente, le dije. Jamás repito nada en los teatros, respondió.

12

A la mañana siguiente, en un hecho para mí relacionado con mi encuentro con Laura la noche anterior, telefonearon al Littré de muy buena mañana, y Shekhar no preguntó quién era y pasó directamente la llamada a la habitación que le requerían. Al descolgar, Vilnius se encontró con una voz femenina de tono grave que preguntaba por Débora. Ahora se pone, dijo él muy dormido, con un teatrillo de viento en su cerebro. Diga, dijo Débora, dormida también. Ya es la hora embrujada de la noche en que se abren los sepulcros y el infierno, dijo la voz grave y colgó. Y la pareja siguió durmiendo, creyendo, según coincidieron en decir los dos después, que había sido un sueño.

Por la noche, apareció muerto Claudio Arístides Maxwell en su ático de la calle Bailén. Un suicidio un tanto incomprensible. ¿Cómo explicarse que Claudio Arístides Maxwell, sin que se le conocieran problemas graves —más allá de su grosería innata, crueldad y estupidez—, se hubiera tragado en una sola noche más píldoras que la frágil Marilyn Monroe en toda su vida? Lo más absurdo de todo se hallaba sin duda en el papel que dejó en la mesita de noche: «Voy a morir como un rey».

Era un mensaje absurdo y creo que todo el mundo lo entendió de esa manera, menos Vilnius, Débora y yo, que lo leímos en clave *Hamlet*. Pero leerlo de aquel modo obligaba a pensar que Max había pagado con la muerte el asesinato de Lancastre, lo que no era precisamente algo muy demostrable.

En los siguientes días, cada vez que me quedaba solo pensaba en Claudio Arístides Maxwell. Me gustara o no, se trataba de alguien a quien no había conocido personalmente, pero que formaba parte de la etapa más reciente de la historia de mi vida. ¿A qué venía ahora que unas píldoras lo arrojaran fuera de ella? ¿Qué era eso de dejarme a Max convertido de pronto en un fiambre? ¿Quién parecía estar escribiendo, como si estuviera ebrio, la historia de mi vida real? Al pensar en todas estas minucias que no lo eran tanto como a primera vista podía parecer, uno terminaba por percibir, con cierto terror, que tal vez ese guionista de mi vida real, por los motivos que fuera, se había quedado lelo, sonado de repente, y sin la base mínima de disciplina que cualquier novelista, por mediocre que sea, sabe que se le va a exigir.

13

Dos días después, en la terraza de mi casa de la calle Casanova junto al pasaje Pellicer, decidía yo que, hacia el final de las memorias abreviadas de Lancastre, le haría comentar al finado su diario de adolescente, aunque el diario que él glosaría sería en realidad el mío, aquella «agenda americana» que abarcaba cuatro meses y tres días de mi vida en 1963. Para el texto contaba ya con el título, *Teatro de la memoria*, y ya sólo faltaba —como pasaba con todos los demás capítulos que iba imaginando— escribirlo.

Mi idea era concentrarme en ese 24 de mayo en el que Lancastre iba andando de casa al colegio, imaginando que en realidad andaba por una calle de casas no numeradas que llamaban Little Big Horn. Iba metido literalmente dentro de una película, de un western sin cheyennes, por lo que el muchacho caminaba sin relación alguna con cualquier idea de terror; iba tan tranquilo por el habitual camino que iba de su casa al colegio, pero de pronto, al doblar una esquina, en medio de la luz opaca de aquel día, se encontraba con una reunión sigilosa de gente frente al colegio de sordomudos, el colegio siempre cerrado (como si no lo habitara nadie), cercano al cruce con la calle Mallorca. Durante muchos años después de la guerra, había sido un colegio de sordomudos, pero parecía siempre deshabitado, o al menos eso le parecía al jovencísimo Lancastre, que solía andar por allí cuatro veces al día; pasaba continuamente por delante de aquella fachada de estuco blanco esgrafiada con motivos florales y molduras y piedra labrada en todas las oberturas. Un sitio con misterio que pasó a ser en verdad enigmático el día en que Lancastre vio delante del edificio a un grupo que parecía moverse muy despacio y dando muestras de un cierto pánico contenido, terror producido seguramente por el dilema de no saber qué hacer en los siguientes minutos, ya que parecían haber quedado atrapados en una escena irreal, en la que había de todo, risas y lágrimas.

Lo que jamás olvidó de todo aquello el joven Lancastre fue la sensación de luz extraordinaria. Permaneció inmóvil, temiendo interrumpir con un solo movimiento lo que se estaba forjando en su mente y que no acababa de comprender (sin que eso importara demasiado), aferrándose en cualquier caso felizmente a esa imagen de grupo vacilante, alegre y triste a la vez. Toda la luz oscura del día se había por completo ausentado y la iluminación ahora era de vivas tonalidades, aunque parecía que todo el mundo se comportara como si esos colores tan intensos no existieran y permanecieran los tonos nebulosos de antes… No supo nunca cuánto tiempo duró la confusión, el tumulto de hombres y mujeres, la reunión angustiosa de gente que estaba tan cerca la una de la otra que el aliento del miedo común, unido a la frialdad general, terminaba por hacer que los rostros se estremecieran. Se veían puertas que parecían abrirse directamente al infierno, o a una imitación del mismo. No supo nunca cuánto duró todo aquello, y sólo recordaba que en un momento determinado percibió que estaba al mismo tiempo en dos noches idénticas, dos lunas que parecían compartir la posesión de todos los crepúsculos ya vividos o por vivir. A pesar del descubrimiento, sintiéndose un chino que se dirigía hacia su casa, siguió caminando bajo las dos lunas.

Puede sonar extraño que se sintiera como un chino, pero para mí no lo es. En esto siempre he pensado igual que Lancastre. Creo que no es cierto que los hombres queramos, como Ulises, regresar a nuestro hogar. No todos estamos tan locos para querer algo así. En una carta maravillosa, Franz Kafka dijo acerca de su estado de ánimo en el momento de escribir esa misiva (de amor, la envió a Felice Bauer): «Me siento como un chino que va a casa.» No dijo que volviera a su casa, sino que iba. Es una frase que me recuerda a Bob Dylan al comienzo de *No Direction Home*: «Salí para encontrar el hogar que había dejado hacía tiempo, y no podía recordar exactamente en dónde estaba, pero se hallaba en el camino. Y al encontrar lo que me encontré en el camino todo era tal como lo había imaginado. En realidad, no tenía ninguna ambición, no creo que tuviera ambición para nada. Nací muy lejos de donde se supone que debo estar, y por lo tanto voy de camino a mi hogar.»

Creo que Kafka, de no ser por un pequeño problema cronológico, podría haber escrito: «Me siento como un Bob Dylan que va a casa.»

Yo nunca trato de regresar, sino que intento encontrar una casa en el camino.

A veces pienso en la cantidad de veces que Dylan se habrá sentido como un Kafka que va a su casa.

14

Andaba dando vueltas a este asunto del Juicio Final, puro teatro de la memoria, y también pensando en otro capítulo que abarcaría la cuestión de la ambigüedad política de Lancastre, un autor del que siempre los progresistas creyeron que era uno de los suyos cuando en realidad huía de todo lo que, bajo apariencias de cualquier tipo, oliera a fe, patria, religión, convicciones políticas, ideas inamovibles, grandes certezas...

Andaba dando vueltas a estos dos capítulos, pero en mi mente aún cabía otro más: un conjunto de páginas que pensaba dedicar a su adicción al alcohol, a su afición etílica vista como la forma en que él se rebelaba contra su familia (que le oprimía) y la tradición literaria contra la que quería luchar; mi idea era exponer que si a Lancastre se le quitaba el factor alcohol no era posible explicarle como autor, pues sin ese factor no era nada, quedaba reducido a una persona sin interés, gris y única, una persona muy alejada del escritor al que el alcohol le hizo construir todo un mundo complejo y le ayudó por supuesto a fragmentarse en diversas personalidades muy distintas entre ellas, en diferentes heterónimos, y le ayudó también a multiplicarse en mundos paralelos y a tener las más diversas miradas... Pero es que, además, aún tenía yo pensado otro capítulo, éste dedicado a la metáfora matriz de Lancastre: nuestro mundo real, racional y cotidiano carece de la menor base real y racional. Era yo pues receptor continuo de capítulos, todos todavía por escribir. Andaba ocioso pero dando vueltas sin cesar a todos esos capítulos, un día por la tarde, cuando de pronto, como si mi destino tuviera un oscuro mecanismo teatral interno, apareció mi mujer con una carta que acababa de llegarme de Italia.

Me acordé en ese preciso instante de alguien que decía que el pasado siempre regresa y sólo precisa de una coartada, un signo, algún detalle que le sirva de pretexto para reinstalarse en el presente. El caso es que yo estaba en la terraza y ella llevaba una carta en la mano y la escena me recordó como una gota de agua a una anteriormente vivida. Muy poco después, como si fuera necesario confirmarme que, como decía mi amigo Lago, a veces atravesamos el universo efectuando un recorrido en el que coinciden el punto de partida y el de llegada, me pareció observar que el nudo que había servido para anudar la historia teatral en la que me sentía misteriosamente inmerso no sólo no era uno de esos falsos nudos que se deshacen al tirar por uno de sus cabos, sino al contrario, era un nudo que tendía a cerrarse todavía más. Y es que mi mujer entró en la terraza con pompa nada habitual en ella y ensayó una reverencia teatral antes de anunciarme que, a tenor de lo que decía la carta, alguien me consideraba un gran impostor.

Algún círculo, en el cielo o en el averno, debió de cerrarse en ese momento. Y lo cierto es que yo pensé en primer lugar: si supieras, querida, que mi meta es convertirme pronto en un mudo radical. Después, me ocupé de lo que me exponían en la carta. En esta ocasión, en lugar de proponerme acudir a un congreso sobre el fracaso, me invitaban a uno sobre la impostura. En el pueblito de Meina, en el Piemonte, junto al Lago Maggiore. Sonreí. Si decidía ir a Meina, pensé, leería allí un adelanto de las memorias abreviadas de Juan Lancastre, el fragmento *Teatro de la memoria*, dedicado al episodio del Juicio Final, recuerdos inventados en estado puro. Y mientras me decía que, con destino al congreso de Meina, seguramente no tardaría mucho en escribir ese fragmento que iría en la parte final de la autobiografía y que consistiría en una incursión en el mundo de los primeros años de Lancastre, en una aproximación a sus relaciones en esos días con el mundo de lo verdaderamente verdadero, llegó la noticia de que Laura Verás acababa de anunciar que no era verdad que había destruido la autobiografía de Juan Lancastre.

Mi mujer, pidiéndome calma, tuvo que repetírmelo dos veces. Fui a abrir el ordenador inmediatamente para confirmar allí la noticia. En rueda de prensa, en compañía de los editores que acababan de comprar los derechos, Laura Verás acababa de anunciar que no había calcinado para nada el manuscrito original y que por tanto deseaba desmentir, de una vez por todas, la versión oficiosa de su malintencionado hijo, el más que inútil Little Dylan.

Aquel mismo día, el pobre Vilnius, que no se atrevía a regresar al gran santuario del Mal que era la casa de su madre, decidió llamarla al móvil para ver si averiguaba por qué le había mentido y por qué, además, públicamente, le calificaba de aquella forma tan atroz y perjudicial. Llamarle inútil delante de todo el mundo, le dijo el pobre Vilnius, era una inmoralidad más de las suyas. Pero la llamada sólo le sirvió para vivir en primera persona la experiencia inconfundible del más puro *irás y no volverás*, porque su madre le cambió de conversación enseguida y le preguntó si tenía las fotografías de los ataúdes. No sé de qué me hablas, dijo Vilnius cayendo en la trampa. Sí, dijo ella, fueron hechas con una cámara de objetivo rápido. Pero es que no sé de qué ataúdes me estás hablando, dijo él. Ataúdes para el coro y también para el que talla esos ataúdes, dijo ella. ¿Y quién los talla?, preguntó Vilnius. Pero su madre ya no estaba al otro lado del teléfono.

15

¿La vida es la farsa que todos debemos representar? Preguntas así me tuvieron ocupado en los días siguientes. Volví a prestarle más atención al horóscopo. Y me desentendí del proyecto de autobiografía apócrifa. Después de todo, la idea de ese libro había surgido sólo para suplir una ausencia y muy especialmente como venganza contra Laura Verás por la quema del original. Pero reaparecido éste, tenía poco sentido, por muy bien hecha que estuviera, presentar una variante apócrifa del original. Sin embargo, cuando me llamó Débora para que nos viéramos y discutiéramos sobre el futuro de mis memorias inventadas (entendí con cierto asombro que para ella nada había cambiado y veía mi libro todavía en marcha) no le dije que había ya renunciado al proyecto, y menos aún que las circunstancias me habían empujado a volverme mudo y ágrafo antes de lo que había previsto. Nada le dije, pues tenía muchas ganas de verla. A veces, las cosas son así. Uno retrasa todo, hasta la decisión más importante de su vida, uno aplaza hasta esa decisión sólo por volver a ver los ojos azules de una pobre Oblomov enferma.

Quedamos en el Farfalina, el pequeño bar junto al no menos pequeño Tempus Fugit, y allí, a lo largo de una sesión que alcanzó hasta la hora del crepúsculo, me fue contando lo que había en ese original y yo, durante largo tiempo, *escuché* lo que decía el manuscrito calcinado. Remarcó varias veces que el libro estaba dedicado a ella y caí en la cuenta de todo: Débora sabía que sólo en mi variante apócrifa del original podía aparecer esa dedicatoria y por eso deseaba que el proyecto continuara adelante.

Escuché todo con atención, incluida la narración de cómo Lancastre se había enamorado de Laura Verás. Éste, sin duda, era el episodio más memorable y tal vez el más ridículo del original en poder de la viuda. El episodio alcanzaba cotas increíbles de sublime tontería cuando describía que, debajo del ala de un sombrero emplumado, surgían unos ojos grandes, verdes y aterciopelados como pensamientos, sosteniéndole la mirada por momentos sin expresión y luego apartándola con una dureza que le fascinó hasta el extremo de llevarla al altar.

Cuando llegó Vilnius al Farfalina, estaba acabando ya por mi parte la atenta *escucha* del manuscrito. Saludó con su conciencia cada día más sólida de conjurado, de activo miembro de una conspiración tan secreta que llevaba incorporado ya la sombra del dios Hermes entre sus miembros. Cara de inexpresividad total y dos toques rápidos de mentón para luego quedarse totalmente desequilibrado, encogerse de hombros y a continuación echarse encima de mí y simular que se desmayaba, volviendo poco después a recuperar la posición vertical perdida. Me asaltó una angustia grandiosa en ese momento, no relacionada para nada con el saludo. ¿Qué hacíamos allí? Nadie de nosotros quería pensar en ello, pero en realidad seguíamos como siempre avanzando hacia la muerte, a través del aire fresco del crepúsculo.

Me di cuenta de que si había alguien en el mundo especialmente propenso a dejarse afectar por la frase del guionista Harlem, aquella en la que habla de que cuando oscurece siempre necesitamos a alguien, esa persona era yo, siempre muy sensible al atardecer y a la llegada de la oscuridad.

Me hubiera gustado avisarles de aquello que era tan terrible y tan obvio, el avance hacia la muerte de todos (así han terminado siempre todas las historias que en el mundo ha habido), pero la angustia que me dominaba y la necesidad de hablar inmediatamente de algo para disimular mi turbación me llevó a una acción imprevista, a confesarles que no tenía intención ya de escribir aquellas memorias alternativas de Lancastre. El aire es frío, dejó caer Vilnius como único comentario. Se le veía molesto, sobre todo decepcionado. En cuanto a Débora, fingió un desplome con tanto arte que por momentos pareció auténtico y creímos que teníamos que reanimarla.

Callé, pero tuve la impresión de que Débora, aun siendo muy joven todavía, sabía avanzar como nadie hacia la muerte a través del aire fresco del crepúsculo. Aquel desplome fue para mí memorable, como si la hubieran envenenado en Elsinor. Logró que temiera incluso por su vida, temí que alguien —el guionista sonado de mi vida real, por ejemplo— la confundiera con Ofelia, personaje de *Hamlet* que también moría. Luego pensé que me había pasado cien mil millas al imaginar aquello. Quizás por ello, por la noche tuve un sueño en el que pedía explicaciones al guionista de mi vida real. Le pedía toda clase de explicaciones por el absurdo suicidio de Max. El guionista se llamaba Harlem y yo le decía que no sabía de qué me sonaba su nombre.

—Yo lo veo así, es obra del Altísimo —decía Harlem.

Y con la mirada perdida hacia arriba, añadía:

—Obra de Dios. Su voluntad.

16

¿Fue también voluntad de Dios lo que unas noches después le ocurrió a Laura Verás? En Barcelona todavía se hablaba del enigmático suicidio de Max cuando su amante, Laura Verás, que había derramado pocas lágrimas en su entierro, salió a cenar con los editores de la autobiografía de Lancastre. La versión de los hechos por parte de éstos se iniciaba en lo alto de la calle Urgell, cuando ella, al disponerse a entrar en el Shibui, conocido restaurante japonés, fue interceptada en la calle por una mujer con aspecto de vagabunda, que se le acercó y la saludó. Ella recordaba vagamente su nombre: Ariadna. La mujer le preguntó por qué había llegado tan tarde a la cita. No recordaba que tenía una cita, dijo Laura con una sonrisa irónica. Entonces, ¿por qué has acudido a ella?, preguntó Ariadna, y le pidió que recordara que, cuando eran colegas en «aquella agencia literaria», logró que a ella la echaran del trabajo. Laura negó que eso hubiera sucedido, pero Ariadna le dijo que daba igual si no lo recordaba, el hecho era que tenía que dormir en la calle desde aquel día y que, al ser la culpable de todas las desgracias que después le sobrevinieron, debía echarle una mano, como mínimo dejarla dormir aquel día en su casa. Avisaré a la policía si no te largas inmediatamente, dijo Laura y, apartándola de un manotazo, entró decidida en el Shibui, aunque a lo largo de los siguientes minutos, mientras miraban el menú y pedían la comida, se mostró turbada por el incidente, por las últimas palabras de Ariadna, que le había dicho repetidas veces que ella era la culpable. Se la veía alterada por el incidente extraño. Más raro iba a ser el suceso que seguiría, demostración escalofriante de la fragilidad humana. En el primer plato, una hoja de lechuga bloqueó por completo la tráquea de Laura y, a pesar de los esfuerzos de los editores y del tembloroso personal japonés, ella se quedó completamente lila y murió asfixiada de la forma más estúpida y rápida del mundo.

¿Obra de Dios o de Shakespeare?

Desde luego otro cadáver bien sorprendente. Y como siempre ante la muerte, poco que decir, sólo desear que el próximo en caer no fuera Vilnius, que de algún modo era el príncipe de aquella historia. O la pobre Débora, mi querida Ofelia.

Laura Verás había dejado escrito que, en caso de muerte, echaran sus cenizas al final de un muelle que ella adoraba. Un dique maravilloso que en invierno golpeaba con fuerza el viento; un muelle en un pueblo del sur de Francia, cuyo nombre sus allegados no debían revelar jamás para «preservar las intimidad de sus restos». Quienes oficiaran la ceremonia, debían respetar esa norma, una norma que yo mismo voy a respetar, pues participé en esa ceremonia fúnebre.

Le tocó a Vilnius, como hijo único y único «allegado», ocuparse del incordiante asunto final de la urna y nos pidió ayuda, no deseaba desentenderse de mala manera de los restos de la que «al fin y al cabo», dijo, era su madre. No pudimos evitar pensar que era demasiado engreído, por parte de la difunta, creer que habría otros allegados más. Nos apiadamos de Vilnius, aunque pensamos que a partir de aquel día viviría más tranquilo, siempre y cuando, por supuesto, a su madre no le diera

317

también por infiltrarse en su mente. Nos apiadamos pero también nos alegramos por él y decidimos todos acompañarle en esas últimas honras fúnebres, movidos también por el morbo de ver reducida a pura ceniza a la peligrosa señora y poder lanzarla con furia al espacio mortal sin fin donde dicen que todo se disgrega.

Fui el primero en decirle a Vilnius que le acompañaría en el viaje al sur de Francia. Es más, le encontré coche para el desplazamiento porque la agradable Victoria, la camarera de alterne del Newport, tenía el día libre y se ofreció a llevarnos en su descapotable rojo de segunda mano, comprado con sus ahorros de diez años de penalidades sexuales incontables. También se animó Débora a viajar al muelle francés. Estará *Aire de Dylan* con todo su peso, dijo ella queriendo armar una paradoja, sabiendo que nuestra sociedad secreta era pura ligereza. Ojalá la sombra hermética de Hermes y el fantasma de Lancastre quisieran añadirse de algún modo al viaje y se notara su presencia en el espíritu *heavy* de los extraños golpes de volante que a lo largo del camino podía dar Victoria, de quien sabíamos que era impulsiva y muy excéntrica conduciendo.

A medio camino entre Barcelona y el muelle francés, a la altura de la ciudad de Figueres, comenzó a llover y tuvimos que cubrirnos, recurrir a la capota de vinilo, lo que condicionó el resto del viaje, quizás más melancólico a partir de esa irrupción de la tormenta. Supimos por Vilnius, primero, y después por Débora que les iba muy bien todo a los dos, muy especialmente desde que habían decidido no creer demasiado en nada. Les iba genial la vida, dijeron, porque la gente les veía enfermos y poéticos y les dejaban en paz y les iba, además, muy bien en todo porque jamás entraban en conflictos con nadie, pues no se veían obligados a defender sus opiniones ya que no existían para ellos verdades objetivas, ni opiniones que pudieran considerarse completamente certeras. Todo era incierto, pensaban. Y se consideraban falibilistas, como ciertos científicos contemporáneos que piensan que los llamados seres humanos podemos estar equivocados acerca de cualquier cosa.

Victoria preguntó si podía ser como ellos, le gustaría pertenecer a su tribu, le interesaba la paz de su alma y no creía tampoco en nada. En lugar de esperar a ver si Vilnius y Débora la aceptaban, se desvió de su objetivo y se puso a contar, con la ayuda de la lluvia nostálgica, la historia de su padre, de quien dijo que era una persona de una bondad tan fuera de este mundo que cuando su esposa le engañó con otro hombre fue a ver al amante para decirle que se pusiera cómodo, como si fuera de la familia...

Nos costó encontrar el lugar que Laura Verás había señalado con supuesta gran precisión para que aventáramos sus restos, pero recuerdo una vibración empática entre todos y una gran disciplina y unidad de grupo funerario cuando llegamos a aquella extensión de terreno baldío entre la carretera y el mar, entre el lugar en el que aparcamos el coche y el muelle.

Comenzamos a caminar en formación abierta a veces y en fila india en otras, fila Dylan. Vilnius iba en cabeza con la urna, después Débora y después yo, luego Victoria, y finalmente cabía suponer o esperar que caminaran también el espectro y la sombra hermética. El muelle resultó ser más ancho de lo que parecía desde lejos, tan amplio como una carretera, lo que, teniendo en cuenta la suave tormenta que caía, significaba que quizás no fuéramos a mojarnos tanto, al menos no por las salpicaduras de las olas. El viento aligeraba algo el peso de la lluvia. Procurad mantener las manos secas a la hora de echar las cenizas, dijo Débora que parecía una experta en esta clase de ritos, pero que en realidad sólo tenía un comprensible pavor a que se le adhirieran a la palma de la mano algunas cenizas y en consecuencia la maldad de Laura.

Levantó Vilnius la urna para sacudirla, y me imaginé que se oía de fondo la risa de Lancastre, ajeno ya a lo terrenal, tan ocupado como estaba en la persecución infinita de la sombra hermética, aunque, eso sí, encontrando todavía un hueco entre sus obligaciones celestiales para dirigirle unas últimas puñeteras palabras a su hijo y decirle: no sabes, Vilnius, cuánto me gusta este cielo con nubes bajas que parece que pueden alcanzarse con los dedos y no sabes cómo adoro este clima, no sabría vivir sin él, hijo, sin sus suaves tonos grises, sin este aire débilmente luminoso y sin este silencio lejano y misterioso: tal vez esté dentro de mi cabeza.

Estaba casi oyendo esas palabras que imaginaba que Lancastre mandaba al vulnerable cerebro de Vilnius cuando a Débora se le ocurrió mirarme con sus grandes ojos, color azul más intenso incluso que de costumbre, y preguntarme si estaba realmente decidido a no escribir la autobiografía inventada del gran Lancastre.

Unas gaviotas se lanzaron en ese momento sobre la urna y viraron de inmediato ante aquel manjar maligno, como si se sintieran horrorizadas o hubieran tropezado con verdaderas semillas del horror.

Tenía decidido secretamente desde antes de conocerles, le dije a Débora, no escribir ningún otro libro, pues estaba muy arrepentido, casi dolorido, de todos los que había publicado a lo largo de mi vida, pero finalmente había decidido prorrogar por unos meses el momento de retirarme, pues sentía que necesitaba contar la sorprendente historia que con ellos de protagonistas me había ido encontrando en los últimos tiempos en la vida real: la historia de cómo un duelo puede ir engendrando una nueva familia a un difunto; la historia, además, de unos jóvenes poéticos y enfermos, redomados Oblomovs, perdidos en el vacío cultural de su tierra y con tendencia a ser, hasta límites insospechados, haraganes y reacios al esfuerzo; una historia de duelo y abismo que, cuando se publicara, seguramente diría mucho más sobre Lancastre que sus propias memorias abreviadas y con el tiempo se leería como su verdadera autobiografía, porque se vería que el alma moderna, el aire de Dylan, la esencia de nuestra época, no podía quedar mejor retratada en ella.

17

—¿Y no te cansa la sola idea de tener que hacer ese esfuerzo, de seguir trabajando como siempre has hecho? —preguntó poco después Débora.

Volví a sugerirle lo mismo que ante esa pregunta había contestado días antes y dije que se sabía desde siempre que el carácter de un joven se forjaba en los rigores del combate.

Di por hecho que esta vez ellos me habían comprendido mejor que en la anterior ocasión que había dicho yo aquello. Por una parte, aquel libro que iba a escribir me ayudaría a sentir que seguía aprendiendo y a mantener, por tanto, el espíritu joven. Y, por otra, aunque intuía que era una vana ilusión mía, nada deseaba tanto como que algún día ellos empezaran a forjarse en los rigores de la lucha por la vida.

A pesar de que cuando era joven, vine a decirle a Débora, había programado no ser nada prolífico, la vida me había llevado por otros derroteros y no había parado de escribir un libro por año. Me arrepentía de todos y esperaba no tener que hacerlo también del último, de esa autobiografía falsa de Lancastre en la que confiaba mucho porque me parecía idónea para mí, como caída del cielo o caída de Hamlet, ya que iba a permitirme aportar un contrapunto y un cierre mordaz a toda mi obra, una visión irónica sobre mi desmesurada productividad literaria. ¿O no iba a tener que contar la historia de cómo un escritor arrepentido de haber sido tan prolífico trataba de dejar de escribir y de un modo fatídico la vida real y unos maravillosos haraganes se lo impedían?

¿Me lo impedían? ¿De verdad que era necesario que escribiera aquel libro? Sí, lo era. Porque si por fin lograba esa novela que esperaba lograr y que no había sabido hacer en cuarenta años de profesión, podría después sentirme más tranquilo cuando entrara por fin en mi duro e imperturbable periodo de mudez radical, de mudez severa en todos los terrenos, incluido el conyugal.

Arreció el viento. La ceniza era suave y granulada y casi blanca, como la arena suave y blanca de una playa del Caribe. Recuerdo muy bien la primera vez que lancé al mar una porción de ceniza. Vilnius sonrió al ver lo mal que arrojaba aquellos residuos, y yo, por mi parte, no pude evitar mirarle con cierta compasión, porque me acordé de que, si la historia de nuestras vidas seguía casualmente una fatal mecánica teatral interna, él podía convertirse —como príncipe que era de la historia— en la próxima víctima. Y lo mismo podía pasarle a la pobre Débora.

Luego, para no anclarme en pensamientos negativos

de ese tipo, miré a todos los que permanecían todavía en fila india, gran fila de tribu funeraria, y me pareció intuir que estábamos llegando al final de algo. Quizás yo había entrado muy tarde en el teatro de la vida, pero estaba claro que al entrar lo había hecho sin brida y directo ya hasta el final de aquella obra. Seguramente estábamos al final de algo, creía intuirlo, aunque quizás sólo estábamos al final del muelle y aún quedaban más muertes, pero lo cierto era que se cerraban en la propia historia de mi vida algunos círculos, y lo más probable fuera que, durante un tiempo, siguiéramos todos viviendo como si no pasara nada, avanzando hacia el fin de todo a través del aire fresco de algunos crepúsculos.

En ese momento, Débora tropezó algo aparatosamente y estuvo a punto de caer al mar y quién sabe si no habría podido morirse allí mismo como una pobre Ofelia cualquiera que hubiera decidido suicidarse según una cierta lógica teatral. Por suerte, no llegó a perder del todo el equilibrio y no le pasó nada, sólo un susto y un grito. Luego llegaron los gestos: un delicado y gracioso encogerse de hombros, seguido de un movimiento de su extraordinaria melena, como diciendo que allí no había pasado nada.

Arrojamos al mar lo que todavía quedaba dentro de la urna, y aun así nos dio la impresión de que seguía permaneciendo ceniza en ella. Adiós Laura, adiós, dijimos con entusiasmo muy festivo y bailando bajo la lluvia. *Sí-sí-sí-sí-sí*, vete al infierno, dije parodiando a la difunta con un gran sentido, por mi parte, de la astracanada, además de poner voz de ladrido y lograr un fuerte estrépito que rivalizó con el ruido de las olas, que parecían haberse enojado de golpe. Por un momento fue como si la máscara de Laura se hubiera revuelto en un infierno de agua y adherido a la cara de su hijo y el parecido entre los dos no quisiera esfumarse. Soy Laura o Laura es yo, parecía decirse Vilnius, soy ella o ella es yo, o quizás ambos somos alguien que ninguno de los dos conoce.

Todos estamos muertos o nos espera el clásico final de copas envenenadas, pensé, pero poco después el viento me golpeó en la cara y salí de mi ensueño para caer en otro que parecía idéntico. Superada la larga ristra de ensueños, empecé a notar que cada vez me parecía más a un chino que iba a su casa. ¿O era que me sentía ya un chino en viaje, literalmente un chino que intentaba encontrar su casa en el movimiento, en el desplazamiento mismo? Sabiendo, como sabían los falibilistas, que podemos estar equivocados acerca de cualquier cosa, prefería no tomar partido a favor de una o de otra posibilidad. Nos esperaba la muerte a todos y yo era un chino que caminaba. Eso era lo único seguro.

Una delgada estela blanca, infraleve, se detuvo en el aire, hasta que todo escampó y se esfumó a cierta velocidad, menos los restos de maldad que tenía aún pegados a la palma de mi mano.

—Adiós Laura, irás y no volverás —dijo Vilnius sarcástico, al tiempo que feliz de haber cumplido con su deber filial.

Pero seguía él teniendo un aire inconfundible a su madre y en cuanto cobró conciencia de esto arrojó de pronto, desesperado, lo que le quedaba en la mano, y después incluso lanzó la urna al mar y se tocó el esparadrapo que aún llevaba en la mejilla —falso esparadrapo desde hacía días— y se abalanzó sobre mí en gesto de desequilibrio y desmayo, haragán total, Oblomov puro.

—No hacemos nada, pero somos indispensables —dijo.

—Ya trabajaré yo por todos, no te preocupes. Vosotros seguid en el humor, la perdición, la poesía.

Le tranquilicé con estas palabras, mientras le abrazaba sin dejar de advertirle que llevaba todavía cierta maldad adherida a la palma de mi mano.

En cuanto pude, expulsé con ganas aquellas cenizas húmedas, póstumas, horriblemente adheridas. Y entonces toda aquella ceniza última, que había llevado yo en la mano y que no dejaba de ser también la Laura que un día estuvo en este mundo, empezó a llevársela el viento, a llevársela el aire, ese aire que es la materia de la que estamos hechos, leve viento de vida y muerte, aire de todas las máscaras, aire de Dylan.

ÍNDICE